Bonne lecture
J[illegible]

Qu'eux

Ce que les hommes ne disent pas : leurs fantasmes avec elles

À Katerine
En espérant que nos histoires sauront titiller ton imaginaire
MP Fitch

Catherine,
qd on connaît ton père, ce n'est pas facile. Mais je me lance avec un jeu de mot :
Merci d'avoir fait "le gravelleur"
Emmanuel
Ahras C.E.

Pour ma fille
LA FEMME QUI ME RESSEMBLE LE PLUS
Michel Benezet

[illegible]
-ENJOY!-

Éditions Groupe Parim
1100, rue de la Montagne, bureau 1200
Montréal (Québec)
H3G 0A1

ISBN 978-2-98151-182-9

Dépôt légal: 2e trimestre 2015
Bibliothèque et Archives nationales
du Québec
Bibliothèque et Archives Canada

Imprimé au Canada

1 2 3 4 5 IMM 19 18 17 16 15

Qu'eux

Ce que les hommes ne disent pas : leurs fantasmes avec elles

Illustrations de Paul Robert

ÉDITIONS GROUPE PARIM

Préface de Guy Fournier

Un coffre aux trésors

Malgré ses costumes bien taillés, ses lunettes sages qui cachent mal ses yeux moqueurs et sa coiffure savamment décoiffée, Pierre Parent ne sera jamais, pour moi et pour tous ceux qui le connaissent, un homme d'affaires ordinaire, encore moins un promoteur comme les autres. Mine de rien, cet homme qu'on croirait conservateur et rangé est un rebelle, un provocateur qui recrute des alliés pour monter aux barricades, s'assurant ainsi de toujours gagner. Pierre déteste perdre; s'il lance une offensive, c'est qu'il a déjà en main les armes de la victoire.

Cet homme aurait pu être un artiste, mais il a cru davantage au talent des autres et a choisi les affaires. Pas n'importe lesquelles. Au bout du compte, lorsque Pierre a bien travaillé, il doit rester de la beauté. C'est le père du Salon de l'habitation. Un salon où on pouvait admirer des maisons harmonieuses et des intérieurs modèles. C'est aussi un as de l'immobilier qui nous a donné des immeubles majestueux comme l'hôtel Le Crystal Montréal, rue de la Montagne, et des complexes hôteliers dans des lieux à faire rêver.

Tout en menant à bon port chaque année ce paquebot qu'était le Salon de l'habitation, Pierre avait un œil sur la scène. Quand j'ai écrit *L'amour ou la vie,* une comédie un brin osée qui mettait en vedette Jean Besré et Louise DesChâtelets, c'est Pierre qui en a été le timonier. La pièce a fait son plein de spectateurs et Pierre, dans la foulée, a repris la production de la pièce de Maryse Pelletier, *Du poil aux pattes comme les CWACS,* et l'a promenée triomphalement partout au Québec.

Il a ensuite jonglé avec l'idée d'installer un cabaret érotique au-dessus du centre commercial qui s'installait rue Sainte-Catherine, entre les rues Saint-Marc et Saint-Mathieu. Il a abandonné le projet, mais il garde dans un petit tiroir de son cerveau, qu'il ouvre à l'occasion pour s'assurer qu'il y est toujours, le projet d'un musée de l'érotisme.

Son attrait pour l'érotisme est l'une des faces cachées de cet homme, dont la plupart pensent qu'il est sage comme une image. Il n'est eau plus vive que celle qui dort. Les biologistes qui explorent les eaux dormantes le savent, et moi, qui fréquente Pierre de temps à autre, aussi. Je sais que cet homme a plus d'une nuance de gris.

C'est donc grâce à lui qu'existe ce livre, que vous avez entre les mains et qui constitue un véritable coffre aux trésors. Des hommes y fantasment à voix haute sous le couvert d'un anonymat fragile. Les noms de ces braves sont publiés sans référence à un texte en particulier. Un peu comme un monument au soldat inconnu dont on ne connaîtrait pas les batailles qu'il a livrées. C'est au lecteur qu'il revient, s'il en a envie, d'associer chaque fantasme à celui qui en est l'auteur. Souhaitons qu'en puisant dans ce coffre rempli de trésors érotiques le lecteur fantasme à son tour et forge pour lui-même des fictions aussi enlevantes et évocatrices.

L'initiative de Pierre Parent constitue un véritable manifeste en faveur des fantasmes dont les hommes parlent si peu, que ce soit entre eux ou avec celles avec qui ils voudraient bien les vivre. Grâce à l'initiative de Pierre, les fantasmes de l'homme hétérosexuel moyen, c'est-à-dire de mon voisin, de mon frère ou de mon ami, ont désormais droit de cité.

Puissent leurs fantasmes en susciter mille autres, tout aussi croustillants et, surtout, tout aussi invitants.

Février 2015

Avant-propos

Pourquoi eux ?

Au Québec, la plupart des livres érotiques sont écrits par des femmes. Lili Gulliver, Marie Gray, Nelly Arcand, Maud Thomas, Sylvie Ouellette, Julie Pelletier, Élise Bourque et bien d'autres nous ont donné une littérature érotique abondante et, la plupart du temps, de qualité.

Les auteurs masculins, pourtant très prolifiques dans les autres domaines littéraires, sont peu nombreux à s'être laissé tenter par cette branche de la fiction. La sexualité, l'érotisme et les fantasmes font pourtant partie d'une réalité quotidienne pour la plupart d'entre eux.

Paradoxalement, ce sont des hommes qui produisent la plupart des films érotiques. Cette situation amène beaucoup de femmes à critiquer la façon dont la femme est présentée dans ces films.

Les romans érotiques écrits par des femmes projettent une image de l'homme modulée selon les perceptions, les expériences ou l'imagination féminines. Beaucoup de femmes prétendent connaître les fantasmes des hommes. Quand on leur demande d'en citer quelques-uns, elles se cantonnent dans les lieux communs. Au sommet de ce palmarès : un homme avec deux femmes. L'imaginaire masculin est pourtant éminemment plus créatif, débridé et peuplé !

Pour offrir une meilleure vue d'ensemble aux lectrices d'ici, j'ai réuni quinze hommes provenant de milieux différents et appartenant à tous les groupes d'âge, de la vingtaine à la soixantaine. Ils ont en commun de ne pas être des professionnels du monde littéraire. Ils gagnent tous leur vie autrement : hommes d'affaires, fonctionnaires, courtier immobilier, employé de restauration rapide, ostéopathe, rédacteur de discours politiques, étudiant et professionnel d'une société publique.

Pourquoi eux ? Parce qu'ils avaient envie d'écrire et de livrer leurs fantasmes en sachant qu'ils seraient surtout lus par des femmes. Ils ont puisé dans leur vécu ou laissé libre cours à leur imagination pour écrire ces nouvelles érotiques.

Pour favoriser une liberté complète dans cet exercice d'écriture et ainsi éviter les méfaits de l'autocensure, aucune nouvelle n'a été associée à son auteur. De plus, seuls les auteurs qui le désiraient ont été identifiés nommément comme collaborateurs de ce recueil. Les autres sont présentés à l'aide d'un pseudonyme.

Mesdames, je vous invite à entrer dans cet univers érotique tel qu'il est vu par des hommes. Chaque histoire s'adresse à vous et est une démonstration éloquente de l'espace que vous occupez dans nos pensées, dans nos désirs et dans notre cœur. Messieurs, vous allez sans doute vous reconnaître dans ces fantasmes masculins. Peut-être même en profiterez-vous pour en réaliser quelques-uns, seul ou avec votre amoureuse.

Honni soit qui mal y pense !

Pierre Parent
Auteur et éditeur

À nos amoureuses d'une nuit
ou d'une vie

Le marathon

Quelle saloperie! Moi qui pensais que mon époque de beuverie débridée avait pris fin avec mes folles années d'université, me voilà aux prises avec une de ces gueules de bois!

Forcément, rien de bien étonnant, ce qui avait commencé par quelques verres avec des collègues pour célébrer ma quarantaine s'était conclu comment au juste? Le néant, le trou noir absolu, dur rappel que je n'ai plus mon métabolisme d'antan.

Nous avons quitté la terrasse du Dominion après combien de pichets de sangria? Pour aller où? Bon, un deuxième café devrait m'aider à retrouver mes esprits. La machine à espresso, fidèle à sa tâche, crache sa *crema*. Ça aide tout de même un peu, même si mes souvenirs restent nébuleux. Il y a bien eu ces *shooters* de Jell-O, puis quoi? Une virée dans une boîte où la musique est si forte qu'il faut hurler pour se faire comprendre? Ou bien me suis-je retrouvé dans un de ces nombreux bars d'effeuilleuses qui n'emploient que de sages étudiantes, uniquement là pour payer leurs études? Rien à faire, plus j'essaie, moins je me souviens.

Je suis certain d'au moins une chose, je ne conduisais pas. La voiture était au garage pour remplacer la vitre du passager que je m'étais fait défoncer la veille. Il n'y avait pourtant rien dedans, sauf ce vieux CD de Tom Waits du temps où j'étais avec Noémie. Drôle de coïncidence, quand même: tout comme la vitre de l'auto, ma relation avec Noémie avait volé en éclats sans préavis. Je ne vivais pas assez, c'est tout ce qu'elle m'avait balancé en pliant bagage.

La douche aide à condenser ma brume mentale sur les miroirs de la salle de bain. Les trépidations de mon cerveau restent pénibles, mais tolérables, je devrais finalement être bon pour attaquer ce vendredi. D'un geste mou, j'essuie la buée du miroir pour me raser. Je reste tétanisé devant mon reflet. Soit nous avons fini la soirée dans un party de zombies, soit je suis entré de plein fouet dans la quarantaine en l'espace d'une nuit. Du gris dans la barbe et les cheveux, un ventre qui jaillit sans retenue, bon Dieu ! Tout mon corps semble flasque et hideux. Pourtant, hier encore, j'avais l'impression d'être svelte et d'avoir maintenu mon tonus musculaire malgré le manque d'activité physique. Jusque-là, je croyais que la crise de la quarantaine consistait à s'acheter une décapotable et à se trouver une minette dépendante affective qui pourrait être ma fille. Eh bien non, pour moi, c'est comme un aveugle qui retrouve soudainement la vue et prend enfin conscience qu'il n'a pas l'allure d'un acteur hollywoodien. Ouais, ça commence bien mal une journée.

À peine le seuil du bureau franchi, voilà que le tourbillon du vendredi m'emporte. Je m'étais résigné à endurer le mal de tête, mais là c'est trop. Les demandes incessantes se fondent en une succession de secousses, on dirait que les deux hémisphères de mon cerveau jouent à s'entrechoquer comme des plaques tectoniques. Allez, un troisième café est de mise.

Ce doit être l'heure de la pause, la petite cuisine est bondée. Quelques filles du bureau me font la bise en me souhaitant bonne fête en retard. Quelle gaffe, je dois me rappeler d'ajuster mes préférences Facebook. Philippe s'approche de moi, deux tasses à la main : « Tiens, Marc-Alexandre. Méchant party hier soir ! » Philippe est l'archétype du mâle idéal : en forme, beau, grand, basané, été comme hiver, l'œil toujours allumé. Ce mec pète le feu, littéralement, tout le temps.

« T'as l'air un peu poqué. Ça va ?

— Ouais, ça va aller, merci pour le café ! Toi, en revanche, tu pètes le feu... comme d'habitude. »

Philippe a cinq ans de plus que moi, et le voir aller, toujours enjoué, de bonne humeur et en forme, me rappelle douloureusement ce que je ne suis plus.

«Je t'avoue que, ce matin, j'ai coupé ma course un peu court. Juste fait dix kilomètres au lieu des vingt habituels. J'ai un peu perdu l'habitude de boire autant. Mais quelle soirée! Mémorable!»

Justement, si je pouvais m'en souvenir, ça aiderait. Mais une chose bien plus grave vient de me sauter à l'esprit: ce type, plus vieux que moi, a fait la rumba toute la nuit, et il s'est levé ce matin pour courir dix kilomètres avant de venir travailler... Ce n'est pas possible!

«Comment tu fais, Philippe?

— Fais quoi?

— Courir tous les matins... même après une brosse.

— Bof, c'est facile dans le fond, je me lève, pis je cours. Le secret, c'est que quand je cours, je me sens en vie. Je ne sais pas si c'est l'endorphine, mais c'est comme si je devenais un boulimique de vie. J'en veux plus et je me sens invincible. Tu devrais essayer, ça ne coûte rien.

— Ouais, pourquoi pas? Allez, à plus.»

De retour à mon bureau, je m'enferme, troublé par cet échange. «Je me sens en vie.» Était-ce cela que Noémie voulait dire lorsqu'elle a claqué la porte? À ce moment, je n'avais évidemment rien compris à son reproche. Je respirais, mon cœur battait, donc j'étais en vie. Mais là, tout prenait soudainement un autre sens. M'étais-je déjà senti en vie? Non, pas particulièrement, faut croire. Peut-être que je devrais essayer son truc de course après tout...

5 h 05, dimanche matin. Me voilà au pied du mont Royal, seul comme un con qui se sent con, dans des espadrilles un peu trop fluo à mon goût.

J'étais passé à la boutique de course la veille, après m'être inscrit au marathon de Montréal. Je ne suis pas complètement cinglé, Dieu merci! Dans un moment de lucidité passagère, je me suis quand même inscrit à une plus courte épreuve, le demi-marathon, même si mon ego se sentait parfaitement prêt pour la totale. Je suis le genre de gars qui pense pouvoir surmonter tous les défis, mais qui ne les cherche pas. Il était donc tout à fait logique que je m'impose un défi pour me forcer à essayer sérieusement ce sport. Après tout, dans le pire des cas, ma courte carrière de coureur se terminerait après cette épreuve si je n'aimais pas ça, mais il était hors de question d'abandonner avant. Le vendeur avait été fort sympathique, et j'étais sorti de là avec une nouvelle paire de souliers de course, le chandail technique qui laisse respirer, ainsi que le caleçon, les bas et le short technique. Sans oublier la casquette, la montre d'entraînement, la ceinture pour les gourdes, les gourdes, les paquets de gels nutritifs et les lunettes... Philippe était dans le champ : la course, ça coûte cher ! J'en avais pour près de mille dollars, mais je me sentais comme un « vrai » coureur.

L'aube pointe et je me dis qu'il est temps de me mettre en route. C'est parti. Tout va bien, les enjambées se succèdent et j'avance à bon rythme. La montagne est déserte, et je me surprends à apprécier ce moment matinal où le vacarme de la ville fait place aux gazouillis des oiseaux. Un coureur apparaît à la sortie d'un tournant et dévale la pente vers moi. Il semble voler, sans la moindre trace d'effort. Ayoye, il court vite, mais ça doit être normal, après tout il descend et moi je monte. En me croisant, il n'hésite pas à m'envoyer un « Bonjour ! ». Surpris, j'hésite avant de répondre. C'est plutôt inhabituel de croiser des inconnus dans la rue qui vous souhaitent une bonne journée : ce doit être ça la solidarité des coureurs dont on parle tant sur le Net. Avec quelques secondes de retard, je me retourne pour lui renvoyer la politesse, mais trop tard, il a déjà disparu. Je continue la montée. Au moins, j'avance.

Deux coureuses me dépassent sans que je les aie entendues venir. Woh ! Philippe, tu ne m'avais pas dis ça, cachottier ! L'une est en jupette, avec un soutien-gorge de sport, et l'autre en short ultra-moulant. Très motivant tout ça ! Sauf qu'elles courent plutôt vite, mon ego de mâle en prend un coup, alors j'accélère la cadence. Rien à faire, elles sont vraiment trop rapides. N'empêche, j'en profite pour admirer le paysage, qui disparaît toujours un peu plus loin à chaque foulée. Ces deux filles sont du tonnerre, leurs fesses bombées d'une rondeur parfaite se balancent élégamment, portées par leurs jambes de déesses.

Mais mon manque d'entraînement commence à se faire sentir, la douleur monte dans ma poitrine et le souffle me manque. Va falloir marcher un peu, mon vieux, c'est ta première sortie après tout! J'en profite pour jeter un coup d'œil à ma montre: battement cardiaque, cent quatre-vingt-quinze par minute. Ah bon, et ça bat à combien normalement? Distance parcourue, voilà enfin une donnée significative: huit cents mètres... *Fuck,* juste ça! M'en reste combien?

Ce n'était peut-être pas l'idée du siècle de m'attaquer à la montagne pour le début de mon entraînement, un parcours plat aurait certainement été plus facile, mais il fait beau, et les lieux offrent une oasis de quiétude dans la cacophonie urbaine. De plus, la faune matinale ne fait qu'embellir à mesure que l'heure avance. C'est à croire que la montagne tout entière est maintenant prise d'assaut par des coureuses toutes plus jolies les unes que les autres. Il n'y a plus de doute, la course est un sport pratiqué majoritairement par les femmes, et ses bienfaits sont immanquables, particulièrement lorsque le linge technique vient mettre tout ça en valeur. Mais il y a plus, quelque chose que je n'arrive pas tout à fait à saisir encore. Même les filles rondelettes qui bravent la montée jusqu'au sommet dégagent quelque chose de sexy. Bien que je n'aie jamais été de ceux qui préfèrent les femmes en chair, je ne peux m'empêcher de constater que, pour la première fois, elles ont un sex-appeal certain. Est-ce l'effort ou la détermination qui leur confère cet attrait soudain? Toutes ces coureuses ont une chose en commun, ce truc que Philippe a aussi, l'œil étincelant qui pétille. Ce doit être le syndrome du «je me sens en vie»...

Allez, assez marché! Je jette un bref coup d'œil à ma montre, qui indique 1,2 kilomètre,.et je repars. Malgré qu'il ne soit que 5 h 40, le chemin est beaucoup plus fréquenté. Certaines femmes courent seules, isolées dans la bulle musicale de leur iPod, d'autres sont par paires ou en trios, bavardant sans le moindre signe d'effort. À quelques reprises, je me fais dépasser par des groupes. Ces filles-là sont assurément en mode performance, elles ressemblent à un peloton du Tour de France : l'une est en tête, les autres forment le V qui la talonne. Elles foncent en se relayant à tour de rôle pour s'assurer que la tête garde le rythme.

Deux kilomètres. Ouf, j'en arrache de plus en plus... Mais là, c'est mon ego d'homme qui souffre le plus, je me suis fait dépasser par presque tout le monde. Je dis presque, car il y a ce vieux monsieur qui promène son chien, un bulldog court sur pattes. Ça m'a tout de même pris un bon moment pour le rattraper et je le sens sur mes talons pas loin derrière. Pas question de faire une pause maintenant, il me doublerait et tout serait à refaire. Les filles en maillot ajusté qui me dépassent, même si c'est dur à avaler, je veux bien. Elles n'en sont pas à leur première course, et moi je débute. Les gars, c'est pareil. Mais de là à me faire dépasser par un petit vieux et son chien, il y a des limites... Je persiste en tentant vainement d'accélérer la cadence, malgré que j'aie franchi le cap de l'inconfort et que je sois franchement dans la douleur. Mon cœur bat la chamade, le souffle me manque, je veux vomir. Ça y est, je vais vomir, ou je vais mourir, enfin dans un cas comme dans l'autre, ça ne sera pas beau à voir.

Au même moment, une jolie brunette vêtue d'un short moulant, bas au genou et petite camisole tourne le coin en dévalant la pente. Elle fonce droit sur moi. À chaque foulée, ses muscles se contractent, révélant des cuisses parfaites. Sa camisole suggère la chute de ses reins et la rondeur de sa poitrine. Tout sourire, elle se rapproche à vive allure. La vue de ce beau spécimen de femme n'est cependant pas suffisante pour me faire oublier toute ma souffrance, et d'un coup, sans préavis, je vomis sur le chemin... en plein sur son trajet.

Le bulldog tire frénétiquement sur sa laisse, empli d'espoir de partager mon petit déjeuner qui gît maintenant au beau milieu du chemin, tandis que son maître horrifié le force à continuer sa route. Ben voilà, non seulement tu t'es fais dépasser par le petit vieux, mais en plus t'as réussi à faire un fou de toi...

« Buvez un peu d'eau, ça aide. »

Tétanisé, je me redresse d'un coup. C'est la brunette. La sueur perle sur son cou et forme de fines rigoles qui attirent mon regard vers sa poitrine, qui se dilate à chaque souffle qu'elle reprend calmement.

« Comment vous sentez-vous ?

— Compte tenu de la situation, je pense que nous avons dépassé le vouvoiement... »

Elle rit, ce qui lui confère encore plus de charme.

« Je m'appelle Marc-Alexandre.

— Enchantée, moi c'est Allison. T'es certain que ça va ?

— Oui, oui... J'ai poussé un peu trop mon premier entraînement, faut croire.

— Ah, tu commences ?

— Oui, c'est ma première sortie.

— C'est dur, les premières fois, mais tu vas voir, ça ira mieux après.

— J'espère, parce que je me vois mal laisser mon déjeuner sur la ligne de départ du marathon...

— T'es inscrit au marathon ? me lance-t-elle, incrédule.

— À vrai dire non, pas le marathon, le demi.

— Ah bon, c'est mieux, et tu suis un programme ? »

De quoi parle-t-elle là ? Un programme... Elle doit sûrement lire l'incompréhension dans mon regard puisqu'elle enchaîne aussitôt.

« Ça va te prendre un programme d'entraînement, Marc-Alexandre, si tu ne veux pas salir d'autres *runnings* et si tu veux finir ton demi-marathon. »

Je n'arrive pas à savoir si elle me taquine ou si elle se paie carrément ma tête. N'empêche qu'elle est diablement sexy avec ce petit regard narquois.

« Demain, 5 h 15 à la statue.

— Euh, qu'est-ce qu'il y a là ?

— Il y aura moi... Pour te coacher. »

J'en reste bouche bée, cette créature sublime, gentille de surcroît, offre gracieusement de s'entraîner avec moi ?

« OK, 5 h 15...

— Parfait, alors à demain. »

Elle repart, relançant sa foulée sans retenue. Et je reste planté là, les deux pieds dans mon déjeuner, le sourire béat à admirer ses fesses qui bombent et se tendent à chaque enjambée. Sa queue de cheval sautille, amplifiant son mouvement gracieux. Soudain, elle s'arrête net et se retourne. Ouille, me voilà pris comme un gamin la main dans le pot de biscuits, en flagrant délit de lorgner son postérieur. Elle va me prendre pour un pervers, c'est clair.

« Fais-en pas trop aujourd'hui, t'auras besoin de toute ton énergie demain ! » dit-elle avec un sourire coquin tout en faisant le geste de se rattacher les cheveux.

Le soleil découpe sa silhouette, révélant la courbe de sa poitrine que son mouvement met encore plus en valeur. J'en suis pantois. Puis la voilà qui repart en me lançant un dernier sourire ravageur, alors que le bulldog du petit vieux entreprend de me lécher les mollets.

5 h 10 au pied de la statue. Cette fois, j'ai fait mes devoirs : ne pas manger juste avant un entraînement ; apporter une boisson électrolytique ; prendre un gel énergétique avant l'effort... Je trépigne sur place. C'est tout le sucre avalé ou bien l'excitation de courir... avec la belle Allison ? Allez savoir.

5 h 20... Les coureuses (et les coureurs) commencent à affluer, et des groupes se forment devant la statue, point de ralliement avant la montée. Je reste là, à scruter autour de moi, en espérant la voir, tandis que les groupes prennent le chemin du sommet un à un.

5 h 30... Toujours rien... Bon... Faut croire que je rêvais... Après tout, pourquoi une si belle créature voudrait-elle s'entraîner avec quelqu'un qui est clairement à des années-lumière de son calibre ? Résigne-toi, mon vieux, elle ne viendra pas.

Sur ce triste constat, je démarre le chrono et entreprends ma deuxième tentative. Ma déception laisse vite place à l'effort que j'essaie de soutenir tout en admirant à nouveau le paysage et la faune en *spandex*. La montre bipe pour m'avertir que je viens de franchir le premier kilomètre, il y a du progrès. Armé de volonté, je pousse l'effort. En moins de cinq minutes, je commence à retrouver cette désagréable sensation, mon cœur veut sortir de ma poitrine et la nausée commence à monter. Au même moment, une coureuse apparaît.

« Désolée, la nuit a été dure. »

C'est elle... J'ai beau essayer de lui répondre, rien ne sort. Mon corps est en mode survie. Courir et respirer ou marcher et parler, mais pas courir et parler... Ce message-là est on ne peut plus clair. Allison, pas dupe de mon orgueil masculin et de ma souffrance que j'essaie lamentablement de cacher, s'improvise coach.

« Marchons un peu. »

Pas besoin de me le répéter, je passe instantanément à la marche en essayant de ne pas trop laisser paraître mon soulagement. Tandis que je reprends mon souffle, nous causons. Allison est résidente à l'hôpital pour enfants, où elle se spécialise en oncologie. Malgré sa maturité, elle doit avoir à peine plus de trente ans. Cheveux aux épaules, taille moyenne, corps bien sculpté, c'est exactement le type de fille que les hommes ne remarquent pas vraiment lorsqu'ils la croisent dans la rue en tenue de ville, mais qui les ferait fantasmer s'ils la voyaient dans sa minijupe et sa camisole de course, avec ses bas de compression aux genoux.

« Première leçon : sentir son corps. »

Et la voilà lancée. Avec patience, elle m'explique que courir, c'est avant tout une affaire individuelle. Qu'il y en aura toujours des plus rapides que moi et que je dois apprendre à connaître mes zones d'efforts.

« Ça ne sert pas à grand-chose de courir comme un fou jusqu'à te rendre malade si tu n'atteins pas ton objectif, me lance-t-elle, moqueuse.

— Ouais, j'avais bien compris ça...

— On va travailler ta zone de confort. Tu vas courir au rythme qui te permet de parler en même temps, on ralentit jusqu'à ce que soit possible. OK ? »

Sur ce, nous revoilà partis vers le sommet. Elle me questionne et dirige la conversation comme elle dirige la course, en championne, tandis que je m'efforce de lui répondre tout en maintenant le rythme. Pas facile, mais je la sens à mes côtés, plus à l'affût de mon corps que moi, et elle me guide comme un enfant d'école, ralentissant la cadence avant même que je me rende compte que le rythme est trop élevé. Nous courons ensemble dans un parfait synchronisme, nos pas, nos souffles, l'instant est parfait. Puis, soudainement, elle bifurque dans un des nombreux sentiers qui rejoignent le chemin principal, avec pour seul avertissement un « Suis-moi » entre deux souffles. Le sentier étant trop étroit pour nous permettre de courir côte à côte, elle ouvre le pas. Je tente de ne pas être trop déconcentré par son admirable silhouette. Plus nous montons, plus je la désire, ce qui, je dois avouer, est excellent pour la motivation. À peine arrivée à une clairière rocailleuse, elle ralentit la cadence et se tourne vers moi.

« On fait une petite pause ?

— Bonne idée ! »

Je sais, j'ai l'air d'être toujours partant pour les pauses, mais je ne peux m'empêcher de vouloir savourer chaque moment en compagnie d'Allison. Je m'assieds sur une roche tout en tétant ma gourde, alors qu'elle en profite pour faire quelques étirements. Nous parlons de tout et de rien pendant qu'elle bouge avec la grâce d'une ballerine. Je fonds. Il est impossible qu'elle ne s'en rende pas compte puisque je suis comme un bambin, à rigoler, suspendu à ses lèvres, et à m'ébahir devant chacun de ses gestes. Tout à coup, sans avertissement, elle m'envoie ce signal qui ne trompe pas : elle se détache les cheveux pour refaire sa queue de cheval, qui était déjà, comme tout ce qui la concerne d'ailleurs, parfaite.

« Tu viens ? me dit-elle.

— Avec toi, j'irais n'importe où, n'importe quand ! »

Seigneur ! Je ne peux pas croire que je viens de dire ça ! Pourtant, c'est sorti tout seul, bêtement, tout d'un coup, droit du fond du cœur... Dieu merci, sa réponse, comme le reste, est charmante. Elle se contente de m'adresser un large sourire et un subtil clin d'œil. Nous repartons. Je ne peux m'empêcher de rejouer la scène dans ma tête en gravissant le sentier. Quel idiot... Et si son sourire était juste de la politesse? Aurais-je mal perçu la situation? Elle continue la montée sans se retourner, et je la sens plus pressée. Merde, je l'ai perdue, c'est clair. Finalement, nous arrivons au sommet. La vue de la ville sous les rayons de soleil matinaux est imprenable, mais quelque chose cloche. Allison semble tendue.

«Je dois redescendre, Marc-Alexandre... Je n'avais pas pensé que ce serait si long. En plus, j'étais déjà en retard, ce qui n'aide pas.

— Je comprends, pas de problème.

— C'était une longue course pour toi. Tu ne devrais pas courir demain. Pour redescendre, tu peux prendre le chemin ou passer par l'escalier là-bas.

— D'accord. À quand le prochain entraînement?

— Je ne suis pas certaine de pouvoir après-demain... Laisse-moi ton numéro et je te texte, OK?»

Voilà, je me suis moi-même crucifié. Mon malheureux lapsus a dû faire son chemin dans son esprit, et cette fille doit se dire que, finalement, je suis comme tous les hommes, avec une seule idée en tête: la sauter. Je lui laisse tout de même mon numéro de portable, le cœur empli d'espoir. Elle me fait la bise et repart, dévalant d'un pas pressé la pente qui s'offre à elle. Le cœur gros, je décide d'emprunter les escaliers.

Aucune nouvelle d'Allison depuis quatre jours. Elle avait raison, je n'ai pas couru le lendemain, j'en ai été incapable. Physiquement, j'étais à peine bon pour jouer dans un film de Sergio Leone, avec une démarche de cow-boy due à la douleur musculaire.

J'ai bu tous ses conseils et je me suis trouvé un plan d'entraînement en ligne: «Du sofa à votre premier 5 km.» En élève appliqué, je suis retourné courir deux fois sur la montagne depuis que nos chemins se sont séparés et je suis assidûment mon plan. Espérant en vain tous les jours que nos chemins se croisent à nouveau.

Les souvenirs de notre course dans les bois me reviennent sans cesse à l'esprit, particulièrement l'image d'elle se rattachant les cheveux. Je suis rendu complètement inefficace au boulot et je n'ai plus qu'une seule idée en tête : la revoir.

Mais les jours se succèdent sans nouvelles d'Allison, même si je répète mon rituel matinal au pied de la statue. Je sens la différence dans mon corps, mon souffle, mon endurance, mais pas dans mon cœur. Cette fille a ouvert la porte sur ce grand vide qu'a laissé Noémie. Jusque-là, je ne m'en étais même pas rendu compte, préférant me plonger dans le travail. Mais la course, ou Allison, a rallumé ma libido, et je sens ce besoin pressant monter en moi. J'ai bien eu quelques aventures depuis ma rupture avec Noémie, mais elles tenaient plus du hasard que d'un véritable désir d'être en couple. C'est différent avec Allison. Bien sûr que je la désire physiquement, mais il y a plus.

La montagne est féerique. La lumière filtre à travers les feuilles comme dans un décor de cinéma. La ville s'est tue pour laisser place aux bruits de la nature. Je cours aisément, presque sans effort, à une cadence de Kenyan. Pas un seul autre coureur en vue : je me sens comme le roi de la montagne en ce début d'automne. Les oiseaux perchés sur les branches semblent m'encourager, tels des supporteurs massés le long d'un parcours de compétition.

Allison arrive soudainement à ma hauteur, comme une lionne feutrant ses pas pour surprendre la gazelle. Je ne l'ai pas entendue me rattraper. Elle porte un micro-short et un *top* de course hypermoulant qui révèle presque tout de son corps splendide.

« Tu m'as manqué », lui dis-je.

Elle se contente de m'envoyer un sourire espiègle et accélère la cadence. J'avais déjà l'impression de voler, et pourtant je la prends en chasse. Elle doit bien avoir trente mètres d'avance sur moi quand elle bifurque dans l'un des nombreux sentiers qui coulent le long des pentes. Sans hésiter, je me lance à mon tour dans le boisé. Elle a disparu. Pris d'angoisse, je me mets à sprinter dans le sentier abrupt qui mène au sommet. Après tout, elle ne peut que suivre le chemin puisque la forêt est trop dense pour qu'on puisse y courir sans trébucher. À moins de vingt mètres devant moi, je devine le sommet. Le sentier débouche sur le belvédère, et la vue de la ville qui s'offre à moi est imprenable. Allison est là, les jambes bien plantées, dos à moi, baignant dans le soleil. Elle défait sa queue de cheval en se retournant vers moi.

« Viens ici », dit-elle.

Je m'approche. Elle m'enlace par le cou en portant ses lèvres vers les miennes. Instantanément, nos bouches se fondent dans un baiser parfait, tandis que mes mains trouvent le creux de son dos. Je la sens frémir plus fort au contact de ma main, qui descend sur ses fesses pour suivre le sillon de son short vers sa chatte. Elle me tient fermement la nuque d'une main, tout en continuant de m'embrasser. Je sens à travers la fine barrière de Lycra sa vulve qui pulse sous mes caresses. Roi et reine de notre domaine, nous sommes seuls au monde. Sa main droite se pose sur mon abdomen et glisse vers mon sexe. Habilement, elle délace le cordon de mon short. Je brûle de plaisir sous ses caresses. Je sens le tissu de son short se mouiller sous une main tandis que l'autre a fait son chemin vers son sein gauche, que je masse maintenant fermement. Mon sexe se dresse peu à peu pendant que ses doigts s'infiltrent entre l'élastique du short et mon pubis. Lentement, je sens son autre main quitter ma nuque pour descendre le long de mon flanc, et son corps s'éloigne du mien jusqu'à ce que nos lèvres se quittent. Comme un enfant, je cherche à les retrouver, mais il est trop tard.

D'un mouvement souple, Allison s'est accroupie en entraînant mon short et mon caleçon. Mon sexe gonflé, libéré, rebondit sur son visage. Elle l'empoigne d'une main experte et, tout en levant les yeux vers moi, le glisse dans sa bouche. Ses lèvres chaudes et humides se referment sur ma verge gonflée, sans que nos yeux se quittent. Sa langue tourne sur mon gland. Jamais je n'ai senti mon pénis si gorgé de sang, si dur. Elle ferme les yeux en s'enfonçant plus profondément sur mon sexe. Je sens l'arrière de sa gorge heurter la tête de ma verge et ses lèvres frotter le long de mon membre. Je glisse au plus profond d'elle tandis que sa gorge exerce une pression croissante sur mon gland. Ses lèvres se lovent sur mon abdomen. Elle m'a avalé au complet.

Le temps semble s'arrêter dans ce moment de pure extase. Ses deux mains montent le long de mes cuisses. L'une empoigne mon scrotum, et l'autre trouve le chemin de mes fesses. Doucement, elle tire mes couilles vers l'arrière pour faire glisser mon pénis hors de sa bouche. Je sens ses lèvres se refermer plus fort et sa main sur mes fesses pousser mes hanches vers l'avant, encore une fois au plus profond de sa gorge. Puis tranquillement, elle imprime la cadence, tirant mon pénis hors d'elle par mes testicules pour l'y replonger en poussant mes fesses vers l'avant. Je ne peux faire autrement que tourner ma tête vers le ciel et laisser le soleil caresser mon visage en appréciant ce moment. Inlassable, elle répète ce manège un moment. Puis, aussi souplement qu'elle s'était accroupie, elle se redresse d'un bond.

« Maintenant, prends-moi. »

Ses yeux pétillent et sa bouche luit. Je ne peux me retenir et l'embrasse avidement. Elle goûte un mélange d'elle et de moi qui m'enivre encore plus. Tendrement, elle me repousse d'une main, puis, avec l'autre, elle baisse son short. La fine ligne de son sexe se révèle, car elle ne porte rien sous son short de Lycra, qui tombe à ses chevilles. Elle fait un pas en arrière pour en sortir complètement et, d'un geste habitué, enlève son haut pour se révéler nue devant moi. Le soleil, encore bas dans le ciel, découpe sa silhouette et accentue ses courbes. Et moi je reste planté là, en pleine érection, à l'admirer. Elle se rapproche pour m'embrasser à nouveau, sa peau est chaude et douce sous mes mains. Délicatement, elle enlace ma nuque. Sans hésiter, mes mains trouvent le creux de ses fesses et la soulèvent, tandis que ses jambes s'agrippent fermement autour de ma taille. Je sens sous mes doigts sa vulve s'entrouvrir pendant que je la glisse délicatement sur ma queue. Je pénètre en elle lentement, sentant toute la chaleur de son être m'envelopper peu à peu.

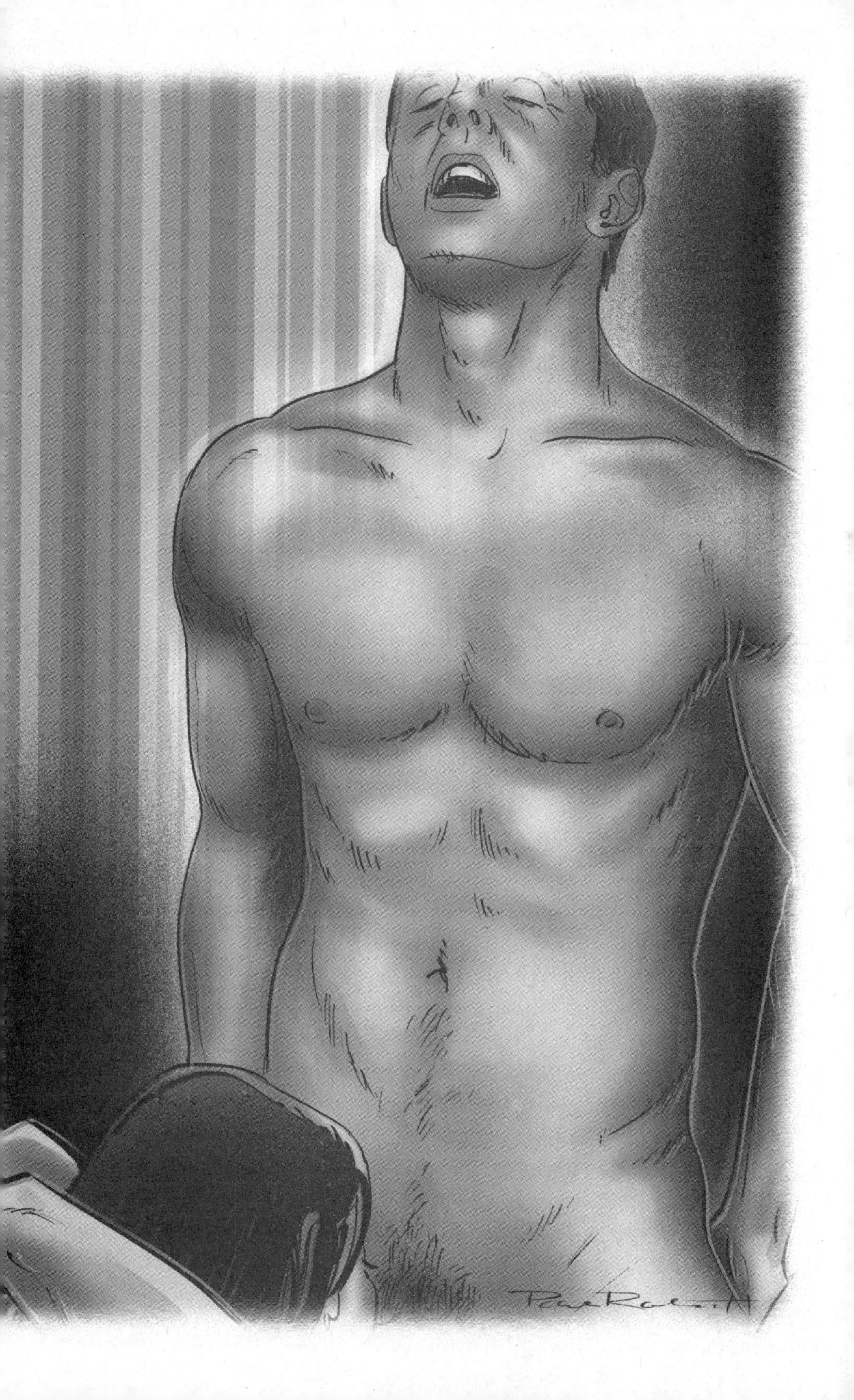

Elle renverse la tête en arrière en émettant un gémissement. Je sens la moiteur de son sexe sur mon pubis. Je suis au plus intime, au plus profond d'elle. Ses jambes se contractent et son appui se resserre sur ma nuque, elle remonte tout son corps, offrant presque ses seins à ma bouche, avant de se laisser glisser à nouveau sur ma verge. Mes mains guident maintenant son mouvement et marquent la cadence. Je la possède et elle s'abandonne à moi. Je sens l'excitation monter en elle. Sa cyprine que je sens couler sur mes testicules m'enivre. Du bout des doigts, je sens ses lèvres pulser chaque fois que je la redescends sur ma verge. Nos corps ondulent dans un beau synchronisme. Ses ongles s'enfoncent dans le creux de ma nuque, elle va bientôt jouir.

Une alarme d'incendie rompt brusquement notre moment d'extase. Tel un garnement pris en flagrant délit, je m'arrête net. Je ne saurais dire d'où vient ce bruit, nous sommes seuls, nus devant la ville. Elle approche son visage de moi, m'embrasse avec un sourire et me chuchote « À tout de suite ».

Je suis dans mon lit, l'alarme retentit à tue-tête et mon érection soulève le drap. Zut ! Ce n'était qu'un rêve. Le réveil paie cher ma frustration, mon poing écrase avec violence le bouton d'arrêt et il rend l'âme aussitôt.

Putain, 5 h 20…

Quoi ? Une autre sonnerie ! Mon téléphone m'avertit que je viens de recevoir un message. En tâtonnant, je finis par retrouver l'engin sous le lit.

5 h 45 @ la statue ? A.

Trois secondes plus tard, je suis sous la douche.

Nous courons à un bon rythme. Allison me semble plus fatiguée, mais sa bonne humeur est au rendez-vous. Tout en gravissant le chemin vers le sommet, elle m'explique qu'elle a dû partir d'urgence pour remplacer un ami médecin à Puvirnituq. Il a été poignardé en tentant de s'interposer dans une chicane conjugale à sa clinique. Il voulait calmer les esprits, mais le mari, fou de rage, avait sorti son couteau de chasse et l'a poignardé. Le docteur n'a été touché qu'une fois à l'abdomen, mais, m'explique-t-elle, dans ce coin reculé, il n'y a que des services de chirurgie mineure, et un seul médecin, trop occupé à retenir ses entrailles pour arriver à se traiter lui-même. L'unique infirmière de la clinique l'a stabilisé afin qu'il soit évacué d'urgence par hélicoptère vers Chicoutimi. De là, il l'avait appelée pour lui demander de le remplacer.

Sa clinique commençait à peine à gagner la confiance de la population, et l'absence de médecin aurait risqué de compromettre tout le travail accompli depuis quelques années. Allison l'avait donc rejoint en catastrophe. Ce n'est qu'une fois sur place qu'elle s'est rendu compte à quel point elle était dans un autre univers, pas de cellulaire, ni même de téléphone, seul un téléphone par satellite à la clinique et un poste de radio à ondes courtes. Elle ne savait comment utiliser ni l'un ni l'autre. De plus, son ami n'exagérait pas, cette clinique avait désespérément besoin d'un médecin. Bien que le village ne compte pas plus de mille sept cents personnes, c'est la seule clinique de tout le territoire, et les gens y affluent de partout.

Elle a rapidement perdu le compte des cas, mais il n'était pas rare qu'elle se tape trente ou quarante consultations par jour. Elle a dû accoucher des femmes dans la salle d'attente, recoudre des scalps, arracher des dents qui pourrissaient et toutes sortes d'autres maux qu'elle réfère d'habitude à des spécialistes. De la vraie médecine de brousse.

Je sens bien son épuisement, elle ne cherche pas à pousser le rythme et se contente de suivre le mien. Mes entraînements se révèlent payants puisque je peux maintenant lui parler tout en maintenant la cadence. Soit, ma conversation se limite encore à des onomatopées, mais je sens qu'elle a besoin de se vider le cœur, et je l'écoute attentivement.

Arrivés au sommet, alors que nous étirons machinalement nos muscles devant la ville qui s'éveille, elle me surprend (encore !) :

« Je suis désolée de ne pas avoir pu t'appeler, j'aurais tant voulu te revoir. »

Et vlan, tu es cuit, mon vieux. Voilà que mon cerveau s'emballe, nos courses lui ont manqué, donc elle s'est ennuyée de moi. Je dois lui plaire un peu et, si elle est désolée, c'est qu'au fond elle a regretté de m'avoir laissé en plan. Invite-la, me souffle mon for intérieur, n'aie pas peur. C'est clair qu'elle aussi voit qu'il y a quelque chose, vas-y… Cette fille, tu en rêves, et si elle se fait rappeler pour aller au bout du monde, tu vas rater ta chance, elle est là maintenant, avec toi. T'es un peu poule mouillée, mon vieux, elles sont où, tes couilles? Elle est encore plus belle et plus gentille que dans tes rêves, alors qu'est-ce que tu fous à te tâter le quadriceps, un peu de courage, elle vient juste de te dire qu'elle aime ça être…

« Tu fais quoi ce soir? »

Merde, pendant que je combattais mes démons, elle en a profité pour prendre l'initiative…

« Je soupe avec toi, bien sûr! »

Elle éclate de rire.

Bravo, je viens de marquer des points. Ça ne trompe pas, une femme qui rit, c'est qu'elle se sent bien.

« Parfait, je passe te prendre à dix-neuf heures, alors! dit-elle. Donne-moi ton adresse. »

Nous sommes redescendus ensemble cette fois, pour la première fois. Elle m'a remercié pour la course puis m'a embrassé, d'un doux baiser timide. Le genre qui, maladroitement, effleure les lèvres. Je plane, littéralement, jusque chez moi, ma montre de course m'indique une allure de cinq minutes trente au kilomètre, du jamais-vu, sans le moindre effort. C'est magique.

Je suis arrivé au boulot complètement euphorique, dopé d'un mélange d'endorphines et d'elle. J'excelle au travail et tout me semble d'une facilité incroyable. Philippe passe la tête dans le cadre de ma porte:

« Salut, t'as l'air en forme ce matin!

— Ouais, je me suis mis à la course.

— Ah vraiment? Ben, c'est génial, bravo! On pourrait aller courir ensemble un de ces quatre si tu veux. Tu vas voir, y a rien de tel pour te changer un gars.

— OK, quand tu veux ! »

Tu n'as pas idée, mon Phil, à quel point ça change un gars…

L'heure du rendez-vous arrive enfin. Je trépigne d'impatience devant cette première *date* avec Allison. Ce n'est pas compliqué, on dirait que j'ai de nouveau seize ans. J'ai dû changer au moins trois fois de costume, passer une bonne heure dans la salle de bain, où tout a été scruté à la loupe. J'ai même épilé les quelques poils qui tentaient de faire le pont entre mes sourcils. Mon téléphone vibre : « À la porte ! » affiche le texto. Très exactement quatre secondes et demie plus tard, je suis sur le perron. La voiture d'Allison est garée en double. Pas de flafla, une voiture compacte hybride sobre. Cette fille peut probablement se payer le dernier modèle du gros VUS Porsche ou encore une BMW, mais elle a opté pour un véhicule écologique et pas tape-à-l'œil. Normal, elle n'a rien à prouver à qui que ce soit, pas plus qu'à elle-même d'ailleurs. Dès que j'ouvre la portière, son odeur m'enivre, elle porte une robe noire au décolleté plongeant. Je m'assieds à ses côtés et elle démarre.

« Je nous ai réservé un truc un peu différent.

— C'est super, j'adore découvrir de nouveaux trucs », lui dis-je.

Argh, je suis pris de panique. Pourquoi ne m'a-t-elle pas embrassé ? Découvrir de nouveaux trucs, me dis-je, quelle connerie, elle va penser que toutes les femmes sont des « trucs » à découvrir. Vite, dis quelque chose…

« Comment a été ta journée ? »

T'es nul, demande-lui donc si elle entrepose ses pneus d'hiver au garage tant qu'à y être.

« Pas mal, beaucoup de dossiers à rattraper après mon absence. »

Bon, celle-là, tu t'en es sauvé de justesse, mais va falloir faire mieux.

« Assez parlé de moi, me semble que tu en sais déjà pas mal, et moi je ne connais pas grand-chose de toi, sauf que tu commences à courir… et que tu vomis », ajoute-t-elle, taquine.

Je commence donc à tout lui dévoiler sur moi pendant que nous roulons. Mon boulot, mon passé, mes amis, tout y passe. Je m'ouvre complètement à elle, ce qui, je dois dire, ne m'était que très rarement arrivé auparavant, mais je me sens totalement à l'aise.

« Tu n'as pas de copine ? T'es pas marié, j'espère ! » lance-t-elle en profitant d'une pause dans l'exposé de ma vie.

Je lui explique que non, je suis seul. Oh, il y a bien eu une certaine Noémie, mais c'est fini depuis longtemps. Et avant même de m'en rendre compte, je lui déballe mon passé avec Noémie et comment la relation s'est terminée, sans même me préoccuper de ce qu'elle en pense. Il faut dire que quelque chose de plus fort que moi me souffle que, avec elle, il ne peut y avoir de non-dits ni de secrets, seulement la vérité. Alors que je poursuis mon récit, nous arrivons à destination, elle gare la voiture et coupe le moteur. Mais au lieu de descendre, elle continue de me poser des questions sur moi, sur ma vie, et moi je lui raconte tout ce qu'elle veut savoir. Je suis sur le point de passer au chapitre sur ma famille quand elle me dit, le plus naturellement du monde :

« Viens, on va continuer dans le resto. »

Dès que nous franchissons la porte, je comprends pourquoi elle a qualifié ça de différent. C'est en fait un resto sensoriel. Pas de lumière, le noir total. L'affiche dans le vestibule tamisé où l'hôtesse nous reçoit indique que le concept de privation de la vue vise à rehausser nos autres sens pour découvrir une nouvelle façon d'apprécier la nourriture. Une fois de plus, je reste ébahi devant cette femme qui n'arrête pas de m'émerveiller.

Tandis que l'hôtesse nous explique le déroulement du souper, je ne peux m'empêcher d'admirer Allison. Après des indications qui m'ont complètement échappé, l'hôtesse prend la main d'Allison, qui saisit ensuite timidement la mienne, pour nous guider dans la salle à manger, plongée dans l'obscurité. On entend des rires gauches, les convives étant clairement décontenancés par l'environnement. Je sens l'index d'Allison qui me caresse doucement la main pendant que nous nous frayons un chemin à tâtons vers la table.

L'hôtesse guide Allison vers sa chaise, je sens sa main s'éloigner, mais elle ne semble pas vouloir lâcher prise, ce n'est que lorsqu'elle est assise que notre lien physique se rompt. L'instant d'après, je sens les mains de l'hôtesse sur mes épaules qui me guident vers ma chaise, que mon tibia heurte de plein fouet. Surpris, je ne peux contenir un cri, ce qui fait rire Allison ainsi que les autres clients. Clairement, je ne suis pas le premier à me cogner.

Une fois assis, je suis totalement désorienté, je ne sais même pas si Allison est devant moi ou à côté.

« Eh bien, pour être différent, c'est différent !

— Tu n'aimes pas ? On peut aller ailleurs si tu préfères.

— Non, non, c'est juste que je n'ai jamais eu de *blind date*. »

Elle rit. Je la devine là, tout près, devant moi.

« Donne-moi ta main. »

Non sans manquer de renverser un verre et en déplaçant les couverts, je finis par trouver sa main sur la table qui me cherchait elle aussi. Et nous voilà, comme des adolescents, à nous caresser des doigts. Les plats commencent à arriver et, dans le noir absolu, nous nous découvrons mutuellement. Sans retenue, elle me raconte tout. Son enfance tumultueuse avec une mère dépressive, son premier amoureux. Son mariage en entrant au cégep avec son copain d'enfance. Elle savait déjà qu'elle voulait faire de la médecine, il avait choisi les sciences humaines avec concentration « café étudiant ». Ils ont divorcé juste avant qu'elle entre à l'université. Elle me parle de ses études, de sa médecine, de son dernier chum, de son père. Au dessert, l'obscurité totale est devenue la complice de notre intimité. Nous rions, nous bavardons, nous nous confions sans retenue. Le moment est sublime.

Je sens Allison à l'aise et très détendue. À tour de rôle, nous nous écoutons attentivement, puis nous nous confions. Ce n'est que lorsque le serveur revient pour nous proposer le café qu'elle retrouve sa nature dominante et sûre d'elle.

À la fin du souper, le serveur nous reconduit jusqu'au vestibule. Allison se laisse guider d'une main alors que l'autre tient fermement la mienne. Parvenue dans le vestibule, elle fait ce que j'espérais depuis longtemps : elle ne lâche pas ma main. Au contraire, elle me tire vers elle, et tandis que nos yeux se réhabituent à la vue dans la pénombre du vestibule, je rayonne de bonheur.

Nous retrouvons la voiture et je m'empresse de lui ouvrir la portière, petit geste qu'elle apprécie gracieusement. Je sens cette merveilleuse soirée tirer à sa fin et je cherche désespérément un moyen de la prolonger, ou tout au moins, grâce à ma vue retrouvée, de me repaître encore un peu de sa beauté.

C'est elle qui prend l'initiative sur le chemin du retour en proposant un dernier verre chez moi. J'accepte, enthousiaste, avant même de réfléchir à l'état de mon appartement. En règle générale, je suis plutôt ordonné, autant qu'un homme seul peut l'être, mais j'ai tout de même changé plusieurs fois de vêtements en me préparant pour notre soirée, et tout traîne encore sur le lit.

Puis, soudainement, comme une vague déferlante qui surprend les vacanciers pataugeurs, je prends conscience que cette fille m'est complètement tombée dans l'œil. À cet instant précis, je réalise que je suis en amour et que c'est probablement la pire chose qui pouvait m'arriver.

L'ascenseur de mon édifice ne m'a jamais paru si lent, tandis que je jongle avec mille et un scénarios dans ma tête. Je lui avoue mon amour et elle me prend pour un dépendant affectif avant de s'enfuir en courant, et plus aucune chance de la rattraper, elle court trop vite. OK pas ça, pas maintenant. On baise, mais je suis nul, trop pressé, trop excité, l'horreur… Bon, du calme, après tout c'est notre première vraie *date*, et les filles sérieuses ne se laissent pas emmener au lit le premier soir. Du calme. On respire un grand coup.

La suite des événements me prend de court. Nous venons à peine d'entrer dans l'appartement. Pendant que j'accroche son manteau, je lui demande ce qu'elle veut boire. Allison me répond :

« Rien, juste toi. »

Avant même que je puisse mesurer la portée de sa réponse, elle m'enlace et commence à m'embrasser. Les doux et timides bécots se transforment rapidement en baisers plus fougueux. Je sens sa main caresser ma nuque, et notre désir monter rapidement. Puis, aussi soudainement qu'elle avait commencé, elle se détache en reculant d'un pas. Nous sommes face à face, à peine à plus d'un mètre l'un de l'autre, lorsqu'elle commence à se dévêtir.

Tel un chevreuil figé sur la route par les phares d'une automobile, je reste bouche bée tandis que sa robe glisse au sol. Il ne reste que sa lingerie sur son corps splendide, bas jarretelle, culotte de dentelle et bustier assorti. Elle est encore plus magnifique que dans mes rêves. Je sens une lueur de doute traverser son œil, mais heureusement, la bête en moi prend le dessus. Dans un élan que je ne me connaissais pas, j'arrache ma chemise. Elle sourit, dissipant tout doute. Les boutons de ma chemise n'ont pas fini de rouler sur le plancher que mon pantalon a suivi. Je suis maintenant en slip devant elle, puis elle avance d'un pas félin vers moi.

Nos corps s'enlacent à nouveau. Sa peau chaude glisse sous mes doigts pendant que nos bouches se soudent. Je sens ses mains trouver le creux de mes reins alors que les miennes se posent sur ses fesses bombées. Elle frémit. Son odeur m'enveloppe tandis que ma bouche se love dans le creux de son cou. Elle goûte un mélange enivrant d'épices et de sucre. Ma main droite trouve sa nuque, mes doigts se glissant dans sa chevelure, puis ma main gauche s'infiltre sous la dentelle de sa culotte. Je sens sa langue effleurer tendrement la mienne. D'un geste assuré, je la soulève pour la déposer aussi délicatement qu'un bibelot de cristal sur l'îlot de la cuisine. Elle s'allonge sur le comptoir, s'offrant entièrement à moi.

Tendrement, je lui embrasse le ventre. Ses mains étreignent mes cheveux. Mes lèvres effleurent son abdomen, qui réagit par de petites contractions. Elle me guide vers sa vulve. Je peux presque la sentir à travers la dentelle, et le désir monte en moi comme la lave d'un volcan.

Lorsque je sens la légère pression de ses mains qui m'invite à découvrir son intimité, je perds tout contrôle. D'une main tremblante, je dévoile sa chatte en glissant la dentelle vers l'intérieur de sa cuisse. Ma bouche se referme sur elle, emprisonnant son clitoris entre mes lèvres. Puis, tout doucement, ma langue se glisse dans la fine ligne de son sexe. Ses sucs au goût de vanille m'envahissent instantanément. Tandis que ma langue glisse tout doucement vers ce léger renflement de bonheur, elle se trémousse langoureusement. Ma langue roule délicatement sur sa féminité tout en faisant glisser la fine chair qui recouvre cette délicieuse perle. Mes lèvres se referment sur le précieux trésor, avec une succion à peine perceptible. Tout son corps réagit aussitôt dans un léger spasme et ses mains se crispent sur mes oreilles. Ma langue se glisse entre ses lèvres charnues, sondant la chaleur enivrante de sa vulve, avant de retrouver son chemin vers la douceur du petit renflement.

Je sens le plaisir monter en elle. Inlassablement, j'alterne entre les effleurements de langue et les légers pincements de lèvres jusqu'à ce que tout son corps se mette à trembler. Je sens ses mains qui me repoussent en arrière dans une vaine tentative pour se contenir, mais je suis déterminé à l'amener au bout de son plaisir et force tendrement toute ma bouche sur sa vulve. Elle jouit avec un cri de libération. Son nectar chaud m'emplit la bouche, je le bois sans hésitation alors qu'elle vibre sous moi.

Ses mains m'empoignent les cheveux et me maintiennent entre ses jambes. Je finis de me rassasier. Je la sens desserrer son étreinte tout en poussant un soupir de satisfaction. Je suis raide comme une barre de fer, chauffé à bloc et prêt à exploser. Je la découvre, yeux pétillants, se trémoussant langoureusement devant moi, toujours étendue sur le comptoir. Savamment, elle glisse une main dans son dos et dégrafe son bustier, révélant des seins parfaits. Mes mains glissent le long de ses cuisses et, d'un geste sûr, je lui retire sa culotte avant d'enchaîner, dans une fluidité parfaite, par le retrait de mon slip.

Elle ne dit mot, mais je vois bien, à son petit sourire, que je ne la déçois pas. Je me glisse en elle sans hésiter, ce qui a pour effet de lui arracher un autre gémissement de plaisir. Le mouvement de mes hanches est lent et régulier, savourant pleinement chaque instant. Elle se cambre sous chaque coup de reins, de plus en plus profond. Le plaisir nous gagne à nouveau. Mes mains lui caressent le ventre avant de trouver ses seins et de se refermer sur eux. Elle gémit, s'abandonnant de nouveau au plaisir. La vue est spectaculaire, elle, étendue là, ses jambes enlacées autour de ma taille, mon pénis luisant qui répète inlassablement son va-et-vient, sa vulve gorgée qui semble vouloir m'aspirer en elle, ses seins qui remontent légèrement à chaque fin de course, ses cheveux en halo sur le comptoir qui font ressortir les traits fins de son visage.

Je la dévore du regard. Comme la mer qui se retire avant l'arrivée du tsunami, je sens l'inévitable monter en moi. Ma main retrouve le bas de son ventre, mon pouce caressant à nouveau son clitoris. À chaque mouvement du bassin, je peux sentir sous ma main mon membre l'emplir. Elle râle de plaisir et frémit chaque fois que mon pouce l'effleure. Ses jambes se resserrent sur moi, me forçant à accélérer la cadence.

Nos ébats prennent une allure plus sauvage, presque violente. Le rythme s'accélère ; je sens mon gland buter tout au fond d'elle et son ventre se tendre sous ma main. Elle crie, sans aucune retenue, alternant les « oui », les « encore » et les « plus fort ». Puis, dans un synchronisme parfait, nous jouissons. Mes jambes vacillent sous l'intensité de mon orgasme, tandis qu'elle est secouée par une série de spasmes. Nous restons là un instant, moi en elle, incapable de bouger, les pulsations toujours perceptibles à travers nos organes gorgés.

Ses yeux pétillent et nos regards se fondent l'un dans l'autre.

« Wow ! » dit-elle, le sourire fendu jusqu'aux oreilles.

Wow certain ! Je n'ai jamais fait l'amour avec autant de complicité et de symbiose. Et, de toute apparence, ça lui a aussi fait de l'effet, puisqu'elle s'invite tout de go dans mon lit.

Le reste de la nuit se poursuit ainsi. Nous alternons ébats langoureux et bonheur post-coïtal, entrecoupant le tout de dégustations de chocolat tout en discutant, sans jamais quitter le confort douillet du lit.

Allison et moi avons développé une relation qui me paraît parfaite. Les mois passent. Tout l'hiver, nous courons côte à côte deux fois par semaine pour nous préparer au marathon. Nous soupons fréquemment ensemble durant la semaine, et nous couchons ensemble à toutes les occasions qui se présentent. À travers tout ça, nous arrivons à respecter nos engagements professionnels. Il lui arrive de partir quelques jours afin d'aller prêter main-forte dans un hôpital en région, alors que de mon côté, je dois parfois travailler beaucoup pour conclure certains projets. Nous nous retrouvons chaque fois avec une candeur renouvelée.

J'ai la certitude de l'aimer éperdument depuis notre premier souper d'aveugles, mais je ne me suis jamais résolu à le lui dire, par crainte de la faire fuir. Elle non plus, d'ailleurs. Comme si les mots «Je t'aime» pouvaient rompre cette magie que nous partageons. Il faut absolument que j'arrive à vaincre cette peur irrationnelle.

Le jour de la course arrive enfin. Allison a préféré coucher chez elle, bien que mon appartement soit plus près de la ligne de départ. Elle a opté pour l'approche réfléchie, puisque nous dormons peu et brûlons beaucoup de calories lorsque nous passons des nuits ensemble. À cinq heures, comme convenu, elle est à ma porte, prête à se dépasser. Le temps de ramasser quelques gels nutritifs et de lacer mes souliers et nous prenons la direction du lieu de rendez-vous. Elle en profite pour me prodiguer ses derniers conseils de coach:

«Beaucoup de gens font la même erreur dans les grosses courses: ils partent trop vite. C'est certain que tout ce monde et toute cette énergie, c'est exaltant, mais si tu veux finir, il faut commencer tranquillement.

— Yes, coach!

— Ensuite, il faut que tu t'hydrates à chaque point d'eau, même si tu n'as pas soif. La déshydratation, c'est sournois et ça te casse une course.

— Yes, coach!

— Ah oui, les gels nutritifs… tu en prends un tous les 5 kilomètres. Et tu le gobes d'un coup, suivi d'une gorgée d'eau. C'est dégueulasse et ça risque de te tomber sur le cœur, sinon.

— Chef, oui, chef!»

Celle-là me vaut une tape sur l'épaule, immédiatement suivie d'un baiser au moment où nous arrivons sur le site. Malgré l'heure matinale, l'effervescence est palpable. Les bénévoles s'activent, tandis que les coureurs semblent affluer de partout. Je n'ai jamais rien de vu de pareil. Un vrai festival de vie et de santé. Tout le monde est resplendissant de bonheur dans ce bain de foule multicolore. Nous nous joignons à la procession de coureurs qui prennent d'assaut le milieu du pont Jacques-Cartier, point de départ officiel. Allison, qui court toujours plus vite que moi, quoique cet écart se rapetisse à chaque entraînement, décide de délaisser son groupe de départ pour commencer la course avec moi. Elle continue à me donner des conseils.

« OK, tu suis mon rythme. Je sais à quelle vitesse tu cours et on va commencer juste un peu plus lentement. Je vais faire les cinq ou six premiers kilomètres avec toi pour bien te lancer, et ensuite je reprendrai mon rythme normal. Tu verras autour du douzième kilomètre comment tu te sens. Si ça va bien, tu accéléreras un peu. D'accord ? »

Non, pas d'accord. J'ai l'estomac noué, je suis blême et j'ai la chair de poule. À cet instant, je me rends compte que je vais devoir courir sans arrêt pendant vingt-et-un kilomètres, ce que je n'ai jamais fait de ma vie. Le départ est donné pour le groupe devant et la foule éclate de joie.

« Ah, putain ! Ça ne va plus du tout, là…

— Mais non, t'en fais pas, c'est juste le trac, c'est normal. Tu vas voir que ça va bien aller. Tu es prêt. Je le sais. »

Et elle me prend dans ses bras.

Tout notre groupe se met à hurler : 9… 8… 7…

Nos regards plongent l'un dans l'autre : pendant un bref moment, nous sommes seuls au monde dans cette mer humaine.

6… 5… 4…

Je l'embrasse une dernière fois et elle, tout sourire, sautillant sur place, me surprend.

3… 2…

« Je t'aime, Marc-Alexandre. »

Et le coup de feu retentit. Les coureurs se mettent en branle et nous suivons le flot, je ne veux pas lui lâcher la main, de peur de la perdre.

À la sortie du pont, un bouchon se forme, ce qui nous force à arrêter un instant. Je saisis l'occasion pour l'embrasser une dernière fois passionnément, ce qui déclenche une série de cris dans la foule. Les « awhh » et les « *cute* » nous submergent. Je réussis à placer une seule phrase avant que le bouchon débloque : « Bonne course, mon amour. » Ce qui a l'effet d'un rayon de soleil sur son visage. Et nous voilà repartis, sans autre arrêt.

Les cinq premiers kilomètres sont magiques, nous courons côte à côte, tout en dépassant tranquillement nombre de gens partis comme des balles de fusil. Je me sens en pleine forme et je n'ai même pas l'impression de forcer. Allison se retourne vers moi au sixième kilomètre, m'envoie un baiser de la main, et je devine sur ses lèvres un « À tantôt ». Je lui renvoie un beau sourire et elle prend son envol. Je sais de quoi elle est capable et, en quelques foulées, elle atteint sa vitesse de croisière. Elle dépasse tous les coureurs comme si de rien n'était. Je ris dans ma barbe de les voir surpris par cette comète qui passe en flèche. En quelques instants, elle disparaît.

Je continue, tout en prenant soin de respecter les consignes de ma coach. Tout va pour le mieux et je viens de franchir le treizième kilomètre. Je décide d'accélérer un brin la cadence.

En tournant un coin au quinzième kilomètre, j'ai un aperçu de ce qu'il me reste à affronter et mon cerveau se fixe sur une seule chose : tout le reste du parcours est en montée…

J'ignore si c'est le corps ou l'esprit qui commence à me jouer des tours, mais à peine franchi le seizième kilomètre, voilà que mes jambes commencent à s'alourdir.

Avant même d'arriver au dix-septième kilomètre, dans une petite montée, j'ai la nette impression que chaque pas amasse le bitume qui s'agglutine sous mes souliers. Malgré la douleur qui monte dans mes jambes et la lourdeur qui ne cesse de croître, je persévère. Du dix-huitième au dix-neuvième kilomètre, je n'ai qu'un bref répit, un court faux plat. Malheureusement, en tournant vers le nord, l'atroce vérité se révèle. Au bout d'une longue ligne droite se dresse une montée qui me paraît verticale. Je peux voir sur la route les coureurs qui se mettent à marcher les uns après les autres, à peine après le début de la pente.

L'horreur est totale, tout mon corps se met en mode réactif. Chaque pas me fait mal, tous mes muscles souffrent, les crampes guettent. Je ferme les yeux pour tenter de me recentrer sur quelque chose, n'importe quoi. C'est le visage d'Allison qui me revient en tête, je tente de me concentrer sur elle, sur ce « Je t'aime », pour chasser la douleur. Je sens l'inclinaison de la chaussée sous mes pas.

Déterminé, je poursuis. Je réussis à me rendre à la moitié de la côte, puis mon corps cède. Il n'y a plus rien à faire, cette montée m'a vaincu, même marcher est difficile. Je n'avais qu'un seul but en commençant cette épreuve, finir en courant. Je rage silencieusement de devoir monter à la marche. Je vais échouer, je ne vois pas comment je pourrais recommencer à courir après cette côte pour finir les derniers mille cinq cents mètres me séparant du but. Puis tout à coup, je l'entends. Elle hurle du sommet. Allison.

« *Let's go*, t'es capable ! »

Nourri par cette énergie nouvelle, je reprends la cadence, aussi péniblement qu'avant, mais porté par Allison qui m'encourage en hurlant comme une folle, médaille au cou. Elle a terminé et est revenue me chercher.

Avant même que je la rejoigne, elle se remet à courir vers l'arrivée tout en m'encourageant. Je ne saurais dire si c'est elle qui a ralenti ou moi qui ai accéléré pour la rattraper, mais nous sommes maintenant côte à côte, avançant vers la ligne d'arrivée. Elle ne cesse de m'encourager alors que la douleur se lit sur mon visage crispé. En tournant le dernier coin, elle me prend la main.

Les spectateurs massés près de la ligne d'arrivée nous encouragent. Je me rappelle avoir vu le panneau qui indique d'une flèche la direction pour l'arrivée à moins de cinquante mètres et une autre pour la direction que les marathoniens doivent prendre pour la seconde moitié de leur parcours. Une seule chose me traverse l'esprit : ces gens-là vont refaire tout ce que je viens de parcourir. RESPECT.

Puis, sous les vivats de la foule, je franchis enfin la ligne d'arrivée. Incapable de faire un pas de plus, je m'effondre à genoux. Allison sautille autour de moi, surexcitée.

Entre deux souffles que je tente désespérément de reprendre, je sors le petit sac de ma ceinture et fouille pour y trouver l'objet que j'y avais dissimulé dans un fol espoir. Dans un effort presque surhumain, je me redresse sur un genou et balbutie :

« Allison… veux, veux-tu… »

Allison aperçoit la bague en même temps que la foule, qui hurle de joie devant la scène. Elle fige un instant, tandis que je cherche mon souffle pour terminer ma phrase. Le commentateur prend le relais et annonce haut et fort dans les haut-parleurs :

« Mesdames et messieurs, après deux heures dix-sept minutes et trois secondes, une demande en mariage ! »

Allison, les yeux pleins d'eau, se jette sur moi en criant « oui » à pleins poumons sous les cris de la foule en délire.

Abandon

Pierre se réveilla en sueur. Encore ce maudit cauchemar. Depuis longtemps, il faisait ce mauvais rêve, toujours le même, qui le laissait abattu au milieu de la nuit. Le contexte et les personnages pouvaient changer, mais c'était toujours la même scène : quelque part, n'importe où, il se sentait de trop, il n'était pas à la bonne place, il était juste toléré, il n'était pas invité. Tout le monde l'était, sauf lui. Jamais personne ne lui donnait de raison ni d'explication. Parfois, des gens derrière une épaisse vitre lui faisaient signe et tentaient de lui parler, mais il ne comprenait rien. Pour tenter de s'extirper de ce piège infernal et pouvoir enfin passer des nuits paisibles, Pierre se soumettait à une forme de thérapie inhabituelle, un week-end par mois, dans un endroit unique en son genre.

Situé à cent cinquante kilomètres au nord de la métropole, dans une région montagneuse au bord d'un lac, le centre de thérapie était composé de grands bâtiments modernes et lumineux, œuvres d'un architecte célèbre. Très populaire auprès des psychologues, il était apprécié en particulier pour sa vaste piscine intérieure ainsi que pour un équipement singulier qui avait beaucoup contribué à sa renommée. Les propriétaires, eux-mêmes psychologues, avaient fait fabriquer à partir d'équipements de plongée des cagoules reliées à un tube et à une bouée permettant de respirer tout à son aise sous l'eau. Un petit gilet gonflable de plongeur et une ceinture lestée complétaient cet équipement, qui servait à « l'abandon aquatique », technique thérapeutique devenue mythique. En effet, beaucoup de participants craquaient et fondaient en larmes, ce qui pouvait même mener à d'étranges chants chorals sous l'eau… On s'abandonnait ainsi sur le dos ou sur le ventre, ou encore recroquevillé en fœtus, dans un environnement qualifié d'« originel », qui n'était pas sans rappeler l'utérus maternel. Le but était de « quitter ses défenses », de « lâcher prise » pour se « déconstruire » et pour finalement « renaître ».

Les sessions commençaient le vendredi en fin de journée pour se terminer le dimanche après-midi. Comme d'habitude, Pierre arriva à la dernière minute, avec des papillons dans le ventre, se demandant une fois de plus s'il allait poursuivre cette thérapie qui n'en finissait plus. Après quatre années et une petite fortune dépensée, n'était-il pas temps de « lâcher prise » ? Bien qu'il soit encore torturé par son foutu cauchemar, il venait de rompre avec sa plus récente copine et se disait qu'il était temps de tourner la page. Il n'était même plus certain que le traitement l'aidait vraiment. Chroniqueur au magazine *Band-e*, la référence ultra-urbaine, anticonformiste, décalée et provocante qui ne laissait jamais les lecteurs indifférents, il s'était finalement décidé à écrire un article sur ces thérapies, que son rédacteur en chef lui réclamait depuis des mois. Dans sa tête, cela mettrait un point final à l'aventure.

Ce vendredi-là, Pierre venait de se stationner quand Ilsa arriva. Il l'observa dans son rétroviseur tandis qu'elle descendait de voiture, ajustait ses vêtements, saisissait ses bagages et fermait le coffre d'un geste sec pour se diriger vers l'entrée. Il oublia un moment ses doutes et ses interrogations. Cette fille n'était venue que deux fois, mais il avait eu beaucoup de plaisir à converser avec elle. Ilsa s'intéressait à tout, était curieuse des différentes approches thérapeutiques qui leur étaient proposées, voulait tout essayer. Et, pour ne rien gâcher, c'était une belle grande blonde, avec des yeux bleus pétillants. Au fil de leurs conversations, il avait appris qu'elle était née à Berlin, qu'elle avait rencontré toute jeune un artiste du Cirque du Soleil de passage, qu'elle l'avait suivi au Canada, où elle avait finalement obtenu sa nationalité. Elle avait eu une fille avec lui, puis était devenue agente immobilière à Saint-Jérôme, où elle habitait toujours. Mais comme son union battait de l'aile, Ilsa cherchait un peu d'air, voulait s'ouvrir, croyait encore à sa croissance personnelle, espérait pouvoir s'étonner et évoluer.

Ce soir-là, il s'endormit en pensant à elle.

Le lendemain, à la première réunion de groupe de la fin de semaine, Pierre fut immédiatement sur ses gardes lorsqu'on lui proposa de participer à une séance sur les relations homme-femme avec Ilsa. Ils allaient se trouver face à face pendant deux heures. Ce genre d'affrontement était monnaie courante dans la stratégie thérapeutique du centre et visait à faire ressortir les « vieux démons ». Son premier réflexe fut de refuser, sans trop savoir pourquoi, mais, son hésitation étant révélatrice, on l'encouragea à accepter. Il sentait confusément qu'il lui faudrait en révéler plus qu'il n'avait envie de le faire. Le reste du groupe pourrait intervenir et prendre parti, donner son opinion, partager ses réflexions, voire faire des suggestions, tandis que les psychologues qui dirigeaient la séance provoqueraient et entretiendraient les échanges.

Ilsa, au contraire de Pierre, ne semblait pas du tout intimidée, montrait même un certain enthousiasme. Il se demanda furtivement si elle avait envie de participer parce que c'était lui ou si elle aurait accepté avec n'importe qui d'autre.

Au départ, la conversation fut à la fois enjouée et grave, un bon signe, disait-on. On voyait que les protagonistes se plaisaient : ils avaient les yeux brillants et le verbe facile. Cependant, la première heure passée, c'est comme si un nuage noir s'était arrêté au-dessus de leurs têtes. Le vent tourna, les échanges devinrent plus compliqués. L'ouverture à l'autre, la complicité, l'engagement du cœur, tout cela avait laissé place à la peur et à la méfiance. Pierre et Ilsa en venaient peu à peu à s'accuser. Les frustrations surgissaient : à propos de leur propre relation de couple, mais aussi de leurs relations avec l'autre sexe en général.

Pierre avait tendance à se sentir coupable pour un oui ou pour un non, il n'avait jamais la bonne attitude, craignait à tort ou à raison de se voir accusé, cherchait diverses échappatoires tout en essayant de maintenir sa relation du moment, ce qui n'était jamais simple. Il désirait changer mais ne savait pas comment.

Ilsa, de son côté, n'arrivait pas à se libérer de l'emprise dominatrice de son compagnon, qu'elle trouvait manipulateur. Elle estimait qu'en général les hommes avaient tendance à ne pas jouer franc-jeu, à dissimuler leurs sentiments pour mieux prendre avantage de leur compagne.

Les échanges se terminèrent donc sur un ton acrimonieux, personne ne sachant finalement qui accusait l'autre de quoi, mais les reproches semblaient bien réels. Il y eut des mots durs, des paroles que ni l'un ni l'autre n'auraient voulu entendre ni prononcer. Ils insistaient et le ton ne cessait de monter. On dut les séparer avant la fin de la séance.

Au souper, Pierre et Ilsa ne s'adressèrent pas la parole. Elle s'assit à l'autre bout de la table et ils n'échangèrent que des regards fugaces. Pourtant, comme c'était souvent le cas le samedi soir, l'ambiance était à la fête. C'était d'ailleurs une des choses que Pierre regretterait, ces soupers qui se transformaient en joyeux festins. En fin de journée, leurs défenses tombaient, et chacun y allait de son numéro. Le cœur chaud, les émotions libérées, leurs échanges s'enflammaient, leurs langues se dénouaient, et les mots d'esprit fusaient au-dessus d'une bonne table. Il était aussi beaucoup question de sexe. On s'interpellait et se provoquait, on se narguait et se charmait. Bacchus et ses compagnons étaient à table et s'en donnaient à cœur joie, pendant que la déesse de la volupté entraînait ses compagnes dans l'allégresse générale.

Ce soir-là, le souper eut encore un grand succès et, comme tout le monde, Pierre but et se réjouit, peut-être encore plus que d'habitude. Après tout, c'était son dernier samedi dans cet endroit et il voulait en profiter au maximum. Il avait eu beau se disputer plus tôt avec Ilsa, à un certain moment il la fixa si intensément que quelqu'un en fit la remarque, tandis qu'elle lui rendait son regard avec encore plus d'intensité. Ils eurent droit à des quolibets de leurs camarades, mais, ne voulant pas relancer les hostilités, ces derniers restèrent prudents.

La soirée se termina dans la gaieté générale, et Pierre ne se rendit même pas compte à quel moment Ilsa avait quitté la salle.

Au milieu de la nuit, son foutu cauchemar le réveilla encore. Il avait la gorge sèche, mais il hésitait à se lever, ne voulant rencontrer personne. Il n'était en effet pas rare de trouver en pleine nuit quelqu'un en larmes dans la cuisine, ne demandant qu'à être consolé ou, au contraire, ne voulant rien savoir. Pierre se résigna à enfiler son peignoir et à sortir sur la pointe des pieds. Il fut soulagé de ne pas croiser âme qui vive. Il but un grand verre d'eau et s'apprêtait à regagner sa chambre quand une idée lui vint : s'il allait nager ? Voilà qui l'aiderait à chasser son cauchemar et ses idées noires. La piscine était interdite la nuit, mais, se dit-il, ne travaillons-nous pas sur les blocages et la transgression ?

La porte n'était pas verrouillée. Pierre balaya la salle du regard. Personne. Il entra et referma délicatement derrière lui. À chaque extrémité du grand bassin, une lampe éclairait faiblement les lieux, tandis qu'une douce lumière bleutée qui provenait des hautes fenêtres donnant sur une sapinière enneigée et éclairée par la lune envahissait l'espace. Le silence était un peu oppressant et son cœur battait la chamade, mais l'eau l'attirait irrésistiblement. Il retira son peignoir et commençait à descendre le large escalier quand il remarqua une cagoule et un gilet qui traînaient. La ceinture lestée qui complétait l'équipement habituel manquait.

D'ordinaire, les séances sous-marines se déroulaient en groupe, sous la vigilante supervision de maîtres-nageurs. Les participants étaient invités à s'asseoir au fond de la piscine et à se fixer dans les yeux le plus longtemps possible. Pierre n'avait jamais compris l'intérêt de la chose, trouvant pénible l'obligation de faire l'exercice à plusieurs. Intrigué, il se demanda s'il aurait plus de succès avec la méthode à présent qu'il était seul dans le bassin. Il tira donc une longueur suffisante de boyau, enfila le gilet gonflable et la cagoule, puis il se laissa glisser dans l'eau.

Il se recroquevilla aussitôt, flottant entre deux eaux comme en apesanteur. Il n'entendait que sa respiration et les battements de son cœur, qui peu à peu redevenaient normaux. Pendant de longues minutes, son corps et son esprit lui semblèrent unis comme jamais. Une légère euphorie l'envahissait. Il goûtait pleinement ce moment de solitude.

Un souvenir lointain lui revint tout à coup : il devait avoir six ou sept ans, sa mère l'avait enfermé dans sa chambre, dans le noir, en raison d'un mauvais coup qu'il avait oublié, quand soudain la porte s'était ouverte toute grande. Son père était apparu dans l'embrasure, tel un géant, silhouette noire qui s'avançait et criait si fort qu'il n'entendait plus rien, ses grandes mains comme des pinces de fer lui serrant les épaules et le secouant brutalement. Cette nuit-là, il avait fait un horrible cauchemar.

Pierre tressaillit, seul dans son univers sous-marin. Venait-il enfin de comprendre d'où lui venaient ces rêves malsains qui le troublaient depuis si longtemps ? S'il n'avait pas été sous un mètre d'eau, il aurait éclaté de rire. Quatre ans de thérapie pour finalement se rendre compte par lui-même de l'origine de ses troubles, quelle ironie ! Ce fut comme si un lourd fardeau était soudain tombé de ses épaules. Tous ses problèmes remonteraient donc à cette confrontation avec son père, à un âge où l'on est si impressionnable ? Quelle formidable révélation !

Il resta ainsi longtemps à flotter sous la surface en regardant les bulles de sa respiration remonter lentement et à se convaincre qu'il était fort probablement guéri. Puis il finit par se secouer ; il était temps de faire quelques longueurs avant de retourner au lit. Il allait retirer le gilet et la cagoule lorsqu'il entendit un bruit semblable à celui que fait une feuille de papier froissée. Il s'immobilisa. Allait-il être surpris par un gardien de nuit et se retrouver puni comme dans le temps ? Mais voilà qu'une forme fendit soudain l'eau à quelques mètres de lui. Malgré la pénombre, il reconnut la longue chevelure blonde d'Ilsa.

La jeune femme nageait gracieusement mais avec énergie, les bras et les jambes en cadence, ses cheveux ondulant dans son sillage.

Ilsa s'éloigna pour atteindre l'autre extrémité du bassin, où elle fit brièvement surface pour respirer avant de replonger. Nageuse expérimentée, elle se donna une vigoureuse poussée, passa de nouveau devant Pierre, cette fois plus lentement. Il s'aperçut qu'elle était nue. Que faisait-elle là ? Avait-elle aussi de la difficulté à trouver le sommeil ? Toujours immobile dans le bassin, Pierre la suivait des yeux.

Ilsa nageait maintenant en surface. Quel délicieux spectacle de pouvoir admirer ses longues jambes battre l'eau pendant que sa poitrine pointait vers le fond de la piscine ! Elle s'arrêta un moment, puis se déplaça pour s'immobiliser presque au-dessus de lui. Elle pivota, s'éloigna, puis revint.

Soudain, elle l'aperçut, recroquevillé contre la paroi du bassin. Pendant un instant, elle resta à regarder dans sa direction, puis elle agita frénétiquement les jambes pendant que ses bras battaient l'eau à grands remous. Elle recula, paniquée, tandis que lui faisait de larges mouvements pour revenir à la surface. Maladroitement, il se débarrassa de son gilet et enleva sa cagoule.

— Désolé, Ilsa, lança-t-il à mi-voix. Je suis vraiment désolé, je t'ai fait peur ?

Le reconnaissant enfin, Ilsa fronça les sourcils.

— Peur ? J'ai eu la frousse de ma vie ! Un monstre surgissant de l'abîme, avec cette affreuse cagoule !

Un drôle de rictus aux lèvres, elle le fixait, paraissant à la fois rassurée et intriguée. Elle l'avait surpris tel un voyeur, c'était pitoyable. Ilsa nageait toujours à reculons en toussotant. Elle avait bu la tasse.

— Tu aurais pu… tu aurais pu… répétait-elle, te manifester… avant…

Sa bouche était à fleur d'eau et elle éprouvait de la difficulté à retrouver son souffle.

— Je faisais une expérience, répliqua-t-il. Tu n'avais pas vu la bouée ?

Pierre essayait de se justifier, avec juste ce qu'il fallait d'étonnement dans la voix pour ne pas avoir l'air piteux. Elle ne répondit pas.

À présent immobile dans un coin, elle lui jetait de brefs coups d'œil. Elle nageait sur place, ses mamelons durcis par l'eau froide affleurant la surface. Lui s'était éloigné en lui tournant le dos, avait déposé le gilet au bord du bassin, examinait la cagoule et ne savait plus trop quoi faire.

Le malaise dura quelques minutes, puis il n'entendit plus de clapotis. Il se retourna. Elle commençait à monter très lentement les marches. Il en profita pour détailler à son aise sa silhouette qui se découpait en ombre chinoise devant les fenêtres. Il distinguait nettement les lignes de son dos, de ses hanches, la raie de ses fesses blanches, ses jambes fuselées, même son sein droit en profil. Elle chercha du regard son peignoir, le saisit et l'enfila avec un peu de difficulté sur sa peau mouillée. Elle se pencha ensuite pour se masser un pied. S'était-elle blessée ? Puis, toujours en silence, elle s'approcha des fenêtres pour examiner les sapins et le ciel constellé d'étoiles. Il la vit hausser les épaules et se diriger vers l'entrée.

Pour sortir, Ilsa devait passer devant lui. Elle regarda brièvement dans sa direction puis marcha d'un pas déterminé vers la porte. Il était toujours dans l'eau et la suivait du regard. Lorsqu'elle arriva à sa hauteur, il tendit lentement le bras pour frôler son pied mouillé. Elle s'arrêta net, regarda cette main qui venait de la toucher effrontément et qui à présent reposait sur le carrelage, paume en l'air, comme pour lui barrer le chemin.

Ils se dévisagèrent un instant. C'est lui qui finit par rompre le silence oppressant.

— Reste, Ilsa. Ne t'en va pas tout de suite. On devrait se parler.

Il battait l'eau machinalement de son autre main, tandis que son regard la balayait de pied en cap. Elle avait relevé le menton, les bras croisés sous sa poitrine haletante. Puis leurs yeux se croisèrent de nouveau et il se demanda si elle n'allait pas tout bonnement partir sans lui adresser la parole. Mais, dodelinant de la tête, elle se pencha pour lui souffler d'un ton furieux, avec son accent allemand rendu plus pointu par sa colère :

— Qu'avons-nous à nous dire après nos échanges de cet après-midi ? Tu as été odieux ! Tu es pire que mon mari ! Moi qui pensais qu'on pourrait s'entendre, tous les deux, eh bien non ! Est-ce que je peux m'en aller maintenant ?

Pierre se sentit flétrir sous ces paroles cinglantes. Il aurait tant voulu pouvoir ravaler tout ce qu'il lui avait dit plus tôt. Mais il ne pouvait que subir sa colère, elle qui déversait son fiel sur ce quart d'homme qui émergeait de la piscine. Il sentait sa toute nouvelle confiance en lui s'échapper. Se ressaisissant, il trouva la force de dire, sur un ton presque suppliant :

— Reste Ilsa, je t'en prie. Pardonne-moi pour cet après-midi, je ne pensais pas vraiment ce que j'ai dit, je me suis laissé emporter. Tu es une belle femme et j'aimerais qu'on apprenne à se connaître un peu. Je te promets de ne pas te faire de mal.

Elle le fixait toujours, hésitante, semblant mûrir une décision embarrassante. Elle cligna des yeux et il remarqua qu'elle avait les lèvres serrées. Et au moment où il crut qu'elle allait s'en aller, elle jeta un bref coup d'œil vers la porte et s'accroupit très lentement, en ramenant son peignoir sous elle, pour s'asseoir en tailleur en face de lui. Il ne bougeait plus, à la fois surpris et satisfait de sa petite victoire. Cependant, elle ne souriait pas, se contentant de le dévisager intensément.

Ils se toisèrent ainsi en silence pendant un long moment.

— Cet après-midi, lui dit-elle enfin d'une voix sourde, ce que tu m'as dit était très blessant. Je n'ai pas l'habitude qu'on me parle sur ce ton. Mais peut-être que je le méritais, je n'ai pas été tendre moi non plus. Alors, pouvons-nous faire la paix ?

Pierre regarda droit devant lui.

— Pourquoi pas ? finit-il par dire. Qu'est-ce qui nous en empêcherait maintenant ?

Il hocha la tête comme pour ne laisser aucun doute sur sa réponse. Il la regardait du coin de l'œil, ne pouvant s'empêcher de remarquer ses seins qui pointaient sous le tissu humide, tandis qu'elle respirait profondément.

Puis, il crut percevoir un changement… Les perles qu'il vit dans ses yeux étaient si petites qu'il n'aurait pu affirmer avec certitude s'il s'agissait de larmes ou de gouttes d'eau. Il lui sembla alors qu'elle souriait, d'un sourire triste. Pendant un long moment, le silence se prolongea.

Puis, sans un mot, Pierre avança les mains pour les poser délicatement sur les pieds d'Ilsa. Elle remua à peine, n'essaya pas de se défiler. Il s'était montré audacieux, et maintenant son regard fuyait comme pour éviter un contact trop rapide, et surtout trop direct. Cependant, elle ne le lâchait plus des yeux. Alors, toujours hésitant, il déposa les mains sur ses genoux. Ilsa avait penché la tête, le regardait par en dessous, intriguée, se demandant s'il oserait s'aventurer plus loin. Ses yeux avaient rapetissé, sa respiration n'était pas encore redevenue tout à fait normale, elle fronçait les sourcils, fermait presque les yeux. À cet instant, il devina qu'elle le désirait aussi, peut-être autant que lui.

Elle mit pourtant les mains sur les siennes comme pour l'empêcher d'aller plus loin. Pierre était intimidé, son cœur battait plus fort et… un doute l'effleura soudain. L'avait-elle vu quitter sa chambre ? L'avait-elle suivi ? Voulait-elle le rencontrer ? Il renonça à le lui demander, préférant prolonger ce moment délicieux.

Il regarda autour de lui, s'efforçant de prendre un air détaché. Il finit par dégager ses mains et les posa sur le rebord de la piscine pour pencher le torse vers elle. L'instant suivant, il entreprit de repousser le peignoir le long de ses cuisses. Elle le laissa faire. La tête toujours penchée vers l'avant, elle le regardait avec une extrême attention.

Ayant relevé le peignoir jusqu'à mi-cuisses, il posa à nouveau les paumes sur ses genoux, pour marquer un temps. Cette fois, elle ne l'arrêta pas, se contentant de changer de position, de s'appuyer sur ses mains vers l'arrière et de laisser glisser ses jambes dans l'eau. Il repoussa le peignoir un peu plus et attendit. Alors, très lentement, elle écarta les cuisses et ouvrit la robe de chambre afin de lui offrir ce qu'il semblait tant désirer et qu'il fixait maintenant avec une grande attention. Ce fut comme un signal. Il s'avança, lui empoigna les

fesses pour la rapprocher. Ilsa, les yeux mi-clos, l'aida de son mieux en avançant son derrière vers lui. S'il n'avait pas été si préoccupé, il aurait pu voir un fin sourire flotter sur ses lèvres. Elle respirait si fort qu'il sentait son souffle sur ses mains.

Il l'empoigna solidement et avança la tête entre ses cuisses. Son regard ne quittait plus cette chatte qui luisait sous la lumière blafarde de la lune. Il posa enfin sa langue sur la vulve. Elle murmura quelques mots d'allemand qu'il n'entendit pas tant il était accaparé par cette odeur. Il étira la langue et se mit à lui fouiller le sexe, goulûment, repéra le clitoris, le suça puis le titilla du bout des lèvres. Sa langue s'aventura encore plus loin, son nez fouinant partout dans la douce toison.

Ilsa se cabra davantage pendant qu'il continuait de la lécher, introduisant ses doigts dans la chatte mouillée, allant et venant pour en explorer l'intérieur. Soudain, elle le repoussa. Il crut un instant être allé trop loin : le moment était passé et elle avait changé d'idée. Mais non, elle s'allongea simplement sur le dos et replia ses jambes afin de s'offrir encore plus à lui. Émoustillé par cette offrande, Pierre se remit à la lécher à grandes lampées, la faisant gémir de plaisir. Il relevait de temps à autre la tête pour regarder son visage. Il humait, bécotait maintenant à petits coups l'intérieur de ses cuisses en lui caressant le ventre. Elle finit par se détendre complètement, un pied dans l'eau, l'autre sur son épaule. Il fixait sa vulve entrouverte, jouissant du spectacle en connaisseur.

Ilsa s'abandonnait maintenant tout à fait, les paumes en l'air. Alors, avec le pouce et l'index, puis avec le majeur seulement, et ensuite avec l'index et la langue, Pierre caressa méthodiquement son clitoris, tandis qu'elle poussait de petits cris, haletait, gémissait, les bras écartés puis ramenés près des hanches. Au bout d'un moment, elle se redressa, saisit ses chevilles pour les relâcher aussitôt, écarta davantage les jambes et se recoucha. De la langue, Pierre se remit à s'amuser, battant le clitoris, l'excitant davantage, voulant lui donner toujours plus de plaisir. Ses mains glissèrent sur les cuisses d'Ilsa, lui prenant les fesses pour les palper. Il tourna légèrement le cou pour mordiller la plante du pied appuyé sur son épaule. Ilsa gémit doucement, releva la tête comme pour appeler cette langue qui s'était écartée, le suppliant de revenir à sa chatte.

Alors, Pierre effleura de nouveau son bouton de plaisir et se remit à le sucer et à le titiller du bout des lèvres sans plus s'arrêter. Ses pouces massaient tout autour pour le faire jaillir davantage, il introduisait ses doigts dans son sexe, allant et venant, lentement d'abord puis de plus en plus vite, frottant l'intérieur du vagin tandis qu'Ilsa haletait, soupirait, criait. Elle renversa la tête en cambrant encore plus son bassin, le corps secoué de tremblements. Elle râlait toujours plus fort, puis elle laissa échapper un long gémissement, puis un autre et un troisième. Enfin elle se tut. Pierre n'entendait plus rien, seulement son souffle. Il léchait la peau en haut de sa cuisse tout en regardant le pubis et l'horizon du ventre. Une jambe repliée, la tête de côté, Ilsa semblait l'observer, mais ses yeux étaient fermés, les cils brillants.

Après quelques secondes, elle se redressa brusquement et lui prit la tête en riant. Elle voulait aller dans l'eau. Il la saisit par la taille, elle s'agrippa à lui et se laissa glisser. Le peignoir flottait derrière elle tel un nénuphar. Elle souriait, s'amusait de l'effet en le regardant, mais il lui leva les bras pour l'enlever et le jeter au loin comme un torchon. Pierre prit le temps d'admirer les seins d'Ilsa à demi immergés. Il les saisit à pleines mains pour les caresser, les embrasser, la bouche dans l'eau alors que les doigts d'Ilsa glissaient sur ses hanches, descendaient jusqu'à ses fesses.

Elle découvrit qu'il était nu, se colla davantage à lui, chercha son pénis à tâtons, le tapota, frôla ses testicules de ses ongles. Il la prit dans ses bras, jouissant de ce corps chaud dans l'eau froide, la bécota sur les joues, le front, la bouche, montrant sa joie de l'avoir si près de lui. Au bout d'un moment, elle s'accroupit et disparut dans l'eau pour lui saisir la queue. Il pensa aussitôt à un animal marin qui l'attaquait, une peur irraisonnée qu'il avait parfois lorsqu'il se baignait dans un lac. Il s'apprêtait à ramener Ilsa à la surface lorsqu'elle émergea, la bouche pleine d'eau, secouant la tête. Il la retourna, colla son membre contre ses fesses, l'invita à se pencher, ce qu'elle fit docilement en agrippant la céramique froide, se trémoussant tandis qu'il tentait de la pénétrer à petits coups. Elle finit par se retourner pour l'embrasser, sa langue léchant ses lèvres avant de se frayer un chemin dans sa bouche.

Soudain, ils entendirent un bruit au loin. Ils s'immobilisèrent pour écouter, le regard perdu dans le vide. Quelques instants plus tard, un second bruit les rapprocha l'un de l'autre. Puis, plus rien. Il avança la main entre ses cuisses, cherchant à les écarter. Elle hésita.

— C'est risqué dans l'eau, chuchota-t-elle. On pourrait rester pris.

Pierre voulut la rassurer.

— Si nous restons pris, je n'aurai qu'à t'enfoncer un doigt dans le cul, dit-il un peu cavalièrement, et tu te relâcheras…

Elle le regarda, incrédule. Il lui expliqua qu'un jour, dans une piscine publique, il avait vu des ambulanciers s'approcher du bassin pour discuter avec un couple qui était enlacé dans l'eau près du bord. Tout autour, cris et éclats de voix avaient peu à peu cessé, remplacés par des murmures intrigués. Arriva ensuite un médecin. Les ambulanciers demandèrent à la foule et aux autres baigneurs de s'éloigner pendant que le médecin s'agenouillait pour interroger le couple à voix basse. Quelques rires fusèrent dans l'air soudainement très calme. Le médecin enleva ses chaussures, ses chaussettes, sa montre et sauta dans la piscine pour former un étrange trio avec le couple. Il se pencha de côté, s'accroupit et… Il lui fallut quand même un certain temps, mais la femme et l'homme se détachèrent finalement l'un de l'autre. Elle paraissait terriblement gênée. Lui, qui s'était éloigné, visiblement soulagé, se rapprochait à nouveau pour la prendre dans ses bras et la consoler, tandis que le médecin barbotait péniblement vers l'échelle, engoncé dans ses vêtements mouillés. Un autre éclat de rire fendit l'air. S'approchant par la suite d'un des ambulanciers, Pierre avait appris le truc du médecin pour dégager le couple pris en faute.

— Je ne suis pas certaine de croire à ton histoire rocambolesque, souffla Ilsa, mais d'accord, sauf que tu n'aurais pas un condom, par hasard ?

Il l'embrassa en riant et fit signe que non.

— J'en ai dans ma chambre. Veux-tu que j'aille en chercher ?

Elle ne répondit pas. Il la sentait encore incertaine.

— Si ça peut te rassurer, j'étais avec la même femme depuis trois ans, finit-il par ajouter, il n'y a donc aucun risque de maladie. Tu as peur parce que ton mari te trompe ou parce que tu crains de tomber enceinte ?

— Tu as raison, dit-elle d'une voix timide, c'est à cause des maîtresses de mon mari. Le salaud m'a déjà refilé des morpions. Depuis, je me méfie.

Pierre l'embrassa tendrement, puis avec plus de vigueur. Ilsa avança le pubis, commença à lever une jambe. Il lui prit les fesses, la souleva, la pressa contre le mur et commença à la pénétrer. Quand il fut à l'intérieur, bien au fond, il se mit à donner de petits coups de rein.

Tournant la tête, Ilsa lui saisit alors la bouche, pendant qu'il allait et venait en elle, lentement, très lentement au début, puis de plus en plus vite. Elle ondula des hanches et se cabra, son clitoris se frottant à lui. Elle lâcha un cri, un autre encore, puis un râle, quasiment en riant, et très rapidement elle eut un second orgasme, plus fort encore. Pierre ralentit alors le rythme tandis qu'elle s'agrippait au bord du bassin. Il continuait d'aller et venir à grands coups, voulant entrer complètement en elle, encore plus, saisissant ce corps si chaud qui était tout à lui. Il éjacula enfin, longuement, s'abandonnant en haletant, les yeux fermés. Quand il ouvrit les yeux, il vit qu'elle le regardait du coin de l'œil et il se sentit bien. Il sourit, heureux d'avoir fait l'amour avec cette femme si belle qui était venue le rejoindre. Il sentait son souffle chaud dans son cou, sa peau collée à la sienne dans l'eau qui semblait maintenant plus froide.

Ils restèrent collés pendant un bon moment, puis ils entendirent un nouveau bruit, plus fort et plus proche. Ce fut comme un signal : ils s'éloignèrent l'un de l'autre. Dehors, les grands sapins étaient devenus presque tout blancs. Il neigeait à gros flocons dans la nuit. Ils regagnèrent leurs chambres en catimini, se retenant pour ne pas pouffer de rire.

Le lendemain, ils ne se parlèrent pas de la journée, s'assoyant toujours loin l'un de l'autre, n'échangeant que quelques brefs regards complices de temps à autre. Mais au moment des adieux, il s'approcha d'elle.

— Ne pars pas tout de suite, lui chuchota-t-il à l'oreille. Je veux te parler, attends-moi dans ton auto, d'accord ?

Ilsa le regardait de ses grands yeux bleus, sans surprise, paraissant rassurée, comme si elle avait attendu cette proposition toute la journée. Elle hocha la tête en se dirigeant vers sa voiture. Tandis que les dernières portières claquaient et que les voitures disparaissaient, les deux amants d'une nuit restèrent seuls dans le stationnement. Derrière son volant, Ilsa fixait l'écran de son portable pendant que le moteur tournait au ralenti.

Pierre s'approcha et elle baissa sa vitre.

— Tout va comme tu veux ? demanda-t-il.

Il indiquait de la tête le texto qu'elle était en train de composer.

— Tout va très bien, répondit-elle. Et toi ?

Elle le fixait, se doutant qu'il allait lui proposer quelque chose.

— Il y a… commença-t-il.

Son désir était si fort qu'il avait du mal à parler.

— Il y a un bar à cinq kilomètres d'ici, tu verras, une grosse enseigne rouge et verte, *Le Palmier, motel et bar*. Veux-tu venir m'y rejoindre ? On prendra un verre, j'aimerais qu'on se parle.

Ilsa le fixait toujours, son portable éclairant son beau visage. Il alluma une cigarette, maladroitement, pour se donner une contenance. Il faisait froid, ses mains commençaient à geler.

— Viens-tu ? demanda-t-il encore.

Penché, il était à présent si proche d'elle qu'il aurait pu l'embrasser. Il la regardait avec une telle intensité qu'elle détourna les yeux. Elle ne souriait pas. Il continua de la dévisager, mais cette fois plus distraitement, s'attendant à une réponse négative.

— Je suis désolée, Pierre, je ne peux pas.

Il s'écarta. Elle marqua un temps puis ajouta, la voix traînante, comme pour souligner sa déception :

— Il faut que je rentre, ma fille va m'attendre. Son père doit me la laisser ce soir. Il sera désagréable si j'arrive en retard. Ce texto, tout à l'heure, c'était de lui. Il commence déjà à s'impatienter.

Pierre se contenta de tirer sur sa cigarette en silence. Oh, bien sûr, il était déçu, mais en même temps presque soulagé. Que pouvait-il espérer de cette femme qui, de toute évidence, ne s'était pas encore libérée de l'emprise de son mari ? Il valait sans doute mieux l'oublier, se concentrer sur sa confiance en soi si fraîchement retrouvée.

— Et toi, ton magazine, ça marche ? lui demanda-t-elle pour changer de sujet et alléger l'ambiance. Que vas-tu écrire sur le centre ?

— Hum... Au début, je pensais dénoncer le traitement comme étant inefficace, mais la nuit dernière dans l'eau, avant que tu me surprennes, j'ai eu une révélation. Et finalement je crois que ces quatre années de thérapie m'ont aidé. Et puis, il y a eu cet épisode avec toi, j'en garderai un bon souvenir.

— Moi aussi, dit-elle sans trop de conviction, pressée de partir. J'ai hâte de lire ton papier...

— Je pourrai te l'envoyer, si tu veux.

— Ce serait gentil... Je vais te donner mon adresse.

Ilsa et Pierre ne se revirent jamais. Ils s'envoyèrent bien quelques courriels, mais les occasions de rencontres furent toujours remises ou annulées sous divers prétextes. Un soir, à la sortie d'un cinéma, il crut l'apercevoir au bras d'une femme. Il les suivit un moment, mais à cause de la forte pluie, elles s'engouffrèrent dans un taxi. Il ne sut jamais si c'était bien Ilsa.

Plus tard, pendant quelque temps, lorsqu'il passait sur l'autoroute à la hauteur de Saint-Jérôme, il portait chaque fois les doigts à son nez comme pour sentir son odeur, mais c'était peine perdue, l'eau avait tout emporté.

Le photographe

Je suis né au début des années 1960. J'ai grandi dans un environnement rural. Mon éducation a été teintée de principes religieux et de valeurs morales de nature plutôt conservatrice. À cette époque, la société nous exposait très peu à des scènes ou à des activités à caractère érotique ou sexuel. Tout était caché, tout était tabou, ce qui laissait beaucoup de place à mes rêves et à mes fantasmes. Comme la plupart des garçons de mon âge, je vivais mes pulsions de l'intérieur.

C'est vers quinze ans que j'ai eu mes premiers contacts avec la sexualité. À la maison, j'avais remarqué que mon père dissimulait une impressionnante quantité de magazines à couverture glacée, sous l'établi de son garage. Il y en avait une bonne soixantaine. Ils étaient rangés discrètement dans trois boîtes brunes, et le dessus de chaque boîte contenait des retailles de tapisserie qui permettaient de dissimuler les couvertures. Chacune de ces revues renfermait une belle quantité de photos sensuelles ou érotiques. Évidemment, à l'époque, il ne s'agissait pas exactement de clichés pornographiques, mais plutôt de séances de photos artistiques de modèles féminins en nu intégral. J'ai vite compris que ces magazines provenaient de la boutique de photographie de mon oncle Léo, le frère cadet de mon père. Peut-être se débarrassait-il des numéros invendus en les refilant à mon père.

Pendant plusieurs mois, j'allais régulièrement, mais surtout très discrètement, à l'atelier de papa afin de faire provision de nouvelles revues dans le but de les scruter en privé dans ma chambre. Afin d'éviter les soupçons, je m'assurais de n'en prendre jamais plus de trois à la fois, en les choisissant dans des caisses différentes. Je m'assurais aussi de conserver l'ordre des revues, la disposition des boîtes et la position des morceaux de tapisserie afin de ne laisser aucune trace de mon passage. C'est cette année-là que j'ai découvert mes premiers fantasmes et que j'ai pris goût aux activités sexuelles solitaires.

C'est également à cette époque qu'est née mon ambition de devenir photographe professionnel, tout comme oncle Léo. Bien au-delà d'un assouvissement de mes pulsions d'adolescent, j'étais constamment séduit et toujours impressionné par la qualité des photos et la beauté des modèles. J'auscultais chaque image sous tous ses angles afin d'en saisir la pureté. J'avais même acheté une puissante loupe afin d'en discerner les moindres détails. Chacune des photos mettait en évidence les jeux d'ombre et de lumière sur le corps nu des femmes et constituait une œuvre d'art en soi. À mes yeux d'adolescent, ces corps paraissaient tous divins. Je passais des heures à rêver et à m'imaginer des scénarios où j'étais maître de la situation. Ainsi, je sélectionnerais mes modèles et les positionnerais à ma guise afin de produire des clichés sublimes. Je me voyais déjà mélanger l'art et la technique afin que leur silhouette soit impeccable et leurs formes, parfaites. J'étais persuadé que chaque série de photos devait dégager une énergie érotique perceptible au premier coup d'œil. Chaque projet laissait place à mon imagination. Je créais une promiscuité avec mes modèles et, ensuite, j'élaborais des scénarios pervers qui allaient alimenter mes fantasmes par la suite.

Les années ont passé, j'avais maintenant dix-sept ans. J'en paraissais deux ou trois de plus. C'est du moins ce que mes proches en disaient. À l'époque, je ne m'adonnais pas vraiment à des sports ni à des entraînements réguliers, mais j'étais tout de même grand et athlétique. À cet âge, j'avais déjà la barbe forte. Bien que de tempérament solitaire et de nature plutôt timide, j'avais eu l'occasion de fréquenter brièvement quelques filles, la plupart plus âgées. Je n'avais cependant pas encore rencontré l'âme sœur ni quelqu'un avec qui il vaille la peine de m'attarder davantage. Même si j'avais plusieurs fois eu l'occasion d'échanger maladroitement des caresses sexuelles avec mes conquêtes, j'étais encore puceau.

C'est en septembre de la même année que j'ai débarqué à Montréal. Mon oncle Léo m'avait encouragé à m'inscrire à un programme d'art visuel, et il comptait m'aider à me développer dans ce domaine. Mes parents lui avaient demandé de me dénicher un petit appartement près du collège que j'allais fréquenter. Oncle Léo avait un magasin d'équipement de photographie. Il vendait des appareils et offrait des services de photo, de développement et d'agrandissement. J'ai accepté d'emblée son offre de travailler au commerce une vingtaine d'heures par semaine pendant mes études. Je me comptais chanceux d'avoir trouvé un travail qui m'inspirait et me permettait de gagner un peu d'argent tout en me donnant la possibilité d'imaginer et de vivre enfin mes fantasmes les plus fous.

Mon appartement était bien situé. Il comportait deux pièces meublées, un balcon, et il était assez ensoleillé. J'avais pris la première fin de semaine pour l'aménager correctement. Rapidement, je m'intégrais à mon nouvel environnement.

Un soir, j'ai fait la connaissance de Laurence, qui emménageait à côté et allait devenir ma voisine de palier. Tout comme moi, elle venait de l'extérieur de la métropole et fréquenterait le même collège, où elle était inscrite en théâtre. J'avais surtout remarqué qu'elle était splendide. Une fille à faire rêver. De petite taille, elle ne pesait visiblement pas plus d'une cinquantaine de kilos. Elle avait le teint clair, les yeux verts et la taille très fine. Sa peau semblait divine. Ses cheveux bruns finissaient en boucles à la hauteur des épaules. Elle avait des lèvres pulpeuses, presque trop belles, presque artificielles, pensais-je au début. Mais c'est sans conteste sa poitrine qui a d'abord attiré mon œil et m'a fait chavirer. Laurence exhibait fièrement un lourd buste. C'était une femme qui, j'en étais convaincu, faisait fantasmer la plupart des hommes. Côté cœur, elle m'avait expliqué qu'elle ne désirait pas avoir de fréquentations régulières pour l'instant, désirant plutôt se concentrer sur ses études.

C'est la semaine suivante que j'ai fait mes débuts à la boutique de l'oncle Léo. Rapidement, celui-ci m'a appris les rudiments de la caisse enregistreuse en plus de commencer mon éducation dans la chambre noire. Il préférait en effet que je travaille au labo. À bien y penser, c'était un choix judicieux pour un futur photographe. En plus, cela me permettait de travailler tard le soir, selon mes disponibilités, et je pouvais accommoder à mon gré mes horaires au collège, à condition que le boulot soit fait selon les échéanciers. Il m'avait fourni les clés du commerce et je pouvais entrer et sortir à ma guise.

Au bout de quelques semaines, j'adorais la métropole. Je m'y sentais bien. Contrairement à ce que j'avais toujours vécu, la grande ville représentait le lieu par excellence pour les petites choses qu'on ne peut se permettre en région. J'y découvrais que l'anonymat offre une exquise latitude qui rend possibles certaines déviances et certains fantasmes qui seraient impossibles en région. Avant d'arriver en ville, je n'avais jamais imaginé, par exemple, que des cinémas érotiques, des bars de danseuses nues ou des escortes pouvaient exister.

Ma relation avec Laurence avait évolué. À ma grande joie, elle prenait forme. Graduellement, nous devenions amis. Bien entendu, il n'était pas question d'ébats amoureux ou sexuels, mais nous passions de plus en plus de temps ensemble. Nous faisions nos courses ensemble, et je faisais de menus travaux dans son appartement. Nous visitions de nouveaux quartiers et nous allions au cinéma de temps à autre. J'avais la chance de l'admirer tout mon soûl. Ce qu'elle pouvait me faire rêver ! Elle était constamment à son avantage. Bien coiffée, très légèrement maquillée, pantalon ou robe serrée, et un décolleté mettant toujours en valeur son opulente poitrine, elle ne faisait qu'agrémenter mon quotidien et alimenter mes fantasmes.

Plusieurs semaines ont ainsi passé. Ma première session au collège tirait à sa fin. Mon travail à la boutique s'était considérablement accru, oncle Léo ayant dû ralentir ses activités professionnelles pour des raisons de santé. Il me confiait davantage de responsabilités et j'en étais fier. J'étais devenu photographe-portraitiste et je développais tous les films au labo.

Malheureusement, cela me laissait peu de disponibilité pour les fréquentations. Je m'arrangeais cependant pour me faire inviter le plus souvent possible chez Laurence afin de bavarder ou de prendre un café. Je préférais m'annoncer tardivement et à l'improviste pour qu'elle me reçoive dans des tenues légères. Ainsi, j'avais remarqué qu'en soirée elle prenait régulièrement un long bain avant de se préparer pour la nuit. Elle portait souvent un très long t-shirt, sous lequel elle était de toute évidence nue. À d'autres occasions, elle portait de petits déshabillés de satin qui, eux aussi, me laissaient deviner ses formes. Obtenir la permission d'entrer chez elle dans ces conditions était pour moi une jouissance indescriptible.

Un soir, connaissant la nature de mon travail, elle m'indiqua qu'afin de se présenter aux diverses agences de *casting*, les étudiants de sa classe devaient préparer un portfolio. Elle me demanda si j'étais intéressé à en réaliser quelques-uns. Je me doutais bien que je ne ferais pas fortune avec ces mandats, mais cela me permettrait de me rapprocher de Laurence et de fantasmer davantage.

« Voici ce que nous ferons si tu le veux bien, me dit-elle.

— Raconte.

— Tu commenceras par réaliser mon propre portfolio. Je le montrerai ensuite à quelques-unes de mes amies au collège. Si elles aiment ton travail, elles négocieront directement avec toi pour les conditions. Ça te va ?

— Bien sûr ! »

J'en croyais à peine mes oreilles. La gorge serrée, je sentais une chaleur s'étendre sur mon front, et mon excitation était palpable. Bientôt, mon plus grand fantasme se réaliserait. Toute ma vie, j'avais souhaité photographier des femmes. Toute ma vie, j'avais espéré être voyeur à travers la lentille d'un appareil photo. J'attendais ce moment depuis belle lurette et voilà qu'il s'offrait naturellement à moi. Dans l'intimité du studio, des parfums de femmes viendraient bientôt se dissiper. J'assisterais aux séances d'habillage, de déshabillage, de maquillage, de préparation... Je serais enfin celui qui les guiderait afin qu'elles s'exhibent tout à leur avantage. Ce sentiment de contrôle et de puissance m'excitait totalement.

La séance tant attendue était planifiée pour le vendredi suivant, après la fermeture de la boutique. Les jours précédents me parurent les plus longs de ma vie. En très peu de temps, j'avais dû me procurer une quantité surprenante de matériel afin de disposer de tous les accessoires requis. Le studio avait ainsi acquis coup sur coup trois nouvelles moquettes, deux chaises d'époque, un vieux canapé de cuir trouvé dans une ruelle, quelques chandeliers, des pots de fleurs, que sais-je encore. Je n'avais pas non plus lésiné sur les accessoires sensuels, tels des gants de soie, des draps de satin, des parapluies, des parfums, des écharpes. J'avais instantanément ajouté au studio une touche de professionnalisme et de sensualité. J'allais enfin devenir le professionnel avec qui les modèles pourraient s'abandonner et se laisser cajoler.

Le vendredi soir, les commis de la boutique terminaient leur quart pendant que je faisais les derniers préparatifs au studio. Je les avais prévenus que je devais travailler tard et qu'ils pouvaient partir et verrouiller la porte derrière eux. J'avais les mains moites et le souffle court. Allait-elle venir ? Allait-elle se désister à la dernière minute, refusant de partager son intimité avec un simple voisin ? Les plus folles visions me trottaient dans l'esprit. L'idée de me branler pour réduire mes tensions me traversa la tête, mais je ne le fis pas. Vers 21 h 10, Laurence frappa finalement à la porte. Elle avait un sac de sport en bandoulière et quelques sacs colorés de diverses boutiques à la mode à la main. Elle semblait calme, plus calme que moi, pour qui s'annonçait le début d'une vie remplie d'occasions et de fantasmes.

« Bonsoir, Laurence. Je commençais à douter de te voir, je craignais que tu n'aies changé d'idée.

— Bien sûr que non ! J'ai tellement hâte de me sentir une star et de faire une séance de photos avec un photographe de talent, répondit-elle en souriant. Je suis un peu en retard, car il me manquait un maillot adéquat pour la séance et j'ai fait quelques courses avant la fermeture des magasins.

— Souvent, il arrive que les meilleures photos nécessitent peu ou pas de vêtements, dis-je d'un air entendu.

— C'est possible, répondit-elle, l'œil espiègle, ça dépend probablement du talent du photographe.

— Allez, suis-moi au studio. »

Avant son arrivée, j'avais quelque peu réaménagé les lieux. Les accessoires étaient tous en place et une légère odeur de vanille se dégageait d'un bâton d'encens que j'avais discrètement allumé. Le studio comportait une pièce principale ainsi qu'une petite chambre adjacente où étaient entreposés quelques-uns des accessoires. Laurence a déposé son sac, son regard tout de suite attiré vers deux coupes qui entouraient un seau rempli de glace dans lequel une bouteille de mousseux nous attendait.

« Hmmm... Je vois que tu es décidé à me faire perdre la tête.

— Mais non, une séance de photo est toujours un moment magique. Le niveau d'harmonie, de chaleur et de bien-être dans lequel les acteurs se trouvent influence grandement le résultat. Il doit y avoir une complicité entre nous, un genre de symbiose entre le photographe et son sujet, tu comprends ? Le vin ne fera que nous aider à nous détendre.

— Je ne suis pas experte en la matière, mais je te fais confiance, à condition que tu m'en serves tout de suite. »

Après avoir rempli son verre, je l'ai invitée à changer de pièce afin de se préparer. Pendant ce temps, je finalisais les préparatifs de mon équipement. Dans la salle voisine se trouvait une petite coiffeuse rétro-éclairée en plus des accessoires du métier. Un bon quart d'heure s'est écoulé avant que Laurence fasse son apparition. Une éternité. Dans mes rêves, je l'imaginais face à la coiffeuse, enfilant un bas de dentelle, le pied pointant vers le ciel et dévoilant son profil aux regards les plus exigeants. Plus tard, je la voyais complètement nue, faisant l'inventaire de ses diverses tenues. À chacune de mes visions, sa peau me paraissait d'une blancheur et d'une douceur exquises, et sa poitrine omniprésente accaparait toute mon attention.

En vérité, les préparatifs de mon studio étaient terminés depuis plusieurs minutes. J'étais assis, coupe de mousseux à la main, à fantasmer en solitaire. Durant l'interminable attente, mon pouls s'était accéléré. Mon sexe avait pris tout le volume que mon pantalon lui permettait. Ma main gauche exerçait parfois une douce pression sur mon pénis gonflé, dont la forme et la taille étaient visibles à l'œil nu. Je sentais même un liquide s'échapper dans mon sous-vêtement. Cette sensation me stimulait davantage.

Laurence m'a alors rejoint. Je l'avais imaginée vêtue différemment, mais elle était tout de même sublime. Elle avait enfilé une robe moulante noire décolletée qui mettait agréablement son corps en valeur. La robe était très courte et accentuait la rondeur de ses fesses. Elle était pieds nus et cette robe la faisait paraître plus grande. Ses cheveux étaient remontés sur sa nuque et elle portait un pendentif qui mettait en valeur le large sillon marquant le début de sa gorge. Je lui ai offert un second verre de vin, qu'elle a accepté avec plaisir. À présent, elle semblait plus détendue. Elle s'est assise à mes côtés pour discuter des prochaines étapes.

Lorsque je l'ai complimentée sur sa tenue, elle m'a prévenu que la suivante serait plus osée ou du moins plus minimaliste. À ma surprise et pour mon plus grand enchantement, elle m'a expliqué qu'elle espérait un portfolio plutôt sexy. J'étais un peu étonné, elle qui me paraissait si réservée. Cette situation ne faisait rien pour soulager la tension dans mon pantalon. S'apercevait-elle de l'effet qu'elle me faisait? Avait-elle conscience de l'énorme bosse qu'il m'était dorénavant impossible de dissimuler? Fébriles, nous allions commencer la séance.

En arrière-plan, j'avais installé un papier peint où se mêlaient des teintes pastel sur fond blanc. Il s'agissait du cliché le plus formel de la séance. Laurence s'est placée debout, face à l'appareil photo, les mains sur les hanches, le haut du corps faisant un léger angle vers la droite. Sa tête était tournée du côté opposé. Ses yeux étaient pétillants et déterminés. En photographie, c'est ce qui s'appelle une position forte, une position dominante. Plusieurs hommes seraient excités de s'abandonner à une femme dans une telle position, qui m'a toujours inspiré. Elle semble dire : « Si tu veux me prendre, tu peux, mais tu devras me conquérir avant. »

Nous avons pris une quarantaine de minutes pour la première série de photos, utilisant une variété d'accessoires et de positions, le tout restant très sobre et de bon goût. J'attendais impatiemment de voir sa deuxième tenue, mais, professionnalisme oblige, je savais que ces premières photos seraient sans doute celles qui formeraient son portfolio officiel.

J'ai ensuite éteint les projecteurs latéraux, devenus sources de chaleur et d'inconfort. La lumière du studio était maintenant plus tamisée. Je lui ai servi une dernière coupe de mousseux. Nous nous sommes assis sur le petit canapé pour nous détendre. J'avais apporté deux albums à visionner ensemble. Ces recueils étaient constitués de plusieurs séances de photographies de femmes qu'oncle Léo avait réalisées au fil des années. Le premier était de type « ordinaire » et disponible à tous, tandis que le second demeurait caché dans son bureau et ne renfermait que du nu intégral. On pourrait même dire que ces photos étaient plutôt osées.

Nous étions assis très près l'un de l'autre. En fait, nous étions collés et Laurence avait passé sa jambe gauche par-dessus ma jambe droite afin de mieux voir les photographies. Nous les avons visionnées une à une, quelques-unes rapidement, d'autres avec plus d'attention. Je sentais que le vin lui était monté à la tête, qu'elle avait baissé sa garde et perdu une partie de ses inhibitions. Pour la première fois, nos corps étaient vraiment en contact. Je sentais sa chaleur et j'étais envahi par son parfum léger et fruité qui se dégageait de sa peau.

En visionnant l'album spécial d'oncle Léo, elle s'est attardée plus longuement aux photos de nus. Elle ne faisait aucun commentaire mais lâchait parfois un « oh ! » ou un « ah ! ». Je la voyais alternativement sourire et pousser quelques soupirs. Le fait de soulever sa jambe avait fait glisser sa robe vers le haut de ses cuisses. De ma place, je devinais son sous-vêtement, un mini slip noir duquel s'échappaient quelques poils follets. J'imaginais sa chatte lisse et pulpeuse cachée sous cette bande de tissu. J'avais tellement de sens sollicités à la fois que je n'avais pas remarqué qu'encore une fois ma verge était dure comme le roc. Heureusement, ma cuisse gauche étant libre, mon sexe avait tout l'espace requis pour s'émanciper discrètement. Je sentais mon pouls battre dans mon gland. Cette fille m'excitait au plus haut point. Tôt ou tard, il me faudrait la prendre et libérer les tensions qu'elle générait dans mon bas-ventre…

Ayant terminé de regarder le deuxième album, Laurence l'a refermé brusquement et a mis un terme à tous mes espoirs, à tous mes fantasmes, en replaçant sa robe et en se relevant. Un peu troublée, elle avait les joues rosies par l'émotion et se cherchait une contenance.

« Dis donc, c'est un sacré coquin, ton oncle ! C'est la première fois que je vois de telles photos. J'espère que tu ne t'attends pas à quelque chose d'aussi audacieux de ma part.

— Bien sûr que non, Laurence, c'est toi qui dictes la marche à suivre. Je ne te pousserai pas plus loin que tu n'es prête à aller, ai-je dit en étouffant ma déception. Mais tu voulais un portfolio sexy, alors j'ai pensé…

— Mouais, m'a-t-elle interrompu, mais les photos que nous venons de faire conviendront très bien pour l'école. Peut-être devrions-nous arrêter ici pour ce soir.

— Euh… Tu ne m'avais pas dit que tu as une autre tenue plus, disons, inspirante ? On pourrait l'essayer et voir où ça nous mène. Si tu trouves les photos trop osées, je détruirai les négatifs.

— D'accord », a-t-elle convenu après un instant de réflexion.

Me jetant un sourire par-dessus l'épaule, elle s'est alors dirigée vers la petite salle en se trémoussant un peu le derrière, comme si elle savait que mes yeux étaient rivés sur elle. Décidément, cette fille battait le chaud et le froid avec une agilité déconcertante. Je commençais à douter de voir mes fantasmes se réaliser ce soir-là. Essayant de calmer ma libido effrénée, je me suis dit qu'il valait sans doute

ZOOM LENS
70-300 mm
1:2.8
ø 77 mm

mieux ne pas brusquer les choses si je voulais que ma relation avec Laurence se poursuive.

Une quinzaine de minutes plus tard, Laurence est revenue, vêtue cette fois d'un simple une-pièce blanc très moulant et chaussée de fins escarpins rouges à talons hauts. Ses cheveux étaient détachés et tombaient en cascade sur ses épaules. Elle avait troqué son collier contre un bracelet au poignet et un autre au pied. Bien qu'ordinaire, son maillot mettait parfaitement en évidence son joli petit cul. Le haut était tendu à craquer sur sa poitrine, laissant apercevoir la profondeur vertigineuse de sa gorge. On voyait nettement le galbe de ses seins, et le tissu était si mince qu'il n'arrivait pas à dissimuler le fait que ses mamelons étaient aussi durs que ma queue.

J'assistais ainsi au plus beau spectacle de ma vie dans le meilleur des sièges disponibles, dans la meilleure loge. Je dévorais son corps des yeux et, en pensée, je la baisais sauvagement. Je devais constamment lutter pour ne pas mêler rêve et réalité. M'ébrouant, je me suis levé à mon tour pour prendre place derrière mon appareil photo sur son trépied, tout en continuant de l'admirer.

« Wow, Laurence ! C'est le maillot que tu as acheté ce soir ? lui ai-je demandé pour me donner une contenance.

— Ouais, a-t-elle répondu en lissant ses côtes de ses mains délicates et en faisant une petite pirouette sur place. Il te plaît ?

— Tu parles, et ces talons te sculptent parfaitement les jambes.

— Bien, alors allons-y pour la suite du programme », a-t-elle dit en se déhanchant devant moi.

La première session avait visiblement relaxé Laurence, à moins que ce ne soit le vin mousseux ou la vue des photos osées de mon oncle. Toujours est-il que, cette fois, elle n'hésitait plus à se montrer aguichante et à exhiber ses attraits. Ses hésitations semblaient avoir disparu. Elle prenait des poses de plus en plus sexy et je prenais des photos par dizaines. Elle alternait entre le canapé et les deux fauteuils, mettant un genou sur un coussin pour me regarder par-dessus l'épaule avec un sourire éclatant en projetant effrontément son derrière. Elle s'assoyait ensuite et croisait ses jambes en agitant lentement son escarpin du bout des orteils. Ouf! Je sentais de nouveau des bouffées de chaleur me monter au visage pendant que j'essayais discrètement de replacer mon pénis dans mon pantalon. Je ne savais plus à quoi m'en tenir, et je me raccrochais désespérément à mon appareil photo pour rester le plus professionnel possible.

La séance avait commencé depuis une vingtaine de minutes lorsque, dans un mouvement rapide et sans avertissement, Laurence a baissé le haut de son maillot d'un seul coup pour dévoiler ses seins. J'ai cru que mon cœur allait s'arrêter de battre. Jamais je n'aurais imaginé une scène semblable! Laurence n'était quand même qu'une connaissance, une voisine, une amie tout au plus. Mais voilà que ce dont j'avais rêvé pendant des années s'offrait enfin à moi. Je commençais à comprendre comment l'oncle Léo avait fait pour convaincre ses modèles de se dénuder devant sa lentille. L'appareil semblait bel et bien avoir un effet aphrodisiaque sur les femmes.

Au début, Laurence tentait d'adopter des positions coquines tout en essayant de cacher ses seins de ses bras ou de ses mains, mais cela lui était difficile vu leur taille. Comment deux petits bras pourraient-ils cacher de si gros seins? me disais-je. Elle m'épiait du coin de l'œil, consciente de la tension qui montait dans la pièce et gloussant parfois de plaisir contenu.

J'étais stupéfié par la vue de ses nichons. À maintes occasions, j'avais pu en voir de petits bouts et en imaginer le reste, mais voilà que le jeu de cache-cache était terminé. La chasse au trésor était chose du passé. Je les contemplais dans leur totalité, à moins de deux mètres de moi. Je pouvais ainsi remarquer que ses aréoles faisaient au moins quatre centimètres de diamètre et qu'elles étaient d'un beige nacré qui tranchait sur sa peau blanche. Ses mamelons, que seul un privilégié aurait un jour le plaisir de porter à sa bouche, se dressaient dans toute leur splendeur. Quelle belle harmonie! J'aurais voulu les toucher, les embrasser. Mon sang circulait trop rapidement dans mon corps. Cette séance m'essoufflait. Laurence continuait de virevolter devant moi, enchaînant les poses rapidement, presque plus vite que mon doigt pouvait presser sur le déclencheur. Un instant, elle était étendue de tout son long sur le canapé, les bras allongés au-dessus d'elle, le dos cambré pour mettre encore plus en évidence son magnifique buste. Deux secondes plus tard, elle avait replié le torse et posé les mains sur ses genoux, ses seins pendant sous elle alors qu'elle tournait la tête vers l'objectif et me faisait un clin d'œil lubrique. J'en perdais tous mes moyens.

Maintenant assise au sol, Laurence repliait les jambes, joignait ses pieds et se penchait vers l'arrière en prenant appui sur ses mains. Retirant prestement ses escarpins, elle soulevait les mollets en tendant les pieds et amorçait un lent mouvement de balancier des jambes. Fasciné par ce manège, j'en oubliais presque d'actionner mon appareil. Je devais me concentrer sur mon travail, m'efforcer de garder mon professionnalisme, qui menaçait à tout moment de prendre le bord.

Laurence m'offrait tout un cadeau, à moi qui devais rester muet devant la scène. Je bandais à l'idée de palper ses seins, dont la lourdeur les écartait l'un de l'autre pour dodeliner de chaque côté de son corps. Soudain, elle a ouvert les cuisses pour s'offrir à mon objectif. Sa proximité était irrésistible. J'ai fait une dizaine de clichés dans cette position. Je sentais bien qu'elle avait deviné que j'étais furieusement excité et que c'était une façon pour elle de me dominer et de me rendre fou. Avec sa main, elle a ensuite empoigné son sein droit, le soulevant et feignant de lécher son mamelon. Elle est restée dans cette position pour quelques clichés. Mais trop, c'était trop. Cette séance devait s'arrêter un instant. Il y avait trop d'intensité et je n'en pouvais plus. Mes sens étaient à bout. Il n'était plus possible pour moi de subir le supplice de la goutte d'eau et de demeurer dans un état d'excitation semblable sans pouvoir m'assouvir. Cette séance tournait à la torture.

J'ai éteint les projecteurs d'une main hésitante. Laurence s'était laissée tomber sur le dos en pouffant de rire. Les bras allongés au-dessus de sa tête, elle faisait osciller ses genoux d'un côté à l'autre. Puis, elle riait aux éclats. J'étais surpris de son comportement. Qu'y avait-il de si drôle? J'ignorais la cause de cette comédie, mais je commençais à me sentir exclu. Finalement, son fou rire s'est estompé. Elle m'a fait signe de m'approcher. Je me suis assis à ses côtés. Elle reprenait son souffle tout en laissant échapper des gloussements. Elle semblait avoir oublié que sa poitrine était nue et paraissait parfaitement à l'aise.

« Ouf, je n'aurais jamais cru qu'une séance de photos puisse être si intense et laisser place à de telles fantaisies, m'a-t-elle finalement dit. Je ne sais pas si c'est la fatigue ou le vin qui m'a fait perdre la tête, mais j'ai tout à coup senti l'envie de t'exciter, toi qui étais occupé à tes appareils et à tes prises de vue.

— Comment ? Tu as fait ça uniquement pour m'exciter ?

— Pas exactement, ça m'excitait aussi de m'exhiber ainsi. Dès le début, j'ai remarqué que tu étais embarrassé. J'ai vite compris que je pouvais avoir le plein contrôle sur toi. Graduellement, je n'ai fait qu'abuser de toi. Je voyais tes yeux grands ouverts, je percevais ton souffle court et, surtout, je voyais la forme de ton pénis à travers ton pantalon. Tu étais sous mon emprise, tu n'y pouvais rien. Très excitant !

— Tu étais donc consciente de me torturer ? Tu sais bien que ton corps est sublime. Résister à une séance de photos avec toi, c'est toute une épreuve ! Quand tu as baissé le haut de ton maillot, c'est la goutte qui a fait déborder le vase. C'est là que tu m'as fait craquer.

— Ce n'était pas tout à fait prévu, j'ai cédé à l'impulsion du moment. Si je t'ai choqué, je m'en excuse. Tes yeux fixaient constamment ma poitrine et je te voyais saliver. Tu faisais tellement pitié que, sans penser davantage, je te les ai offerts. Moi aussi, la séance m'a excitée. Si tu veux, tu peux t'approcher et caresser ces seins qui t'ont tant fait souffrir. »

Je n'en croyais pas mes oreilles. Était-ce un rêve ? Sans me poser de questions, j'ai profité de l'occasion. Je me suis approché d'elle et j'ai fixé ce corps qui s'offrait à moi. La pénombre du studio me laissait clairement distinguer ses formes voluptueuses. Ses seins, source de mes obsessions depuis des semaines, avaient tendance à fuir sur ses flancs. J'ai alors entrepris de lui caresser le ventre. Ma main faisait tantôt des courbes, tantôt des mouvements de va-et-vient entre son nombril et son sternum. Elle se déplaçait lentement et j'évitais de saisir ses seins, tout en m'efforçant de les effleurer à chaque mouvement. Laurence avait fermé les yeux, elle respirait profondément et semblait excitée elle aussi.

Peu à peu, mes effleurements ont mis plus de pression, et ma main a empiété davantage sur sa poitrine. De l'index, je me permettais de caresser un mamelon d'un mouvement circulaire. Son aréole se gonflait légèrement et son mamelon se dressait sous mes doigts. Elle gémissait sourdement. De temps à autre, elle arquait son dos et cambrait son bassin. De la paume de sa main, elle caressait sa cuisse, se rapprochant de plus en plus de sa chatte. J'ai soulevé ses seins tombants, telles de lourdes grappes. Des deux mains, je les ai compactés fermement l'un contre l'autre, afin de les replacer dans la position parfaite que j'avais imaginée depuis si longtemps. J'ai repris de plus belle mes caresses circulaires sur son ventre, pendant qu'elle se flattait carrément la chatte. Son mouvement s'est accéléré et, bientôt, un tremblement l'a parcourue. Elle venait de jouir! C'est alors que je me suis permis d'insérer l'extrémité de mes doigts dans l'échancrure de sa culotte, juste en haut des cuisses. Mais Laurence a aussitôt ouvert les yeux et son corps entier s'est redressé.

« Non! a-t-elle soufflé, on ne peut pas faire ça.

— Pourquoi? lui ai-je demandé innocemment.

— Je ne veux pas, pas comme ça. Je tiens à garder ma virginité pour l'homme que j'épouserai. C'est assez pour moi. Laisse-moi maintenant te rendre la pareille, je te dois bien cela, a-t-elle dit en me culbutant au sol.

J'étais terriblement déçu. À un poil de réaliser l'inaccessible baise qui torturait mon esprit depuis des mois, voilà que je tombais sur une pucelle qui avait conservé des principes. Mais ma déception fut de courte durée car, dès que j'ai été étendu par terre, Laurence s'est précipitée sur ma ceinture pour en défaire fiévreusement la boucle. Elle a ouvert ma braguette et a fait glisser mon pantalon jusqu'à mes genoux tout en laissant mon sous-vêtement en place. Immédiatement, avec la paume de sa main, elle a exercé une pression sur mon sexe gonflé à travers mon slip. Ma queue était dure depuis le début de la séance; j'étais même étonné qu'elle le soit encore après tout ce temps. Laurence a continué de me masser et s'est efforcée de stimuler mon gland du bout des doigts. Puis elle a serré mon membre si fort que j'ai gémi. J'ai cru jouir dans mon slip tellement mes couilles étaient gonflées et semblaient vouloir exploser. Dieu, que c'était bon!

Brusquement, Laurence a enfoncé la main dans mon slip et d'un geste preste en a ressorti ma queue. Elle l'a pris entre ses doigts de la même façon qu'on empoigne un bâton de golf et a exercé une forte pression à la base avec son pouce. D'un lent mouvement, elle a maintenu la pression sur mon sexe et sa main est remontée jusqu'à ce que son pouce touche la base de mon gland. Elle a entrepris un mouvement de va-et-vient. Jamais on ne m'avait caressé de la sorte. Ma queue, qui au début semblait trop serrée dans son enveloppe, se détendait dans sa main et avait davantage d'espace pour prendre encore plus de volume.

Soudain, elle a stoppé son massage, m'a retiré mes chaussures et mes chaussettes, a fait glisser mon pantalon et mon sous-vêtement, a forcé mes jambes à s'ouvrir et s'est agenouillée entre elles. D'un seul mouvement, elle s'est baissée et a avalé mon membre tout entier sans même utiliser ses mains. Ses lèvres pulpeuses m'enveloppaient avec vigueur et ses mamelons durcis effleuraient mes cuisses. Laurence maintenait un régulier mouvement de haut en bas qui inlassablement terminait sa course à la base de mon gland. J'étais au nirvana, dans un état d'extase. Tout en savourant ce moment, je prenais conscience que les fantasmes qui me hantaient depuis toutes ces années n'étaient pas que des fabulations d'adolescent. Le plaisir de cette fellation était indicible.

Mon corps s'est crispé. Je sentais que j'allais jouir. Avec mon bras, je lui caressais les cheveux et le front et participais ainsi à ses déplacements sur mon pénis. Du plus bas de mon ventre, je sentais monter une intense chaleur qui envahissait mes couilles. Un jet puissant a alors expulsé ma semence. Laurence ne semblait pas le moins du monde importunée par le flot qui se déversait dans sa bouche et elle continuait de me pomper avec vigueur. Soudain, elle a serré mon sexe dans sa main pour le débarrasser de ses dernières gouttes de semence. Elle a ensuite appuyé la tête sur ma hanche et est restée quelques secondes immobile, le temps de récupérer.

Après un moment, sans dire un mot, elle s'est levée et est allée dans la salle voisine. J'étais en transe. Je ne savais que penser de ce qui venait de se passer. Je songeais à l'oncle Léo et à toutes ces occasions, durant toutes ces années. Le saligaud, ce qu'il avait dû en vivre, des expériences comme celle-ci ! J'ai eu un moment d'égarement avant de me rhabiller prestement. Puis j'ai vu Laurence revenir dans le studio ses sacs à la main, aussi proprette et distinguée qu'à son arrivée. C'est avec un large sourire et toujours en silence qu'elle m'a fait signe de lui ouvrir la porte. Elle m'a embrassé chastement sur la joue en me souhaitant bonsoir avant de sortir. Elle était visiblement épuisée.

Je suis resté seul dans la boutique, en proie à d'étranges sentiments. Je vivais un moment d'angoisse, de doute plutôt. Avais-je consommé mon plus grand fantasme ? Un fantasme qui s'est réalisé demeure-t-il un fantasme ? Était-ce la fin d'une aventure ou le début d'une autre ? Quelle serait ma relation avec Laurence, désormais ? Cette soirée où tout avait chaviré serait-elle néfaste pour notre amitié ? Pourquoi était-elle partie sans rien dire ? Avait-elle des regrets ? Tous ces questionnements se bousculaient dans mon esprit et me tenaient éveillé. Il n'était pas question d'aller au lit, j'étais trop fébrile. Trop d'émotions.

J'ai donc entrepris de développer tout de suite les photos. J'étais inquiet pour notre relation et j'ignorais quels étaient les sentiments de Laurence, mais l'impression immédiate des clichés me donnerait un prétexte pour aller les lui montrer le lendemain et me faire une idée de son état d'esprit.

Je me suis enfermé dans la chambre noire. Avant l'ère du numérique, le procédé photographique comportait deux étapes : le développement et l'agrandissement. Dès la première étape, un bon photographe était en mesure de juger de la qualité de son travail. Avec une loupe appropriée, j'ai scruté un à un les clichés. J'ai ausculté les ombres, les détails, les mélanges de couleurs, et j'ai identifié les zones à retoucher lors de l'agrandissement final. Ma première séance de photo officielle était bien réussie sur le plan professionnel. J'étais satisfait, Laurence aurait un portfolio d'une douzaine de portraits de qualité exceptionnelle. Dans un second temps, j'ai pris soin de trier les clichés les plus osés afin de ne pas les mélanger. La fatigue commençait à s'emparer de moi. J'ai quitté le labo avec l'aube et me suis dirigé vers mon appartement pour m'allonger un peu.

Les jours suivants, je n'ai pas eu l'occasion de voir Laurence. À plusieurs reprises, j'ai regardé de son côté et j'ai tendu l'oreille pour détecter sa présence, en vain. J'avais l'impression qu'elle partait tôt et rentrait tard, d'où l'impossibilité de la croiser. Me fuyait-elle? C'est alors que j'ai décidé de mettre son portfolio dans un emballage cadeau et de le laisser devant sa porte. Le lendemain soir, pendant que j'écoutais de la musique, elle a frappé à ma porte, son portfolio à la main. Elle semblait détendue et souriante. Elle m'a félicité pour mon travail et a entrepris de regarder le document avec moi, épreuve par épreuve. Ensuite, elle m'a demandé en hésitant ce que j'avais fait des autres photos. Je lui ai alors remis un petit coffret qui contenait les épreuves ainsi que les négatifs. Elle ne l'a pas ouvert, du moins pas en ma présence. Elle m'a simplement embrassé sur la bouche en me remerciant et est rentrée chez elle.

Dans les semaines qui ont suivi, comme prévu, j'ai fait une quinzaine de portfolios pour les amies de Laurence. À chacune des séances, Laurence tenait à être présente, comme si elle voulait éviter tout dérapage avec ses amies. Aucune session ne s'est donc terminée comme ma première. Et je n'ai jamais revécu mon fantasme. Bien sûr, j'avais l'occasion de prendre des clichés qui mettaient en valeur les plus beaux attraits de ces collégiennes, et mon imagination s'enflammait à toutes les étapes de la réalisation des portfolios, mais Laurence n'était jamais loin, veillant au grain. Je m'ennuyais du nu, mais surtout d'elle.

Seize ans se sont écoulés depuis cette année-là, et il y a treize ans que je suis propriétaire du commerce. J'ai effectué plus de six cents sessions de photos privées. La plupart ont été réalisées à mon local et quelques-unes chez les clients. Au fil des années, j'en ai vu de toutes sortes. Familles qui veulent de simples portraits, étudiantes qui rêvent d'être des stars, époux qui offrent des photos érotiques à leur femme, couples qui veulent immortaliser leurs ébats ou échangistes qui désirent rapporter des souvenirs à la maison… J'ai tout fait, du standard, du *soft*, du *hard* et du très *hard*. Chaque fois que le sujet s'y prêtait, je fantasmais en appuyant sur le déclencheur. Le pervers en moi était choyé de réaliser la carrière idéale. Aucun autre travail ne m'aurait permis une telle gâterie.

Mais jamais la première séance de ma carrière ne s'est effacée de ma mémoire. Depuis maintenant douze ans, ma femme Laurence travaille à mes côtés entre deux engagements au théâtre, où elle connaît une carrière satisfaisante. Elle est toujours aussi splendide, plus belle encore aujourd'hui. Consciente de mes atavismes, elle me laisse fantasmer à outrance, mais elle s'est toujours fait un devoir d'éviter les débordements pendant les séances les plus inspirantes. À l'occasion, Laurence accepte de me servir de modèle, n'hésitant plus à se caresser devant l'objectif dans des poses osées et lascives, prête à tout pour assouvir mes passions et s'assurer de me garder en laisse. Je ne m'en plains pas. Pour beaucoup d'hommes, les fantasmes demeurent personnels et secrets. Il leur faut les garder tout au fond de leur esprit. Très peu, comme moi, ont tous les jours la chance de les réaliser, leur conjointe à leur côté.

Il n'y a décidément pas de plus beau métier que celui de photographe.

Olga

Olga est une jeune Russe, arrivée depuis peu à Montréal avec ses deux garçons. À la sortie de l'école de nos enfants, elle se démarque par sa taille élancée et ses longs cheveux blonds, avec une petite mèche qui lui barre le front. Son nez aussi est amusant, assez droit. Elle a les yeux légèrement en amande et un visage rieur. Son charme opère déjà sur moi, mais quand j'entends son délicieux accent slave, je «perrrrds» les pédales. Sans compter son parfum, dont je reparlerai plus tard. Remarquant mon regard un peu appuyé, elle me lance de petits coups d'œil furtifs auxquels je réponds par des sourires. Je reste néanmoins discret devant l'école. Je cache mon intérêt, mais je la surveille du coin de l'œil. J'observe ses gestes, j'essaie de décrypter dans ses mouvements qui elle est, ce qu'elle aime, où elle habite. Une chose est sûre, elle a réveillé le mâle qui dort en moi. Je veux la connaître, la mettre dans mon lit et la caresser!

Nous sommes à la fin de l'été, au début de l'année scolaire. Olga est une beauté élégante, à l'air très naturel et très spontané. Elle alterne les robes légères aux couleurs vives, au-dessus des genoux, et les tenues de bureau plus conventionnelles. Que peut-elle bien faire comme travail? Notons que, même avec la neutralité de mise, ses ensembles «professionnels» mettent toujours en valeur son long cou et ses petits seins. Je l'ai même aperçue un jour en short vert pomme, avec un t-shirt et sans soutien-gorge. Cette femme me plaît, c'est sûr. Ses jambes fines sont magnifiques, sa peau est plutôt claire et semble douce. D'habitude, je préfère les poitrines plus opulentes et les peaux mates, mais j'ai une folle envie de tenir ces jambes contre moi et de les caresser, de les embrasser…

Ses formes sont douces, pas trop musclées. Elle porte des talons hauts, mais elle sait aussi mettre parfois des sandales qui découvrent des chevilles fines. Ses pieds étroits, aux ongles vernis, sont impeccables. J'ai toujours eu un faible pour les jambes, les chevilles de femme… Ses cheveux sont souvent attachés, parfois avec un chignon. Les rares fois où je l'ai aperçue les cheveux détachés, je me suis dit que ça lui donnait un petit côté sauvage. Elle ne porte pas beaucoup de bijoux, juste des pièces délicates, d'un goût très sûr, or, perles, ambre ou bois.

Je vois bien que je suscite un intérêt chez elle, mais je vais laisser nos désirs grandir. Nous ne sommes pas pressés, la vie nous mettra bien en relation le moment venu. Ses garçons, des jumeaux de dix ans, sont dans la même classe que mon fils, Julien. Sont-ils amis ? Où habite-t-elle ?

Un lundi soir, voulant faire plaisir à Julien, je me rends à l'épicerie acheter, entre autres, des céréales, du lait, du jus et des barres chocolatées, pour que la journée commence bien le lendemain. L'épicerie, ce n'est pas tellement mon truc. Habituellement, j'y vais avec mon garçon et, en vingt minutes, tout est réglé. Là, j'ai des demandes précises, je dois donc fouiner dans les rayons pour trouver les articles inscrits sur la liste qu'il a dressée. Absorbé par cette mission très sérieuse, je sens soudain un parfum délicieux que je reconnais et qui allume instantanément une pulsion sexuelle en moi. Je regarde alentour, curieux. Olga est là, à côté de moi, plantée devant mille sortes de céréales, visiblement aussi perdue que moi. Nos regards se croisent, elle me reconnaît et un large sourire ensoleille son visage. Je suis sous le charme. Nous nous présentons :

« Moi, c'est Olivier.

— Olga ! »

Je lui tends maladroitement la main, puis je lui fais la bise. Très à l'aise, elle me rend mon baiser en disant :

« Combien d'enfants, un, deux, quatre ?

— Un garçon !

— Ah, d'accord ! »

Une complicité se tisse immédiatement entre nous autour des désirs de nos enfants, dont les goûts sont très affirmés en matière de céréales ! Nous pouffons de rire tous les deux, plantés là avec nos listes, un peu ahuris.

« Il y a trop de sortes, soupire-t-elle.

— Je suis bien d'accord.

— Sont-elles santé, ces céréales ?

— On s'en fout, les enfants les avalent sans broncher.

— Ah oui, ça c'est *cool.* »

J'apprends qu'avant Montréal elle était en Europe, mariée à un financier plutôt riche, dont elle est maintenant divorcée. Il prenait plus soin de sa Jaguar que de sa femme. Tant mieux ! Elle-même est avocate, mais elle ne se risque jamais en cour, se spécialisant plutôt dans les contrats entre multinationales, le gratin, quoi !

Apercevant LES céréales de sa liste, elle passe devant moi et s'excuse en m'effleurant le bras… Le temps s'arrête, nous nous regardons pour la première fois d'une autre façon. Nos yeux en disent long… C'est un moment magique. Mais il ne faut rien brusquer. Je quitte donc l'épicerie en la laissant sur mon plus beau sourire. Elle me rend la pareille. Dans l'auto, je renifle mon bras à la recherche de son parfum…

Tous ceux qui ont des enfants connaissent bien ce rituel de début d'année scolaire. Les parents s'installent aux pupitres trop petits, ce qui est cocasse. Les enseignants défilent un par un, nous parlent du programme scolaire, de la façon dont ils comptent s'y prendre avec nos enfants. Ils détaillent leurs exigences, leurs techniques.

Il y a des papas, des mamans et quelques retardataires, dont je fais habituellement partie.

Ce soir-là, je cherche la classe dans le dédale de couloirs. J'ouvre la porte, murmure des excuses et balaie la pièce du regard, à la recherche d'une place où caser mes grandes jambes. Ma belle Olga, en tailleur sombre, est là ! Je la vois me sourire et me désigner de la tête la place libre à côté d'elle. Je m'y rends le plus discrètement possible. Nous nous saluons du regard avant de nous concentrer sur ce que dit le professeur. En fait, son parfum me perturbe, je veux la dévisager, admirer son tailleur, son chemisier. Vais-je apercevoir son soutien-gorge, sa poitrine ? Elle est en jupe, mais a-t-elle des bas ou des collants, a-t-elle les jambes nues ? Je ne peux pas me pencher sans passer pour un imbécile, un vicieux. L'enseignant sort.

Olga me demande si je vais bien, si j'arrive du boulot, quel travail je fais.

« Oui, mais je travaille à la maison, je suis peintre. »

Elle a l'air surprise.

« Peintre ? Artiste peintre ?

— Eh oui ! »

Pas le temps de lui en dire plus qu'un nouvel enseignant est en piste, celui de géographie. Il a des lunettes rétro, rondes et cerclées de plastique beige, un gros nez et une drôle de houppette à la Tintin. Je gribouille rapidement sa caricature sur une facture qui traîne dans ma poche, que je tends ensuite à Olga. Elle pouffe de rire.

À chaque échange, je la dévisage davantage. Elle est très élégante. Son chemisier, un peu ouvert, laisse entrevoir la dentelle chocolat et orange de son bustier… J'adore. J'aime les couleurs. Je la sens croiser et décroiser les jambes. Le bureau d'écolier étant trop petit, c'est la seule façon de se dégourdir sans se lever. Elle porte des bas transparents qui me laissent entrevoir quelques grains de beauté. J'adore le crissement du nylon quand elle bouge les jambes. Les femmes jouent-elles sciemment de cet artifice ?

La soirée sera un échange de petits papiers sur les profs, les programmes, les intonations, les expressions utilisées par les uns et les autres, la classe et les bureaux, le tout agrémenté de dessins humoristiques. Elle s'amuse beaucoup.

Sur le trottoir devant l'école, nous nous quittons de fort bonne humeur. Nous nous embrassons trois fois sur les joues... Son parfum embrume mon cerveau, je place une main sur sa hanche... Le moment est magique, intense, je vis l'instant comme un énorme cadeau !

Régulièrement, je la retrouve le vendredi et, chose amusante, de plus en plus tôt, comme si nous voulions avoir du temps ensemble avant la sortie des enfants. Elle est toujours pleine de joie de vivre, ce qui me fait un bien fou après mes longues journées enfermé dans mon atelier.

Le vendredi soir est le moment où mon fils, avec qui je vis seul, invite ses amis à la maison. Je fais un souper simple et les parents reviennent chercher leur progéniture en fin de soirée. Les jumeaux d'Olga sont devenus copains avec Julien. Merci, mon gars ! Donc, comme les autres parents, elle arrive vers vingt-deux heures, souriante. Elle est très simplement vêtue, un léger t-shirt vert, un short blanc, des sandales en cuir.

Une fois que le dernier couple de parents est parti, nous restons à nous regarder en silence. Le temps semble s'allonger. Je romps le charme en l'invitant à rester quelques instants. Nos trois enfants jouent très bien ensemble. Je lui fais faire le tour du propriétaire, d'abord de façon formelle, puis bientôt nos corps se frôlent et s'électrisent. Olga note que tel tableau ressemble à de la peinture russe. Elle insiste pour voir mon travail et je lui fais visiter mon atelier. Elle aime mes grands formats sur bois et mon style épuré, sobre.

Soudain, au passage d'une porte, je la prends par la taille doucement, puis plus fermement quand elle se tourne vers moi. Je porte une main à son cou et je l'embrasse doucement et longtemps, très longtemps. Nos lèvres s'écrasent. Ses yeux se mettent à briller. Je referme la porte de la petite pièce voisine de la salle de jeu et, dans le noir, je me lance à l'exploration de son corps, debout derrière elle. Rapidement, je suis submergé par l'envie de lui faire l'amour. Son parfum et l'odeur de sa peau me font craquer. Sa tête bascule sur mon épaule. Mes doigts, après avoir caressé ses petits seins, glissent dans son short et sous la soie, sur la peau douce jusqu'à sa toison.

Je défais le bouton-pression. L'endroit est bouillant et humide. Mon majeur est rapidement englouti, puis mon index. Je lui caresse délicatement le clitoris. Sa respiration s'accélère. Elle place une main sur mon sexe dur, le pétrissant d'un geste sûr à travers mon pantalon. Les muscles de sa croupe entament des mouvements saccadés, accompagnés de petits gémissements. Mon bassin suit son rythme. On entend les enfants rire à côté. Je baisse son short, elle fait une faible tentative pour m'en empêcher en murmurant : « Les enfants… »

Son short tombe au sol, s'enroulant autour d'une de ses chevilles. Ses fesses m'écrasent. L'obscurité ne me permet pas de voir sa petite culotte, je mets donc les mains sur ses hanches et j'entreprends de la caresser… De la soie, du nylon, je ne sais trop, mais c'est soyeux à souhait. Elle tressaute à chaque mouvement de mes mains. Il s'agit d'un *string,* ceint d'une fine dentelle. Je défais ma ceinture et le bouton de mon pantalon. Elle saisit fermement mon sexe dur et chaud et le guide en dégageant la dentelle humide de son *string*. Ma verge s'enfonce doucement d'abord, puis, d'un solide coup de reins, fermement jusqu'au fond d'elle.

Elle soupire profondément et nous restons quelques instants comme ça, collés, heureux. Ses seins dansent sous son t-shirt, je les masse doucement et je pince ses mamelons déjà durcis par le désir. Le temps n'existe plus. Puis je la guide vers la fenêtre, près d'un meuble sur lequel elle peut s'appuyer. Je la pénètre de nouveau d'un seul coup, oh qu'elle est humide ! Je suis soudainement surpris par la violence de ses mouvements. Elle me veut au plus profond d'elle, que mon sexe tape au fond… Elle aime ça, elle murmure de son charmant accent slave : « Baise-moi ! Ouiiiiii, encollllle, hummmm, j'adorrre… »

Je m'exécute avec joie. Accroché à ses hanches, j'entre et sors d'elle de plus en plus fort et de plus en plus vite. Nos bassins s'entrechoquent dans un bruit de castagnettes. Je dois m'accrocher au cadre de la fenêtre pour honorer madame comme elle l'exige. Elle apprécie la vigueur. Je la ramène contre moi, lui écrase la poitrine. En quelques minutes à peine d'un vigoureux va-et-vient, elle jouit avec un beau soubresaut en lâchant un petit cri étouffé, puis un gloussement, et à mon tour je me lâche délicieusement en elle. Nous sommes en nage, essoufflés, collés, nos odeurs se mêlent et on entend toujours les enfants rire à côté.

Le vendredi est mon jour de congé d'atelier, il m'est donc facile de passer chez elle. Elle m'ouvre la porte, détendue, souriante, et toujours son parfum entêtant… Elle me fait passer devant elle et j'en profite pour l'effleurer. Un petit frisson, pour se mettre en appétit. Le soleil réchauffe la maison. C'est une ancienne résidence cossue de Westmount, à la décoration assez sobre. De toute évidence, son divorce l'a laissée plutôt à l'aise. Les boiseries blanches donnent une impression d'espace. Elle porte une jupe en lin chocolat, un chemisier blanc nacré et des chaussures à talons orange ! Elle me sert un café, et je vois qu'elle ne porte pas de soutien-gorge. Tout se présente fort bien.

Après une gorgée de café, sans plus attendre, Olga me plaque brutalement contre les armoires de cuisine, écrasant son bassin contre le mien avec une force insoupçonnée. Elle m'embrasse avec ardeur avant de sortir ma ceinture de ses ganses et de baisser d'un mouvement sec la fermeture de mon jeans, qu'elle descend prestement jusqu'à mes chevilles. Puis, d'une main sûre, elle m'empoigne le sexe à travers mon caleçon en marmonnant des paroles incompréhensibles… du russe, sûrement.

Avant même de pouvoir esquisser un mouvement, voilà mes mains attachées à une poignée d'armoire au-dessus de ma tête avec ma ceinture. Un rictus barre son visage. Pas de mousse à la commissure des lèvres, mais les choses commencent quand même à être un peu rock'n'roll ! Je suis presque à poil chez une femme en furie, les mains attachées, le pantalon à terre… Elle me bande ensuite les yeux avec un foulard imbibé de son parfum. Qu'est-ce qui m'attend ?

Elle découpe ensuite mon t-shirt à grands coups de ciseaux. Je la sens devant moi, les jambes écartées de chaque côté des miennes.

Je devine son sourire carnassier d'animal prêt à dévorer sa proie… Elle va mettre un CD du chœur de l'Armée rouge, puis elle revient m'embrasser, me mordille les seins, me lèche le ventre du haut vers le bas, avant d'écraser violemment sa bouche sur la mienne en me serrant la tête des deux mains. Haletante, elle masse et écrase mon membre dur à travers mon caleçon, qu'elle déchire ensuite d'un coup de ciseau pour le projeter au loin. Diable, comment vais-je faire pour rentrer à la maison ?

Je sens alors Olga qui plaque son dos contre moi. Elle relève sa jupe et écrase ses fesses sur mon membre dur. Elle bouge divinement, comme une adepte du baladi, mais elle ne pense qu'à son propre plaisir. Ses fesses montent, descendent et se dandinent d'un côté à l'autre, bref, un véritable supplice pour moi. Elle rigole et continue de me parler en russe, d'une voix gutturale. Cessant son mouvement de balancier, elle détache brièvement mes mains, me projette au sol sur la céramique de la cuisine et rattache la ceinture au-dessus de ma tête, sans doute à un tuyau sous l'évier. Gentiment, elle me met un coussin sous la tête. Belle attention …

Je perçois ensuite ses talons de chaque côté de mon bassin et me demande avec un brin d'anxiété ce qui me guette. C'est alors qu'un liquide chaud et collant me coule sur le thorax, le cou et le visage. L'odeur est immanquable : du sirop d'érable ! Je l'entends faire quelques pas, ouvrir la porte du réfrigérateur et revenir vers moi. Un autre liquide, beaucoup plus froid, me coule sur le corps à grands glouglous… de l'alcool… de la vodka !

Sa langue parcourt bientôt mon corps, léchant le sirop alcoolisé. Elle m'embrasse. Drôle de mélange ! Puis, de la vodka me coule dans la bouche. Une, deux, puis trois grandes rasades. Elle boit à son tour. Puis elle s'accroupit et frotte sur ma bouche sa chatte toujours dissimulée dans son slip. J'hume à plein nez son odeur exquise. Son pubis effleure ma bouche. Je sors la langue et, d'un mouvement de haut en bas, je parcours langoureusement le tissu humide. C'est déjà bien mouillé et, ma foi, sa cyprine mêlée à la vodka a fort bon goût.

Elle bouge le bassin, gère la pression et l'endroit où ma langue la touche, quel bonheur! Je me prends de plus en plus à son petit jeu étrange. Même la céramique se réchauffe sous moi. Elle se relève brusquement et j'entends la fermeture éclair de sa jupe qui descend, quelques boutons de son chemisier arraché me rebondissent sur le visage. Je la devine qui baisse son *string* et le jette.

Elle s'accroupit de nouveau sur mon visage, sa chatte presque à portée de ma langue. À part une fine toison, elle est rasée de près, j'adore! Lassée de me narguer, elle se recule et s'assoit d'un coup sur mon sexe turgescent, s'empalant en lâchant un grand « Yahouuu! ». Je meurs d'envie de lui saisir le bassin, mais elle m'a bien ligoté, la gueuse, et j'hésite à me débattre, de crainte de faire péter un tuyau et d'inonder la cuisine.

Olga joue à la cow-girl, me chevauchant avec une belle énergie. Son bassin tressaute au gré de ses gémissements, pour mon plus grand plaisir. Après une ultime et violente contraction de son bas-ventre et un orgasme fulgurant qui lui arrache des râlements rauques, elle se relève, laissant mon sexe en plan. Mais pas pour longtemps. Je la sens saisir ma queue d'une main et l'engloutir dans sa bouche. Quel délice! Sa langue taquine délicieusement mon gland, sa bouche l'aspire, le relâche, d'un lancinant va-et-vient. Délaissant mon sexe, sa langue aspire un restant de sirop sur ma poitrine, qu'elle recrache sur ma queue. Ce manège se répète à quelques reprises. Mais juste avant que j'éjacule, elle me lâche de nouveau pour farfouiller parmi les ustensiles dans un tiroir au-dessus de ma tête. Les yeux toujours bandés, je me demande ce que ma Russe adorée me réserve encore.

S'accroupissant à côté de moi, elle me souffle dans l'oreille d'être un bon garrrçon, de lever les jambes et de plier les genoux. Curieux, j'obtempère avec un brin d'hésitation et je sens sa langue mouillée passer et repasser sur mon anus découvert. Ah, quelle douce sensation! Elle crache sur mon précieux orifice et, sans avertissement aucun, me sodomise brutalement avec ce qui semble être le manche d'une cuillère de bois. Une décharge électrique me tétanise le ventre et je jouis soudainement, m'inondant l'abdomen de sperme chaud. Wow ! Je n'aurais jamais cru prendre un tel plaisir avec une cuillère à sauce !

Olga pousse un gloussement de satisfaction en passant les doigts dans ma semence. Elle semble y prendre un plaisir infini et je la devine en train de pourlécher ses doigts enduits de ce mélange de sperme, de sirop et de vodka, mais elle me surprend encore en les enfonçant plutôt dans ma bouche. Je suis forcé d'avaler ce cocktail, ma foi, assez savoureux. Finalement, Olga pose la tête sur ma poitrine et reprend son souffle. La bête a enfin son compte…

Quelques jours après cet épisode mémorable, nous décidons de sortir prendre un verre dans un bar de jazz, suivi d'un souper dans un bon restaurant. Il fait très beau, un peu chaud et humide, comme bien des journées de fin d'été à Montréal. Je passe prendre Olga en début de soirée. Elle m'apparaît radieuse et les yeux pétant le feu. Oh, oh, me dis-je, que me réserve encore cette furie ? Elle porte une robe noire sous le genou, fendue sur le devant, et de beaux escarpins noirs à talons hauts. Autour de son cou, un collier en or mat. Elle est d'une élégance rare, je vais faire des jaloux ! Son énergie est belle, elle sent bon… j'adore ce parfum…

Quant à moi, fidèle à mon image d'artiste peintre, je porte un pantalon en fine toile grise, une chemise bleu Gauloise et des mocassins brun foncé, sans chaussettes. J'ouvre la porte de ma vieille Saab cabriolet, elle se faufile à l'intérieur d'un gracieux mouvement de félin. Une fois que j'ai pris place au volant, elle me demande, tout excitée, où nous allons. « C'est une surprise, ma chérie ! » Elle éclate de rire et hurle au vent que « la vie est belleeeeee ».

Nous arrivons au bar et nous nous installons à la terrasse arrière. L'ambiance est bonne, un peu bruyante mais agréable. La musique est un mélange feutré de jazz et de blues, jouée par un trio. Nous plongeons nos regards l'un dans l'autre en silence, nos mains se touchent, ses doigts caressent doucement les miens. La lionne semble

au repos ce soir, griffes rentrées. Sa peau est douce. Deux dry martinis pour commencer, avec quelques bricoles à grignoter. Qui va lancer la conversation ? De quoi parler ? De futilités ? Non ! Des enfants ? Ah, non ! Du boulot ? Hum, pas très romantique ! Je plonge :

« Tu es magnifique ce soir !

— Toi aussi, tu es plutôt sexy, rétorque-t-elle, amusée. Et tu sens bon !

— Ah oui ? J'aime beaucoup ton parfum aussi. Il m'envoûte !

— Ah, ah, tu es donc sous mon pouvoir et tu vas faire tout ce que je veux, alors ? dit-elle en pouffant de rire.

— Peut-être. Que je sache, je ne t'ai pas encore beaucoup résisté.

— OK. Alors, va demander à la jeune femme en rouge là-bas si elle ferait l'amour avec nous.

— Quoi, t'es folle ! Tu es sûre ?

— Certaine ! »

Je m'exécute timidement. Je m'approche de la jeune femme en question pour lui parler. Elle opine vigoureusement du bonnet. Je reviens m'asseoir devant Olga, que mon manège a amusée.

« Tu as vu, elle a dit oui !

— Olivier, que lui as-tu demandé ?

— Ben, si elle voulait faire l'amour avec nous.

— Je ne te crois pas ! Elle ne s'est pas retournée pour voir de quoi j'ai l'air. Olivier, que lui as-tu dit ?

— Bon, d'accord, je lui ai demandé si elle est déjà venue ici et si c'est bien comme endroit.

— Ce n'est pas du jeu, retournes-y !

— OK, mais tu devras aussi faire quelque chose en retour.

— D'accord ! »

J'y retourne et, à ma grande surprise, la fille en rouge se retourne, regarde longuement Olga et, après m'avoir balayé du regard, dit oui sans hésitation. Je reviens à ma place, fier de mon coup. À mon tour, je demande à Olga :

« Maintenant que la fille a dit oui, c'est à toi de jouer. Tu vas aller l'embrasser pour voir si elle est sérieuse. »

Olga, pas gênée du tout, se lève, s'arrête à une autre table et, dans la minute qui suit, gifle un mec que je n'avais même pas remarqué !

« Waouh, c'est fort ! Tu m'épates, lui dis-je lorsqu'elle revient. Que s'est-il passé ?

— Rien, il me fixait comme un idiot depuis notre arrivée, je l'ai pris à son jeu et je lui ai demandé s'il voulait baiser avec nous. Il n'en revient toujours pas, je crois ! Mais il s'est vite ressaisi et a essayé de me peloter les seins. Alors je l'ai giflé. »

En effet, le gars, tout rouge, est la risée de quelques tables et des musiciens, témoins de cette scène plutôt cocasse. Le gérant s'approche pour s'assurer que tout va bien. La soirée commence sur un train d'enfer !

Nous continuons de rigoler en quittant le bar. Au passage, je demande ses coordonnées à la jeune femme en rouge, qui me les donne avec enthousiasme. Dommage, elle habite Québec et repart le soir même, nous batifolerons une autre fois.

Nous marchons dans le Vieux-Montréal jusqu'au restaurant. Une belle table fleurie à l'écart, près d'un mur de vieilles pierres, nous attend. Olga me défie de nouveau du regard. J'ai l'impression qu'à chaque instant il va se passer quelque chose de fou. La tension monte. Je me méfie. De quel côté attaquera-t-elle ? Va-t-elle renverser un verre, mettre le feu à la nappe, pincer les fesses d'un serveur, se lever et me demander en mariage pour dire tout de suite après : « Mais c'était une blague, mon chériiiiii » ? Quelles braises couvent encore dans ce regard de feu ?

Oups, ça y est ! Avant que j'aie le temps de réagir, voilà que son escarpin pèse sur mes couilles ! Elle a dû faire de la danse, la coquine, son buste et ses bras ne bougent pas d'un poil, alors que sous la table son pied est plein d'ardeur, à triturer de son talon aiguille mes pauvres testicules ! Je me résous à endurer stoïquement ce petit supplice. Je regarde le menu et j'écoute le serveur en gardant à grand-peine mon sérieux. Olga reste de glace tout en poursuivant son manège sous la table.

Les huîtres arrivent et l'ambiance se corse encore. Elle suce, caresse avec sa langue et avale goulûment chaque mollusque. Elle place ses lèvres sur le verre d'une façon bien à elle en me fixant, pour éclater de rire juste après. Tout est sensualité chez elle. C'est la première femme que j'ai envie d'embrasser en la voyant sucer une patte de homard. Avec cette petite danse du pied, je suis bandé à bloc. À mon tour d'agir, sinon je vais avoir l'air fin en me relevant avec un froc trempé!

J'immobilise fermement sa cheville et me penche sous la table, comme pour chercher un ustensile. Sa jupe est remontée très haut et ses longues jambes fuselées, qu'elle s'amuse à ouvrir et à refermer, me laissent admirer sa culotte nacrée. Je crois deviner la présence d'un petit tatouage en haut d'une cuisse. Tiens, voilà une chose que je n'avais pas remarquée l'autre jour dans sa cuisine. Il faut dire que mon attention était retenue ailleurs. Je me redresse et lui demande, un peu étonné:

« Tu as un tatouage?

— Ouiiiii, il te plaît?

— Je n'ai pas bien vu, c'est quoi?

— Ah, mon chéééérrrrii, chut, tu le verras plus tard. »

Le serveur nous apporte un très bon sorbet alcoolisé et je vois soudain Olga s'essuyer le coin de la bouche avec sa petite culotte. Comment a-t-elle fait pour l'enlever? C'est une magicienne, cette femme! Ou une sorcière. Plus rien ne m'étonne de sa part. Avec un sourire coquin, elle glisse le triangle de dentelle dans la poche de ma chemise. Évidemment, quelques curieux n'ont rien perdu de la scène et nous regardent en coin, se régalant. Comment cette diablesse de femme fait-elle pour rédiger des contrats importants? Ses collègues et ses clients connaissent-ils cette facette de sa personnalité?

Abasourdi, je demande l'addition, que je m'empresse de régler. Je commence à avoir fichtrement hâte de me retrouver seul avec ma louve slave. En se levant, elle se jette dans mes bras, plaque son corps contre le mien, me presse discrètement le sexe et lance à haute voix : « Merciiiii, docteur… » Nous sortons sous le regard éberlué des clients, amusés ou envieux…

Après une petite marche collés l'un contre l'autre, main dans la main, j'ouvre la portière de l'auto. Olga se précipite à ma place au volant, referme brutalement la porte et la verrouille en éclatant de rire. Elle baisse la glace et, pendant que j'essaie vainement d'ouvrir la porte, elle m'attrape par la ceinture et me plaque contre l'auto. En quelques secondes, ma braguette est ouverte, mon sexe sorti, englouti dans sa bouche. Sa langue est décidément aussi habile que ses orteils ! Je ne peux pas reculer et je dois composer avec les passants. Heureusement, ils sortent tous des restos ou des bars un peu endormis, mais tout de même !

Finalement, elle lâche ma verge et ouvre la portière. Elle se pousse, j'entre et elle se jette de nouveau sur moi. Juste le temps de reculer le siège au max et elle est déjà à califourchon sur mes cuisses. Je me sens m'enfoncer en elle… Hummm, c'est si bon ! Olga ne bouge plus, c'est louche… Je commence à avancer mon bassin, allant plus au fond avec des allers-retours lents et profonds. Olga suit le mouvement en respirant profondément. Je couche le dossier pour dégager ma cuisse du volant. Je dégrafe sa robe, découvrant ses épaules et sa poitrine… Son odeur m'enivre… Je la veux, je veux la manger tout entière ! Sa respiration s'accélère et, c'est drôle, sa voix devient plus rauque… J'adore comment elle dit « Encorrrr, pllllends-moi forrrt » d'une voix étouffée.

Soudain, elle se redresse, se retourne et, les mains sur le volant, elle s'empale de nouveau. Elle saute sur moi comme si elle conduisait un gros camion sur un chemin de terre ! Mes mains sont sur ses hanches, ses fesses montent et descendent pour s'écraser sur mon ventre et remonter aussitôt. Ah, voilà un virage. Elle penche le bassin à droite. Tiens, un tournant à gauche : tout son corps penche à gauche. « Oooh, un gros trrrou ! s'exclame-t-elle. Désolé mon chérrrli, j'espère que je n'ai pas abîmé ta belle queue ! »

Elle se soulève encore, me perd et retombe à temps. Je lui reprends les hanches et commence à accélérer la cadence, puis je lui attrape les seins et me colle à son dos, la mordillant dans le cou. Nous nous allongeons ensuite sur le côté. La buée qui recouvre les vitres de la voiture nous protège des regards. Olga se retourne et aspire mon sexe dans sa bouche. La main sur ses fesses, je glisse un doigt vers son anus. Je la sens se détendre et me sucer avec encore plus de fougue. Mon index glisse doucement en elle, elle se détend encore. Je la retourne, me mets en arrière comme je peux entre la capote, le rétroviseur, les accoudoirs et le levier de vitesse, et enfin mon sexe est aligné avec son derrière ! Je lui tiens fermement les hanches et je pousse. En deux coups je suis au fond, serré par son anneau, et elle crie, me griffe le bas du ventre. Puis, elle me repousse d'une main. Je résiste, je pousse toujours plus fort, encore et encore. Un énorme cri suivi d'un râle accompagné de griffures sur mon cou, sur mon épaule… et j'explose en elle ! Elle s'empale encore plus profondément et, avec un gros spasme, hurle de plaisir en serrant mon bassin sur ses fesses de toutes ses forces. « Encole, et paldon pour les griffurrrres ! »

Il est dix-neuf heures, je m'en vais souper chez des amis. Ils sont tous deux avocats et habitent un beau quartier de Montréal. « Tu es seul, viens donc à la maison, on fait un barbecue entre amis », m'ont-ils dit. Il fait très beau. J'ai passé une belle chemise blanche que je laisse pardessus mon pantalon. Mon amie Isabelle vient m'ouvrir et, toute contente, accepte avec un large sourire le bouquet que je lui tends. Je la trouve très sexy, comme d'habitude. C'est drôle comment certaines femmes, pour ne pas dire toutes, sont attirantes. Leur allure, leur énergie, leurs vêtements, leur parfum, ah, qu'il fait bon être un homme ! Isabelle me guide vers la terrasse où quelques invités sont déjà installés. Elle porte une jupe portefeuille gris-vert dont deux boutons sont défaits, laissant voir ses longues cuisses bronzées à chaque pas.

Son mari, Marc, se réjouit de la bouteille de côte-de-beaune que je lui offre. On me présente un couple de Suisses nouvellement arrivés, assez conventionnels d'apparence, et un autre couple montréalais, bien sympathique, habillé très relaxe… ainsi qu'une jeune femme russe, une certaine Olga ! Eh ben !

Les présentations faites, Olga et moi faisons semblant de ne pas nous connaître. Marc me place à côté d'elle. J'engage la conversation comme si de rien n'était. Elle joue le jeu à merveille, avec des éclats de rire et son bel accent russe. Son parfum me rappelle de doux moments intenses, et je me sens très bien. Une belle soirée débute. Après deux dry martinis et quelques autres apéritifs, nous perdons tous nos inhibitions et l'ambiance devient très festive.

Marc tient à nous montrer les rénovations qui ont été faites au sous-sol. « Un endroit pour faire la fête », dit-il. « Un lieu idéal pour des parties de jambes en l'air », me souffle Isabelle dans l'oreille, l'air allumé. « On veut voir ! » lançons-nous en chœur, Olga et moi. Hum…

En effet, l'endroit est très chaleureux. Un plancher de bambou foncé, des couleurs naturelles douces, de beaux grands sofas, un bar, un écran de télévision géant, une odeur d'orange…

Je m'assieds sur un sofa pour en tester le confort et Olga, déchaînée, se love à mes côtés. Isabelle prend place de l'autre côté en riant. Nous sommes assis profondément dans une douceur tiède. Se redressant, Olga en profite pour me palper discrètement la cuisse, puis elle m'aide à me relever en me caressant la main. Elle porte une robe noire très ajustée et décolletée, qui moule délicieusement ses formes, des bas noirs et de jolies chaussures fines à talons. Évidemment, ses seins sont sublimes, un collier de perles fines en fait ressortir le teint hâlé.

Isabelle me demande à son tour de la relever, et sa jupe entrebâillée laisse deviner une petite culotte blanche, pendant que son décolleté plongeant dévoile à mon regard des seins énormes, serrés dans un soutien-gorge de dentelle. Consciente que j'ai tout vu, elle m'embrasse sur la joue en me soufflant :

«Je suis contente que tu sois venu, Olivier, ça va te changer les idées. Il y a trop longtemps que tu es seul.»

Si elle savait! En retraversant le sous-sol, je remarque un grand garde-robe de cèdre dont la porte est entrebâillée. Olga m'observe en souriant.

À table, je suis à la gauche de notre hôtesse et Olga me fait face. Marc trône au bout de la table et les autres invités sont répartis entre nous. Pendant le repas, Olga et moi échangeons des regards complices, de même que quelques caresses des pieds. En effet, pendant que je racontais une histoire, déridant l'auditoire, Olga a retiré ses chaussures et a réussi à placer ses orteils entre mes cuisses. C'est reparti pour la danse du pied! Olga, je vais me venger... Je dois faire l'idiot et me tortiller sur ma chaise pour que son geste passe inaperçu.

L'alcool ayant pas mal ramolli les cerveaux, tous les convives fonctionnent au ralenti. Une seule est au *top*, alors que le café n'est même pas servi, et c'est Olga! Ses yeux brillent comme des diamants et son pied ne cesse d'aller et venir sur mon pénis, un manège qui, je le crains, n'a pas échappé à Isabelle, assise à mes côtés. Elle me lance des regards complices et peine à retenir son rire. Les Suisses, pendant ce temps, parlent des aléas de l'émigration et des raisons qui les ont poussés à choisir Montréal. Les deux Montréalais, captivés, apprennent un tas de détails inintéressants sur la Suisse. Isabelle se lève et Marc change la musique. Je rapporte des assiettes à la cuisine, aide Isabelle à remplir le lave-vaisselle en me collant peut-être un peu trop sur sa jolie croupe, mais l'atmosphère semble s'y prêter. Et elle n'est pas insensible à mon sexe bandé par les bons soins d'Olga. Elle ne dit rien, mais je sens son regard glisser sur mon entrejambe. À mon retour sur la terrasse, je m'aperçois qu'Olga a disparu.

Je pars à sa recherche, me doutant qu'elle est retournée au sous-sol, son œil allumé et ses jeux de pieds n'ayant pas laissé beaucoup d'illusions sur ses intentions. En ouvrant la porte de la penderie de cèdre, j'aperçois comme prévu les deux diamants qui luisent. Sans dire un mot, je prends sa tête entre mes mains et, dans la noirceur de ce garde-robe, nous nous embrassons passionnément. Pas de temps à perdre. Je passe ma main sous sa robe et découvre sa cuisse gainée de soie. Je remonte jusqu'au-dessus de la jarretelle. Le contact avec sa peau moite me zèbre le bas-ventre d'un éclair fulgurant. Mes doigts glissent sur la peau si fine de sa cuisse, sur son *string* et enfin sur son sexe chaud et humide. Olga me susurre à l'oreille : « Baise-moi, baise-moi fort ! » Elle déboutonne ma chemise et, tout en bécotant ma poitrine, fait tomber mon pantalon.

Mes doigts se faufilent et écartent son *string*. Olga s'accroche à une barre de vêtements pendant que je la pénètre d'un coup, lui arrachant un cri vite étouffé. Je sens les muscles de sa chatte se refermer sur ma queue, comme une main qui se serre et se desserre à chaque va-et-vient. À chaque coup de boutoir, elle gémit. Tout grince dans le garde-robe. Je serre ses fesses contre moi et dans le noir, couvert de sueur, je lui mordille le cou. Un orgasme puissant nous traverse tous les deux, nous laissant éperdus.

Nous nous embrassons tendrement lorsqu'un rai de lumière éclaire soudain le visage d'Olga. C'est Isabelle ! Les yeux exorbités, la jupe fendue de haut en bas, le chemisier ouvert sur des seins gonflés emprisonnés dans un soutien-gorge prêt à craquer, elle se jette sur Olga et l'embrasse à bouche que veux-tu, cherchant à tâtons mon sexe pour le ranimer. Elle referme la porte derrière nous et, tout en continuant d'embrasser Olga, elle guide ma hampe qui a retrouvé toute sa vigueur vers son anus pour s'y empaler avec ardeur. Je m'agrippe à ses fesses, entrant mes ongles dans sa chair.

« Baise-moi comme elle, encule-moi, souffle-t-elle. Allez, je te veux ! »

Je m'exécute séance tenante. Pendant que je la baise comme elle le veut, Olga caresse fiévreusement Isabelle. Elles s'embrassent et Olga lui masse le clitoris. Entre les cintres, les manteaux d'hiver, les combinaisons de ski, les grosses doudounes, Isabelle hurle de plaisir et doit mordre à pleines dents dans un Kanuk pour étouffer son cri. Elle se dégage d'un coup, se retourne et me fait exploser en me masturbant frénétiquement entre ses gros seins. À quel moment a-t-elle retiré son soutien-gorge ? Olga pouffe de rire, visiblement heureuse de ce contretemps amusant! Elle s'approche pour happer à grands coups de langue ma semence qui dégouline des mamelons encore durs d'Isabelle, pendant que celle-ci reprend péniblement son souffle.

«Ah ben, mes cochons, murmure-t-elle, je ne verrai plus jamais cette penderie de la même façon.»

Après nous être rapidement rhabillés, nous passons en coup de vent dans la salle de bain du sous-sol nous rafraîchir sans piper mot. Nos yeux en disent pourtant long. Je remonte le premier, craignant un peu ce retour à l'étage. Heureusement, Marc est lancé dans de longues explications sur la mairie de Montréal, la commission Charbonneau, la mafia, les enveloppes bourrées d'argent, le coffre qui ne fermait plus sous la pression des billets de banque. Tout le monde rit et personne ne s'est aperçu de notre absence. J'entends Olga et Isabelle monter au deuxième. Diversion ou envie de remettre le couvert?

Finalement, après une dernière fine champagne, tout le monde s'apprête à partir. Personne n'a prêté attention aux deux femmes qui sont revenues nous joindre en catimini, en causant d'enfants et d'école... Nous nous quittons avec de magnifiques échanges de regards très prometteurs.

C'est décidé, je me résous sur-le-champ à installer une aération dans le garde-robe de mon sous-sol.

La première fois

Mon père avait fait l'acquisition de cette magnifique maison située au bout d'une rue sans issue, en bordure d'une forêt protégée de plusieurs hectares. Lorsque nous nous y sommes installés, j'avais dix-huit ans, je venais de terminer mes études collégiales et je me préparais à entrer à l'université. Nous avions emménagé, mon père, ma belle-mère et moi, au début de juin. C'était un secteur tranquille. Seulement trois voisins, deux en face et un autre avec un grand terrain à notre gauche.

J'avais eu l'occasion de les rencontrer à l'occasion de la petite tournée de présentation de notre famille, comme le veut la tradition. En ce qui concerne les voisins d'à côté, lui était ingénieur pour une firme-conseil et il était souvent appelé à voyager. Sa femme, Marie, était graphiste et travaillait à la maison. Une femme magnifique, un peu ronde, comme je les aime, plus jeune que lui, probablement la mi-trentaine.

Son mari était absent lors de notre visite. Elle nous avait accueillis en tenue légère : elle rentrait du jardin où elle avait profité du soleil. Encore aujourd'hui, je n'ai aucun souvenir des paroles que nous avons échangées. Je me souviens juste que j'avais été complètement perturbé par cette femme. Sa bouche, son sourire, sa voix chaude, sa poitrine à moitié découverte et ses longues jambes m'avaient troublé à m'en faire perdre le fil de la conversation. Je crois qu'elle s'en était rendu compte. Quant à mon père, je le soupçonnais d'avoir été ému lui aussi par son charme et sa sensualité.

Étudiant, j'étais un garçon plutôt timide. J'avais beaucoup de difficulté à entrer en relation avec les gens, en particulier avec les filles. Mon père s'en inquiétait, je crois qu'il avait même des doutes sur mon orientation sexuelle.

Jacinthe, ma belle-mère, paraissait à peine plus âgée que Marie. Comme mon père était souvent absent lui aussi et que je n'avais pas beaucoup d'amis, après mes cours et pendant mes congés, je passais la plus grande partie de mon temps à la maison à lire ou à bricoler. Ma mère biologique était morte dans un accident d'auto alors que je n'avais que trois ans. J'avais très peu de souvenirs d'elle. Mon père avait rencontré Jacinthe quelques années plus tard à l'occasion d'un congrès, et ils avaient rapidement décidé de vivre ensemble. Ils n'avaient pas pu avoir d'autre enfant, aussi Jacinthe avait-elle reporté sur moi son affection et sa tendresse. Elle m'avait accompagné dans mon évolution, dans ma croissance, et je lui devais beaucoup.

C'était une femme enjouée, spontanée et un peu naïve, avec de belles rondeurs qu'elle aimait laisser deviner. Elle travaillait à domicile comme traductrice. C'est elle qui m'a donné mes premiers émois sexuels. À la maison, elle privilégiait en effet les tenues légères et ne portait que très rarement de soutien-gorge, que je sois là ou non. Au début de mon adolescence, alors que je commençais à feuilleter mes premiers magazines érotiques, Jacinthe me troublait beaucoup. Je profitais de la moindre occasion pour reluquer discrètement sa poitrine quand elle se penchait ou pour admirer son derrière à peine caché par un short seyant.

L'été de notre emménagement dans la nouvelle maison, quand elle se faisait dorer au soleil en maillot deux pièces près de la piscine, j'admirais son corps depuis la fenêtre de ma chambre, dans une main un magazine porno, dans l'autre mon pénis gonflé, les yeux rivés sur la silhouette sexy de ma belle-mère. Et quand ce n'était pas Jacinthe, c'était Marie, la voisine, que je dévorais d'un regard gourmand, la fenêtre de ma chambre donnant à fois sur notre cour et sur celle d'à côté.

Mon père passait deux ou trois nuits par semaine à l'extérieur. Pendant ses absences, je montais à ma chambre assez tôt pour lire, étudier ou regarder la télé. Vers vingt-deux heures, j'éteignais les lumières et la télé afin de faire croire à Jacinthe que je me préparais à dormir.

La chambre qu'elle partageait avec mon père était aussi à l'étage. Les deux pièces étaient séparées par leur salle de bain et leur penderie. Jacinthe montait généralement vers vingt-trois heures. Avec le temps, j'avais découvert qu'elle aimait tromper sa solitude en lisant des livres érotiques tout en se caressant. Je m'asseyais souvent le dos au mur dans le corridor, à un mètre de sa porte, espérant entendre sa jouissance. J'en profitais, mouchoir en main, pour me masturber en essayant de jouir en même temps qu'elle. Elle tentait d'étouffer ses gémissements de peur que je l'entende. De mon côté, à quelques mètres d'elle, pendant que le sperme inondait mes mains, je retenais difficilement mes grognements.

Bien que ce fût la femme de mon père, elle m'excitait et j'avais envie de la voir nue, à se donner du plaisir. J'ai donc profité de son absence un jour qu'elle faisait des courses pour installer dans sa chambre une petite caméra cachée dans le luminaire au-dessus du lit. J'avais acquis en cachette tout cet équipement et son manuel d'installation et d'utilisation grâce à une publicité dans un magazine porno. De ma chambre, je pouvais actionner la caméra, filmer ma belle-mère dans ses gestes les plus intimes et, le lendemain, projeter ces images sur mon ordinateur.

La plupart des soirs où mon père n'était pas là, elle s'adonnait à ses plaisirs solitaires en compagnie de sa littérature érotique. Je pouvais tout voir. Elle se caressait d'abord les bras et le cou, puis s'attardait longuement à ses seins, triturant langoureusement les mamelons. Je devinais son visage et ses yeux se métamorphoser peu à peu au rythme de la montée de sa jouissance. Elle orientait ensuite ses caresses vers son ventre, ses cuisses et enfin les lèvres de son sexe. Doucement d'abord, puis plus vigoureusement, ses doigts s'agitaient sur son clitoris. Délaissant son livre, son autre main enfonçait deux ou trois doigts dans son sexe avec un mouvement de va-et-vient de plus en plus rapide. Le plaisir montant, elle fermait les jambes, se tortillait sur le lit et revenait à sa position initiale, les jambes grandes ouvertes, les doigts de sa main gauche massant son clitoris tandis qu'elle se masturbait de plus en plus fiévreusement de la droite.

Je ne pouvais pas entendre ses gémissements sur la vidéo, mais je voyais bien qu'elle savait se donner des orgasmes répétés. Combien de fois ai-je fait l'amour en imagination avec Jacinthe sans qu'elle s'en rende compte, incapable de rester insensible à la vue de ces images ! Je garde de ces séances de visionnement des souvenirs magnifiques et intenses. Depuis, j'ai appris à regarder ma belle-mère avec d'autres yeux et j'ai toujours grand plaisir à la revoir, la sachant très heureuse avec papa.

Ces séances de voyeurisme ont pris fin lorsque mon père a changé d'emploi pour pouvoir passer ses soirées à la maison. J'ai tout débranché et caché mon matériel. Et je suis revenu à mes séances de masturbation solitaire, caché derrière le rideau de ma chambre à épier la pulpeuse voisine au bord de sa piscine.

Marie aimait beaucoup la marche en forêt. Presque tous les jours, vers quatorze heures, je la voyais depuis ma fenêtre emprunter le petit sentier situé juste derrière chez nous. Elle était toujours vêtue d'un bermuda et d'un t-shirt léger, et portait sur le dos un sac de sport, sans doute rempli de victuailles et d'autres vêtements.

Je trouvais Marie de plus en plus sexy. Sa démarche sensuelle, ses seins à demi découverts, ses rondeurs bien réparties m'excitaient et nourrissaient mes rêves érotiques. Un jour, j'ai décidé de la suivre en lui laissant quelques minutes d'avance et en faisant très attention de ne pas être repéré.

C'était un sentier peu fréquenté et mal entretenu, qu'il fallait deviner en se frayant un chemin à travers les feuilles et les branches. Cela ajoutait au mystère de la balade. Du mieux que je le pouvais, j'essayais de retracer les pas de Marie sans qu'elle s'en aperçoive. Je me suis égaré à quelques reprises, mais chaque fois je remarquais soit une trace de pas, soit une clairière que franchissait ce vieux sentier.

Après une heure de marche, j'ai entendu le bruit d'une chute. Je me suis avancé le plus discrètement possible. Cette chute se déversait dans un petit étang qui aboutissait à un ruisseau.

Face au soleil qui pointait au-dessus des arbres, Marie était là étendue complètement nue sur une couverture. Allongée sur le ventre, elle lisait ce qui semblait être un roman. Je la voyais de dos, les fesses arrondies. Je pouvais néanmoins apercevoir un sein à demi caché par un bras et la main qui tenait son livre. Je me suis fait le plus discret possible, caché derrière un arbre et accroupi dans les feuilles, à l'observer nerveusement.

Au bout d'un moment, elle s'est retournée vers son sac, a sorti d'un contenant isotherme une bouteille de vin blanc, qu'elle a décapsulée, et un verre. Pendant qu'elle remplissait son verre, je la voyais de face, les seins droits et fermes et les cuisses légèrement écartées, ce qui me permettait d'entrevoir sa belle toison.

J'étais excité et je la désirais plus que je n'avais jamais désiré aucune femme. Elle était plus belle que toutes ces starlettes du porno qui posaient nue dans mes magazines érotiques. À dix-huit ans, j'étais encore puceau, et c'était la première fois que je voyais une femme entièrement nue en chair et en os.

Je continuais de la regarder savourer son vin tout en lisant. Pendant de nombreuses minutes, toujours caché derrière mon arbre, j'ai admiré ses formes et ses courbes. De temps en temps, elle bougeait, soit pour poser son verre, soit tout simplement pour changer de position. Plus le temps passait, plus je sentais grossir la bosse dans mon pantalon.

Puis, elle s'est levée. J'ai alors pu l'admirer dans toute sa splendeur, de bas en haut et de haut en bas. Ses seins ronds, son sexe à demi caché par une toison fournie, ses magnifiques jambes bien solides, bref, un corps à rendre fou un jeune homme inexpérimenté.

Elle s'est avancée près de l'eau, se rapprochant par la même occasion de ma cachette. Je l'ai vue s'accroupir, les jambes écartées et le corps droit. Un jet continu a jailli de son sexe. Elle urinait dans le petit étang à quelques mètres de moi. Des gouttes giclaient sur ses cuisses, ce qui l'incitait à écarter encore plus les jambes. Mes yeux étaient rivés sur ce sexe et sur ce jet doré qui continuait de fuser pour mon plus grand émerveillement.

J'aurais voulu qu'elle m'asperge pendant que je lui léchais le sexe. Mon excitation était à son paroxysme. J'arrivais à peine à rester caché derrière mon arbre. Une fois son envie apaisée, elle s'est avancée jusqu'aux genoux dans l'étang. Elle a pris de l'eau dans ses mains à plusieurs reprises pour se rincer le sexe et les cuisses en une succession de gestes très intimes et très sensuels. J'étais complètement abasourdi par ce que je voyais.

C'est alors que j'ai involontairement fait du bruit en posant mon pied sur une branche. Le craquement a bien sûr attiré l'attention de Marie. Elle a tourné la tête de mon côté et facilement deviné qu'un intrus se cachait derrière un arbre. Sans gêne, toujours dans l'eau jusqu'aux genoux, elle a ordonné au voyeur de se montrer. J'ai hésité, craignant sa réaction. Elle a répété sa demande, y mettant maintenant une autorité à laquelle je ne pouvais résister.

Je me suis relevé et je me suis montré, rouge de honte. Elle m'a tout de suite reconnu, mais au lieu de me semoncer elle a éclaté de rire.

« J'espère que tu t'es bien rincé l'œil... » a-t-elle dit.

Bien sûr que je m'étais rincé l'œil ! Après une courte hésitation, je lui ai répondu que je la trouvais très belle et qu'elle me troublait depuis la première fois que je l'avais vue.

« Je vous ai suivie sans penser que j'entrerais à ce point dans votre intimité. Je suis désolé et j'espère que vous ne m'en voulez pas trop. Quant à moi, ce que je viens de voir et de vivre va rester gravé dans ma mémoire jusqu'à la fin de mes jours. Vous êtes la femme la plus belle et la plus désirable que j'aie connue. »

Toujours debout, dos à la chute et assumant sans aucune gêne sa nudité, elle m'a répondu d'un air goguenard.

« Pour te faire pardonner, va me chercher ma serviette de l'autre côté de l'étang, près de mon livre et de ma bouteille. »

Pour y arriver, je devais traverser l'étang ou le contourner. Elle ne m'a pas donné le choix et a ajouté d'un ton plus sévère :

« Déshabille-toi pour ne pas mouiller tes vêtements et va me chercher cette serviette. »

J'ai hésité, mais, de peur qu'elle se remette à rire de moi, j'ai enlevé mon pantalon et mon t-shirt. Je n'avais plus que mon caleçon, qui dissimulait bien mal mon érection. Elle m'a tendu la main pour m'inviter à la rejoindre. En descendant vers l'étang, j'ai trébuché dans une racine et je suis tombé à l'eau avec un grand plouf, l'évitant de justesse.

Éberlué, je me suis retrouvé étendu à plat ventre dans l'eau peu profonde. Le souffle coupé, j'essayais péniblement de me relever. En tentant de m'aider, Marie a perdu l'équilibre à son tour et est tombée sur moi. J'ai senti tout à coup ses seins s'écraser sur ma poitrine, et mon sexe gonflé dans mon caleçon mouillé effleurer ses cuisses et son bassin. Nous avons pouffé de rire en même temps, ce qui a détendu l'atmosphère. Je me suis relevé le premier et je lui ai tendu la main pour l'aider à se remettre sur pied.

Voilà que j'avais à quelques centimètres devant moi la femme de mes rêves érotiques qui me souriait à pleines dents, me laissant sans gêne aucune la dévisager sans vergogne, comme si j'étais son amant. Elle m'a de nouveau pris la main et m'a gentiment entraîné vers la berge. Une fois rendus, elle n'a fait ni une ni deux et baissé mon caleçon pour admirer à son tour l'érection bien virile d'un jeune homme de dix-huit ans. Je n'osais rien dire, de peur de rompre le charme. Ma queue dressée vers le ciel semblait la narguer.

Après avoir déposé mon slip trempé sur une roche, elle a jeté un dernier regard goulu vers mon sexe avant de courir chercher une serviette pour se sécher. J'arrive à peine à exprimer tout l'émoi qu'a provoqué en moi la vue de sa chute de reins et de ses fesses qui se trémoussaient délicieusement à chacune de ses foulées. J'en restais les bras ballants, comme un idiot, planté sur le bord de l'étang à me demander quelle serait la suite des événements.

Très vite, elle est revenue vers moi et s'est essuyée gracieusement, passant la serviette sous ses seins lourds tout en me jetant de petits regards, comme pour m'aguicher encore davantage. Puis elle a levé les bras au ciel, s'étirant et cambrant les reins comme pour mieux projeter sa magnifique poitrine vers moi. Les yeux plongés dans les miens, elle a fini de se sécher le dos et a avancé délicatement une jambe pour laisser les rayons de soleil se frayer un chemin entre les poils de sa chatte. Le coup d'œil était à couper le souffle, je me croyais dans le plus fou de mes rêves.

Parvenue à mes côtés, elle a entrepris d'essuyer lentement chaque partie de mon corps, frottant sans vergogne ses seins sur moi à la moindre occasion. Elle s'est ensuite agenouillée pour me frotter vigoureusement les jambes, remontant peu à peu vers mon sexe, qui n'avait rien perdu de son ardeur. Lorsqu'elle a atteint mes fesses, elle a glissé un coin de la serviette entre mes deux globes pour éponger du bout des doigts cette zone si sensible, ce qui a immédiatement provoqué une réaction de mon pénis, qui n'en pouvait plus.

Avec un petit rire, et toujours sans toucher ma queue, elle s'est relevée et a tourné lentement autour de moi en me jetant des regards satisfaits. Pour ma part, incapable de dire un mot, j'observais son manège et me demandais où elle voulait en venir. Seule mon inexpérience m'empêchait de la saisir à pleines mains et de lui imposer ma volonté. En même temps, cette lente torture était délicieuse et je ne souhaitais rien d'autre qu'elle la prolonge. Pour le moment, la vue de sa poitrine, de ses jambes effilées, de ses fesses rebondies et de ses longs doigts qui trituraient langoureusement la serviette me suffisait.

« Alors, mon lapin, dit-elle, qu'allons-nous faire maintenant ? Tu es à ma merci, au beau milieu de la forêt, nu comme un ver. Je pourrais me plaindre à ton père, lui raconter comment tu m'as suivie et espionnée. Qu'en dirais-tu ?

— Euh… ai-je balbutié maladroitement, ne lui dites rien, s'il vous plaît.

— Eh bien, il n'en tient qu'à toi, garnement, a-t-elle lancé dans un éclat de rire. Et puis, tu sais, tu peux me tutoyer. Maintenant que tu m'as vue uriner en pleine nature, on n'a plus rien à se cacher, toi et moi. »

C'est alors qu'elle s'est rapprochée, se campant derrière moi, ses seins fermement pressés contre mon dos. Elle a saisi mon pénis de la main droite pendant que de la gauche elle me caressait les fesses, glissant à l'occasion ses doigts dans ma raie pour me chatouiller délicieusement l'anus. Lentement, elle a amorcé un mouvement de va-et-vient autour de mon pénis gonflé à bloc. De temps en temps, elle s'arrêtait pour me caresser doucement les testicules en frottant encore plus fermement ses mamelons contre mon dos.

Elle a rapidement senti que je ne résisterais pas longtemps à ses caresses. J'étais au bord de l'orgasme lorsqu'elle s'est brusquement arrêtée. Tenant toujours mon sexe du bout des doigts, elle est revenue devant moi pour me toiser.

« Pas si vite, mon petit lapin, je ne vais quand même pas te laisser venir aussi rapidement. Je sais que je t'excite depuis la première fois qu'on s'est vus. Si tu penses que je ne t'ai jamais aperçu m'épiant depuis la fenêtre de ta chambre pendant que je nageais ou que je me faisais bronzer dans mon jardin. Ça m'excitait de penser qu'un homme bien plus jeune que moi pouvait me désirer. »

Incapable de lui répondre, je me concentrais de tout mon être pour ne pas jouir trop vite alors que je sentais toujours ses doigts gratouiller l'extrémité de mon gland.

« Je soupçonne que tu es encore puceau, a-t-elle poursuivi, et rien ne me ferait plus plaisir que de te faire découvrir les joies du sexe, mais tu dois me promettre deux choses.

— Oui, oui, n'importe quoi, ai-je répondu d'un ton haletant.

— C'est bien… Tu vas d'abord me promettre de ne rien dire à personne. Je ne voudrais pas que mon mari apprenne ce qui s'est passé aujourd'hui. Je l'aime toujours, mais disons qu'il n'est plus aussi vaillant qu'avant. Deuxièmement, je veux que tu me laisses faire et que tu m'obéisses en tout point.

— Bien sûr, Marie, je suis à vos… euh, à tes ordres », ai-je dit d'une petite voix que je ne reconnaissais plus.

Relâchant enfin son étreinte, et sans plus dire un mot, Marie s'est agenouillée sur la couverture étendue au sol à un mètre de nous.

D'un petit signe du doigt, elle m'a indiqué de m'allonger à côté d'elle. Sans arracher mon regard de ses seins lourds qui bougeaient au rythme de sa respiration, j'ai obtempéré. Elle, les mains allongées sur ses cuisses, contemplait mon pénis toujours aussi dur et dressé.

Au bout d'un moment, elle a commencé à me caresser lentement du bout des doigts, en commençant par les oreilles, le cou et le ventre. Ensuite, elle m'a embrassé, d'abord doucement, puis avec fougue, sa langue se frayant un chemin entre mes dents. Sa langue jouait avec la mienne, et ses mamelons durcis allaient et venaient contre mon bras et mes pectoraux.

Ensuite, elle m'a léché tendrement le cou et le ventre puis, descendant plus bas, s'est emparé goulûment de mon sexe. Sa langue a taquiné mon gland, puis ses lèvres ont enserré mon pénis, d'un court mouvement de bas en haut. Je n'en pouvais plus, j'allais éclater, c'en était trop.

Poussant d'abord un grognement, puis un cri de libération, j'ai senti ma semence partir du plus profond de mes couilles pour jaillir puissamment d'abord dans sa bouche, puis sur ses lèvres et son visage, alors qu'elle s'était brusquement redressée, surprise par la vigueur de mon orgasme. Ce fut sans conteste l'orgasme le plus puissant de ma vie. Rien à voir avec mes séances de masturbation.

Marie n'avait sans doute pas prévu un tel débordement aussi rapide. Mais elle ne s'est pas laissé décontenancer pour autant.

« Eh bien, mon petit coquin, tu le retenais depuis longtemps, celui-là, a-t-elle dit en se léchant les lèvres. Ne bouge pas, je reviens tout de suite. »

Elle s'est levée et s'est dirigée vers l'étang pour se rincer du sperme qui dégoulinait de ses mains et de son visage. Pendant qu'elle se penchait pour se laver, je voyais sa chatte qui me faisait de l'œil entre ses jambes écartées. Ses magnifiques seins qui se dandinaient sous elle me troublaient encore plus. Il n'en fallait pas pour plus pour redonner de la vigueur à mon pénis. Elle l'a remarqué lorsqu'elle est revenue vers moi en souriant.

« Hum... On dirait que tu n'es pas encore rassasié, mon petit Christian. Tant mieux, je n'en ai pas fini avec toi. Je vais maintenant te montrer comment faire l'amour à une femme, comment faire monter sa jouissance et l'emmener au septième ciel. Je veux que tu te souviennes toute ta vie de cette première fois. »

Marie n'avait rien à craindre. Ce que je vivais en ce moment allait bien au-delà de mes fantasmes les plus fous. Jamais je n'aurais imaginé que cette femme mûre veuille faire l'amour avec moi, alors que j'étais encore gringalet et timide.

Elle s'est alors étendue à mes côtés, écartant légèrement les jambes et tendant ses bras au-dessus de sa tête pour s'offrir entièrement à mon regard gourmand.

« Maintenant, a-t-elle chuchoté, c'est à ton tour d'apprendre à connaître mon corps. Vas-y franchement, je suis toute à toi, tu peux faire de moi ce que tu veux, mais je t'en prie, prends ton temps. Rien ne presse, l'après-midi est encore jeune. Regarde, fais comme ça. »

Elle a pris ma main droite et l'a dirigée vers son cou, incitant mes doigts fébriles à caresser ses oreilles, ses tempes, ses joues, son nez et ses lèvres. Un bras toujours étendu au-dessus de la tête, elle a fermé les yeux et m'a encouragé à poursuivre mon exploration. Elle m'a montré comment la caresser tout doucement, comment faire monter son désir en m'attardant sur chacune des parties de son corps.

Je me suis agenouillé afin d'être plus à l'aise pour poursuivre mes caresses. J'ai remonté son bras pour lui joindre les deux mains au-dessus de sa tête. J'ai ensuite laissé mes doigts s'attarder langoureusement sur ses bras, les faisant lentement glisser vers ses aisselles, puis, toujours plus bas, vers son ventre, ses jambes, ses cuisses. Les remontant ensuite le long de ses côtes pour tenter de saisir à pleine poigne cette poitrine opulente qui semblait me narguer. Mais chaque fois que je voulais toucher ses seins ou son sexe, elle hochait la tête, me murmurant que le moment n'était pas encore venu. S'étirant comme une chatte, elle a basculé sur le côté en me tournant le dos et en m'enjoignant de poursuivre mes attouchements afin de prolonger le plaisir.

Me prenant au jeu, j'ai oublié un instant ses attributs les plus sensuels pour m'attarder sur ses omoplates, gratouiller sa colonne vertébrale et chatouiller délicieusement la naissance de sa raie. Je suis ensuite descendu plus bas pour effleurer l'arrière de ses genoux avant de caresser ses mollets et ses chevilles. Je comprenais enfin tout le plaisir qu'il y a à faire durer le suspense, à laisser son partenaire dans l'attente, sans savoir exactement quel geste viendrait ensuite.

Gloussant de plaisir retenu, Marie s'est alors mise sur le ventre et a tendu les pieds, attirant mon regard vers ces zones érogènes qui m'étaient encore inconnues. Repliant une de ses longues jambes, elle a rapproché ses orteils de ma bouche et m'a demandé de les caresser, de les sucer un à un. Un peu surpris, mais soucieux de tenir ma promesse de suivre ses directives, j'ai promené ma langue entre ses orteils, les mordillant délicatement et lui soutirant de sourds gémissements de satisfaction.

Après un petit moment, elle s'est remise sur le dos en arquant son bassin. Je sentais que mes caresses lui faisaient de l'effet et j'ai instinctivement su que l'instant crucial approchait. La sentant trembler sous mes mains, j'ai légèrement écarté ses jambes pour mieux voir son sexe, d'où commençait à perler quelques gouttes.

J'avais de plus en plus de mal à retenir mon impatience, ma queue se balançait d'un côté à l'autre, pressée de découvrir enfin le plaisir de s'insérer dans un vagin chaud et humide. Un sourire aux lèvres, Marie a entrouvert les yeux pour constater mon état. Sentant arriver le moment de vérité, elle m'a lentement attiré vers elle, m'invitant d'un geste à me retourner et à mettre mes jambes de chaque côté de sa tête.

Pendant qu'elle me léchait les testicules, allant parfois jusqu'à balayer mon anus d'un grand coup de langue mouillée, je lui pétrissais enfin les seins. Je la sentais frémir de plus en plus. Tout à coup, elle a écarté les jambes et plié les genoux, s'offrant tout entière à moi. Elle a saisi ma main, l'a descendu sur son sexe et m'a montré comment en écarter les lèvres et y insérer mes doigts à travers sa toison. Elle a pris mon index et l'a plongé dans son ouverture de plus en plus mouillée. Avec un gémissement, elle l'a ensuite remonté lentement jusqu'à son clitoris. Guidé par sa main, j'ai appris à le toucher délicatement, à tourner autour, à alterner mes caresses entre ses lèvres mouillées et son bouton de jouissance.

Elle gémissait de plus en plus, sans cesser de promener sa langue de mes testicules à la raie de mes fesses. Nous étions tous les deux de plus en plus excités. Pendant que je caressais son petit bouton, que je sentais de plus en plus raidir entre mes doigts, elle mettait ses doigts dans sa fente ouverte et se masturbait dans un mouvement rapide de va-et-vient. Il ne fallut que quelques secondes pour qu'elle glousse de plaisir en atteignant un orgasme puissant. Je sentais l'odeur de son sexe qui avait déchargé une fine rosée sur sa toison. Je n'avais jamais rien vu de tel. Mon excitation était à son comble.

Elle m'a alors pris les fesses à deux mains et les a avancées de quelques centimètres afin de permettre à sa langue d'attaquer pour de bon mon anus hypersensible, s'insérant même à l'intérieur pour me faire découvrir des sensations inconnues. Ma queue s'est retrouvée au niveau de sa gorge et à proximité de ses seins, que je voyais monter et descendre. N'en pouvant plus, j'ai alors pris ma verge dans ma main et pendant qu'elle continuait de taquiner mon orifice, je me suis masturbé avec frénésie. J'ai rapidement senti ma sève monter et j'ai giclé de nouveau en arrosant copieusement ses seins et son ventre tout en poussant un cri de jouissance à faire fuir les oiseaux.

Après ce nouvel orgasme, je me suis étendu sur elle, la tête appuyée sur sa cuisse, afin de reprendre mes esprits.

« Mmmm... comme c'était bon, Christian, a-t-elle murmuré. Je sens que tu vas faire un amant du tonnerre. »

Changeant de position, Marie s'est ensuite couchée à mes côtés, la tête sur mon épaule. Ce geste rempli d'affection et de tendresse a fait en sorte que, pour la première fois, je me suis senti devenir un homme. Nous nous sommes serrés l'un contre l'autre, en regardant paresseusement les rayons du soleil caresser les eaux du petit étang. Le bruissement de la chute derrière nous rendait ce moment encore plus magique.

« Viens », a-t-elle dit après un long moment en me prenant la main pour me relever.

Elle m'a entraîné vers l'eau en cueillant les gouttes de sperme qui perlaient encore sur son ventre pour les porter à sa bouche et les sucer goulûment en me regardant. Pour dissiper la chaleur de nos ébats, nous avons barboté quelques minutes dans l'eau fraîche de la chute.

Je n'arrivais pas à me rassasier de sa vue, je voulais que ce moment délicieux dure éternellement. Forte de ses dix-huit ans vigoureux, ma queue reprenait vite de la vigueur et recommençait à chercher Marie. Éclatant d'un rire joyeux, elle m'a emmené près d'un rocher juste à côté de la chute.

« Tu es insatiable, mon grand loup, a-t-elle dit en caressant de nouveau mon organe. J'adore ça, il y a bien longtemps qu'un amant a montré autant d'ardeur avec moi. Viens, il est temps de parfaire ton éducation. »

Se penchant sur le rocher, les fesses bien en évidence, elle a écarté de ses doigts les lèvres de son vagin. De sa main libre, elle a saisi ma verge et l'a insérée dans son sexe trempé. C'était le paradis sur terre. Triturant ses seins de mes mains impatientes, j'ai entrepris de la labourer d'un puissant mouvement de va-et-vient qui décuplait mon excitation. Une main appuyée sur ma hanche, Marie contrôlait le rythme de mon assaut afin de faire durer le plaisir. En même temps, elle continuait de caresser son bouton d'amour de l'autre. Elle gémissait de plus en plus.

« Baise-moi, Christian, fourre-moi, mon chéri, je veux te sentir au plus profond de moi. Encore… encore, toujours plus fort. »

J'ai accéléré la cadence, mes coups de boutoir étaient de plus en plus secs, de plus en plus profonds. Ses cris étaient de plus en plus aigus et je l'ai sentie atteindre un autre orgasme fulgurant. En même temps, j'ai éclaté en elle, jouissant pour la troisième fois.

De retour sur la berge, nous nous sommes essuyés mutuellement, pendant que je repassais dans mon esprit les images de notre étreinte sauvage. Après quelques moments de tendresse, Marie a décidé que le temps était venu de rentrer. Elle m'a de nouveau fait promettre de garder le secret.

Pendant qu'elle ramassait sa couverture, sa serviette, remisait sa bouteille de vin vide et son verre, j'ai pris son livre pour le lui remettre, et c'est alors que j'ai remarqué le titre : *L'amour avec un amant plus jeune.*

La proie du jour

Soulagé, j'étais enfin arrivé au bureau après avoir été prisonnier d'une interminable congestion. Comme d'habitude, j'attendais mon collègue et ami Alexandre, avec qui je prends religieusement mon café tous les matins depuis cinq ans. De toute évidence, avec cette neige de fin d'avril, le genre de tempête surprise qui fout le bordel dans la circulation, Alexandre allait sûrement être lui aussi en retard. Alors, autant régler quelques dossiers internes.

Bien concentré avec ma musique favorite dans les oreilles, du jazz, je travaille sur un rapport non terminé la veille lorsque tout à coup, derrière moi, ce cher Alexandre m'ébouriffe les cheveux en me balançant: «Pis, mon Boudreau! T'as pris ton café?» Le vent dans les voiles comme deux collégiens, lui début trentaine et moi début quarantaine, nous nous dirigeons vers cette expédition quotidienne qui consiste à reluquer, analyser et commenter les femmes que nous croisons dans les ascenseurs, le hall d'entrée de l'immeuble ou, notre endroit préféré, les cours intérieures de notre complexe administratif, où se trouvent restaurants et boutiques de toutes sortes. C'est l'endroit idéal pour les deux prédateurs passifs que nous sommes, à la recherche de la proie du jour, celle qui battra les records des journées précédentes, celle qui gagnera le prix de la plus belle sirène du complexe ou, mieux encore, de nos vies!

La sélection est difficile, car nos critères sont très sévères: la taille et l'allure, bien sûr, mais aussi la coiffure, le nez, la bouche, la poitrine, les fesses, les jambes, les vêtements... Nous finissons toujours par être d'accord, Alexandre et moi, sur le choix du jour. Oh, nous changeons bien d'idée de temps à autre en cours de chasse, frappés par une proie qui remporte le concours *in extremis*, dans l'ascenseur par exemple ! Nous sommes libres et heureux d'être mâles.

Célibataires tous les deux, Alexandre et moi sommes différents tant dans notre attitude que dans notre comportement, que ce soit avec les femmes ou en général. Pour ma part, je marche d'un pas sûr, le dos droit. Vu la nature de nos emplois, nous portons tous deux veston et cravate. Alexandre mesure six pieds quatre pouces et moi, cinq pieds onze. Je suis athlétique, Alexandre a plutôt une allure de joueur de football. Nous nous entraînons ensemble tous les midis au centre sportif du complexe. Alexandre est un garçon sérieux, qui rit peu mais qui s'amuse à me suivre et à apprendre mes tactiques de drague.

Grâce à un ami homosexuel qui a entrepris il y a quelques années d'améliorer mon style vestimentaire, ma façon de m'exprimer, mon être tout entier, je suis devenu un parfait *métrosexuel* et je veux rendre la pareille à quelqu'un qui en a bien besoin, en l'occurrence Alexandre. Je lui raconte tout. De mes baises à mes états d'âme, tout y passe.

Je suis le plus souvent souriant. Ce n'est pas un genre que je me donne, je suis réellement heureux dans cet environnement, dans cette jungle où hommes et femmes déambulent et jouent le jeu de la séduction sans le savoir, ou en le sachant fort bien. Ils marchent tantôt avec un air sérieux, les yeux ailleurs ou sans retourner les sourires, tantôt concentrés, le mobile à la main ou le regard fixé droit devant. Certains, comme nous, chasseurs, voyeurs ou tout simplement amateurs, suivent le troupeau urbain que nous formons tous.

Selon moi, il n'y a rien de plus beau qu'une femme. Une femme avec des chaussures à talons hauts qui annoncent son arrivée d'un claquement sec sur le sol, ce son qui fait que tous les hommes se retournent afin de mettre un corps, un visage sur ce tintement, tels des chiens de Pavlov. Ces merveilleux escarpins qui sculptent les mollets à chaque pas. À mes yeux, la femme idéale doit porter une jupe serrée arrivant juste au-dessus des genoux, qui définit la silhouette et fait ressortir son élément le plus important : le postérieur.

De belles fesses rondes, un peu jaillissantes, me font craquer à tous les coups.

Elle doit aussi avoir un chemisier seyant, si possible blanc et moulant, avec un soutien-gorge approprié afin que les seins ressortent juste assez, donnant un équilibre parfait au corps. La couleur de peau, les cheveux et les yeux ne sont pas les points les plus importants pour moi, mais des dents droites et blanches me séduisent. Chaque fois que je vois ce type de femme, c'est immanquable, la même sensation m'envahit, une sorte de boule d'émotion au plexus solaire, et je fantasme sur des mises en scène, des scénarios qui déboulent dans ma tête en quelques fractions de seconde. Mais le temps que cette femme croise mon chemin, c'est terminé. On passe à la suivante…

Alexandre le sait, il me connaît bien, et lorsqu'il voit une proie de ce type qui a osé (rarement) échapper à ma vigilance, il me le signale en murmurant: «Boudreau, à 15 h 15!» La plupart du temps, il a raison.

Au retour de notre chasse matinale et avant d'aller terminer ce foutu rapport, j'avise Alexandre qu'il me faut un autre café. Il n'a plus le temps de m'accompagner, je fais donc cavalier seul. L'entreprise pour laquelle nous travaillons compte quelque trois mille trois cents employés sur vingt-cinq étages. Nous avons une énorme cafétéria et il m'arrive fréquemment d'y croiser des inconnus. En file pour me commander un cappuccino, j'aperçois, un peu plus loin devant moi, une femme avec un pantalon noir moulant. Au diable la jupe! Elle porte un chemisier blanc tout aussi ajusté. Mais ce qui me frappe le plus, ce sont ses grandes jambes de mannequin qui se terminent par un postérieur divin. Je n'ai jamais vu d'aussi splendides fesses de ma vie, vraiment! Elles sont juste assez bombées, musclées… parfaites. Je ne peux m'arrêter de dévisager ses formes, qui auraient fait rougir Claudia Cardinal dans ses plus belles années. Des courbes délicates qui dessinent un corps envoûtant. Un chef-d'œuvre.

Je suis certain que cette femme a senti mes yeux sur elle. Je ne la vois que de dos, mais je remarque ses longs cheveux noirs bouclés et sa grande taille, environ cinq pieds huit pouces. Nous ne nous sommes pas encore adressé la parole que je planifie déjà ce que je vais lui dire, si elle finit par se retourner. Elle prend son café et se dirige vers la caisse, je prends le mien et je la suis afin de me retrouver cette fois directement derrière elle. Soudain, elle se retourne et BANG! Elle me surprend en flagrant délit de reluquer ce qui est sans conteste le plus bel arrière-train de l'immeuble, correction, de la planète…

Si j'en crois son sourire aussi éclatant qu'une pub de dentifrice, elle sait exactement ce que je regarde, mais cela n'a pas l'air de lui déplaire. Elle a des yeux noisette et un long nez aquilin. Surpris, je lui dis tout simplement bonjour, avec un sourire aussi large que le sien, et elle me répond d'une voix douce, avec un bel accent:

«Bonjour, vous allez bien?

— Très bien. Dites-moi, votre accent, vous êtes Française?

— Non, je viens du Maroc.

— Outre votre adorable accent, je tiens à ajouter que vous êtes magnifique.»

Elle me remercie, encore avec ce large sourire fondant, et me tend la main:

«Je m'appelle Malika.

— Un très grand plaisir qui éclairera ma journée, Malika. Moi c'est Guillaume. J'espère vous revoir bientôt!»

De retour à mon bureau, je suis complètement enivré. Cette femme m'a scié les jambes et fait éclater la colonne vertébrale en mille morceaux.

«Alex! J'ai gagné le trophée des cinq dernières années, lui dis-je. Je viens de rencontrer *la* proie tant attendue. Attends que je te la montre! Le problème, c'est que j'ignore dans quel groupe ou à quel étage travaille Malika!

— Tu connais déjà son nom? Tu lui as parlé? demande Alexandre.

— Oui, bien sûr. Tiens, j'ai une idée, on va vérifier le bottin de l'entreprise. Il ne doit pas y en avoir des tonnes, des Malika!»

Nous cherchons et trouvons sans trop de mal. Malika travaille au onzième étage et moi au vingt et unième! Elle est aux finances et moi, en gestion de projet. Il est clair que je ne peux pas la contacter sans avoir une bonne raison. Les règles de l'entreprise sont strictes en matière de harcèlement et d'utilisation des outils de travail à des fins personnelles. Mais bon, je vais bien la croiser un de ces quatre !

Quelques jours plus tard, lors de notre pause-café de l'après-midi avec Alexandre, arrive ce qui devait arriver. J'aperçois Malika de loin, qui discute avec une collègue. Elle marche vers nous dans le couloir menant au café-bistro. Je donne un coup de coude à Alexandre en lui murmurant, comme un adolescent émoustillé : « La voilà ! » Dès que Malika me voit, elle m'adresse encore ce grand sourire époustouflant, aux dents immaculées. « Ça va, Guillaume ? » dit-elle avec ce petit accent doux et voluptueux. Faisant fi de notre entourage, et pour ne pas rater ma chance, je lui demande si on peut prendre un verre ensemble un soir. Elle me répond devant sa collègue :

« Euh… Le soir, non, mais nous pourrions peut-être luncher, plutôt ! »

Je rétorque, un peu piteusement :

« Oui, oui, bien sûr, un lunch serait l'idéal ! »

Merde ! Elle n'est pas libre, me dis-je. Pourtant, elle ne porte aucune alliance à son annulaire. Mystère, misère !

« Je t'envoie un courriel pour les détails, chère Malika !

— D'ac, à plus », répond-elle sans paraître étonnée que je connaisse son adresse.

Elle s'appelle Malika Alaoui. Je commence par un premier message :

Bonjour Malika ☺ Très heureux que tu aies accepté mon invitation ! Connais-tu le petit resto asiatique super sympathique au coin de l'avenue du Parc et de Saint-Ambroise ? C'est très bien pour une première rencontre sérieuse ☺ Disons à 11 h 45, demain ?

À peine quelques minutes plus tard, je reçois sa réponse.

Bonjour Guillaume, oui, c'est parfait, je t'attendrai devant les ascenseurs vers 11 h 30, merci de l'attention. ;-)

Je me demande un peu dans quoi je m'embarque, me doutant qu'elle est fiancée, voire mariée et mère de famille ! Je me mets néanmoins à rêver à notre lunch. En prédateur sûr de son coup, je me dis que cette femme ignore ce qui l'attend, qu'elle va vivre une expérience inoubliable. Connaissant mes armes, je suis convaincu qu'elle ne restera pas insensible à ce lunch !

Le lendemain, je laisse un message dans la boîte vocale de Malika, lui confirmant notre rendez-vous. Alexandre arrive à mon bureau et me lance de son air goguenard habituel :

« Pis, mon Boudreau ! Prêt pour ton lunch ?

— Moi oui, elle, pas sûr ! »

Alexandre veut tout savoir de ma stratégie. Honnêtement, je n'en ai pas, je fais confiance à mon instinct de chasseur… Malika me répond que tout baigne. La table est mise ! Il ne me reste qu'à improviser, à faire preuve de flair, d'humour et d'audace.

Je suis dans l'ascenseur et, je dois l'admettre, un peu nerveux. On dit des artistes qu'avant de monter sur scène ils ont avantage à avoir le trac. Sans trac, la performance est moindre, voire nulle ! C'est mon cas en ce moment. Arrivé au rez-de-chaussée, je jette un coup d'œil autour de moi. Malika n'y est pas encore. Je l'attends quelques minutes, mais au moment où j'allais l'appeler la voilà qui apparaît, vêtue d'une jupe noire très ajustée, de bas de nylon gris foncé, d'escarpins rouges, d'un chemisier crème qu'encadre un veston. Wow ! Ça promet ! Ses beaux cheveux noirs bouclés et son sourire sont aussi fabuleux que sa tenue vestimentaire. Je lui fais la bise. Ouf, ce qu'elle m'excite !

J'ai réservé dans un endroit où il y a peu de risque de rencontrer un collègue, question d'éviter les rumeurs et les mauvaises langues. Prudence, prudence. Au restaurant asiatique, l'hôtesse a bien noté ma demande : une table à l'écart dans l'endroit le plus romantique. Malika paraît satisfaite de mon choix de resto et… de la table discrète.

À peine sommes-nous installés que je plonge :

« Malika, je ne peux m'empêcher d'aller droit au but. Tu m'intrigues diablement. Alors, es-tu mariée ? As-tu des enfants ? Ni l'un ni l'autre, ou peut-être les deux ?

— Euh… Le moins qu'on puisse dire, c'est que tu ne tournes pas autour du pot, toi! Eh bien oui, les deux, et j'en suis très heureuse, d'ailleurs! répond-elle, légèrement sur ses gardes.

— Ah bon… (Je suis terriblement déçu.) Alors pourquoi accepter de luncher avec un parfait inconnu?

— Qu'y a-t-il de mal à avoir des amis du sexe opposé? Je n'ai rien fait de répréhensible, non? Ah, vous les Québécois, je te jure!»

Son accent est déroutant et m'hypnotise encore une fois. Madame se donne un air offusqué, mais une petite voix me souffle que tout n'est pas perdu. À voir la lueur coquine qui pointe dans son œil, il y a de l'espoir! Bon d'accord, à première vue, la discussion semble se diriger vers le fiasco, mais j'ose tout de même pousser les limites et risquer le tout pour le tout.

«C'est que, vois-tu, ma chère Malika, je n'ai pas pour habitude d'inviter une femme pour le simple plaisir de causer. Je vais être honnête avec toi: il y a toujours une étincelle sexuelle derrière une sortie au resto, un verre ou un lunch, et, d'après moi, autant d'un côté que de l'autre. Mais bon… peut-être qu'il s'agit d'une exception ce midi, nous verrons bien!»

Malika pouffe de rire.

«Eh bien toi, tu es décidément le type le plus arrogant et le plus direct que je connaisse!»

Adoptant un faux air repentant, je m'empresse de corriger.

«D'accord. Excuse-moi et recommençons à zéro. Je ne voudrais pas que tu croies que je t'ai invitée juste pour te draguer, nous pouvons très bien être simplement des amis. Surtout que, des amies aussi ravissantes que toi, je n'en ai pas beaucoup!»

Malika est hilare. Plus je parle, plus elle rigole! *Ah, ah, ça y est,* me dis-je. *Je commence à lui faire de l'effet. Une femme qui rit est une femme conquise.*

«Tu sais, Guillaume, la raison pour laquelle tu me fais autant rire, c'est que si tu n'étais pas si bel homme et si charmant, je te balancerais mon verre d'eau au visage. Tu as une audace incroyable! Mais je ne déteste pas.»

Je la regarde droit dans les yeux, appuyé sur mes coudes et le visage tendu vers l'avant, en position d'attaque. Malika, elle, est bien assise au fond de sa chaise, mais je la vois rougir. Elle aime donc ce qu'elle voit et entend. À mon avis, elle n'a pas eu ce genre de discussion depuis longtemps et elle ne s'attendait certainement pas à un scénario pareil en cette journée où le printemps semble enfin daigner faire son apparition. Une journée idéale pour laisser fuser ce doux sentiment d'accouplement.

Après un ou deux verres de rouge (une autre de mes tactiques de drague puisqu'il est bien connu que le vin est un aphrodisiaque), je poursuis mes avances en lui demandant si elle est en amour.

« Bien sûr que je suis en amour. Mon mari est un homme charmant qui s'occupe beaucoup des enfants et de moi. Oh, bien sûr, la vie de couple n'est pas toujours simple, je l'admets volontiers, pourtant je n'ai pas à me plaindre. Disons que l'emploi d'urgentologue de mon conjoint laisse peu de temps au romantisme, mais bon, c'est la vie ! Et toi, je parie que tu es célibataire et, de toute évidence, un peu beaucoup dragueur !

— On ne peut rien te cacher, mais je ne fréquente que les plus jolies femmes !

— Ah bon, je dois donc me sentir privilégiée, d'après toi ?

— Tout à fait. Je suis ravi de dîner avec la femme la plus ravissante et la plus sexy de l'immeuble, bien que ce soit une mère qui file le parfait bonheur ! Je me sens moi aussi privilégié ! »

Une petite heure de lunch, c'est bien peu pour faire tomber une forteresse de la trempe de Malika, mais elle me surprend en étant d'accord pour renouveler l'expérience. Je paye la note et nous passons les quinze minutes de marche jusqu'au bureau à rigoler et à deviser de la culture de son pays d'origine. Plus nous avançons le long de l'avenue du Parc, plus je sens ses barrières céder.

Presque aguicheuse, elle me frotte même parfois l'intérieur de la main de ses doigts délicats, un geste qui me laisse espérer que ma soif d'elle pourrait être étanchée sous peu. Elle est conquise, je le sens ! Le chasseur en moi joue avec sa proie, un coup de patte par-ci, un coup de patte par-là, sans sortir les griffes et en attente du moment fatidique, crucial, celui de la victoire !

Durant le trajet, mes fantasmes les plus débridés me reviennent en tête. Cette femme m'excite davantage de minute en minute, je la veux ! Juste un baiser, un seul et le tour sera joué. Je sens que, malgré ses prétentions de mère sage, elle me désire aussi. Il ne manque que l'occasion propice. Pas en pleine rue tout de même, mais où, quand et comment ? Je me connais et je sais ce dont je suis capable, c'est imparable : l'acte va survenir avant que je reprenne place à mon bureau.

Arrivés à notre immeuble, je décide de l'entraîner vers les escaliers. Je sais que des rénovations sont en cours aux troisième et quatrième étages. Nous y serons donc assez tranquilles.

Je prends Malika par la main et lui souffle de me suivre. Surprise, elle m'emboîte le pas en faisant preuve d'une belle docilité. J'emprunte le couloir en direction des escaliers, nous passons la porte et j'adosse Malika doucement contre le mur. Le regard gourmand, elle me dit d'un ton calme et sensuel, la tête inclinée vers l'arrière :

« Je te vois venir, sûr de toi et prétentieux. Tu annonces d'emblée la couleur et tu penses que je t'obéirai au doigt et à l'œil ?

— Hmmm, belle Malika, je ne te ferai aucun mal. Nous sommes deux adultes qui nous désirons, tout simplement. »

Des deux mains, je lui prends tendrement la tête et glisse les doigts dans son épaisse crinière de jais. Je la regarde droit dans les yeux, puis j'approche mes lèvres de son visage angélique. J'hume son parfum, probablement une marque du genre *Charnel nº 69*.

Je presse le bout de ma langue chaude et le bout de mon nez froid dans le creux de son cou laiteux. Je remonte vers le nord, en traçant très doucement les lignes de mes intentions libertines. Sa poitrine est collée contre mon torse et je sens son cœur battre la chamade. Sa respiration bruyante m'excite, son haleine méditerranéenne contre mon visage nourrit tous mes sens. Je tire légèrement ses cheveux, la faisant gémir. Elle a maintenant les yeux tournés vers le ciel et son souffle devient haletant. J'ai devant moi la plus belle des gorges, dont je m'empresse de me délecter. Ma bouche, mes lèvres, ma langue sont toutes mises à l'œuvre. Je me frotte le visage sur sa poitrine, encore soutenue par son soutien-gorge de dentelle blanche, que je devine sous son veston à moitié déboutonné.

Soudain, Malika me saisit brutalement les fesses à deux mains et y plante les doigts comme pour me griffer. Son excitation devient la mienne et m'envahit en entier. Je descends mes doigts le long de son dos en suivant méticuleusement chacune de ses vertèbres, tout en continuant de chercher à mordiller ses mamelons sous les vêtements. J'arrive enfin à ces fesses sur lesquelles j'ai tant fantasmé. Deux belles poires fermes et bombées. Les palper est un fabuleux cadeau de la vie !

Tout à coup, l'écho d'une porte qui se ferme à l'étage supérieur interrompt abruptement notre étreinte. Malika a aimé ce qui vient de se passer, je le vois dans ses yeux brillants. Un jeune messager à vélo, sa grande sacoche sous le bras et son casque jaune vif de guingois sur la tête, dévale les escaliers quatre à quatre. Nous sentons son regard derrière ses verres fumés nous balayer au passage, il a visiblement une bonne idée de ce que nous faisons là ! Au diable l'importun ! Avec un mélange de gêne, d'excitation et de plaisir coupable, nous restons plantés là comme si de rien n'était. Malika me regarde avec son large sourire si voluptueux. Elle me prend la main et éclate d'un rire cristallin, qui résonne dans la cage d'escalier, poursuivant le jeune homme qui disparaît dans le couloir menant à la sortie.

Notre passion inassouvie, plus excités que jamais, nous gravissons rapidement les étages pour arriver au troisième, où tout n'est que poussière et matériaux pêle-mêle. Tout au fond, je sais qu'il y a une salle de conférence qui ne sert pas en ce moment, mais qui va servir sous peu ! Mon sexe engorgé réclame son dû, je ne pourrai bientôt plus me contenir. Je murmure : « Où en étions-nous, Malika ? » Elle se contente de me jeter un regard enflammé en m'entraînant dans la salle de réunion.

La pulpeuse Marocaine est de toute évidence aussi excitée que moi. Oubliés, le mari et les mômes ! Elle n'a pas repris ses sens, mais

ses réticences refont bientôt surface et elle me souffle à l'oreille tout en m'étreignant la main:

«Ne serait-il pas plus sage de retourner au boulot?»

Je la fais pivoter vers moi et, sur un ton implorant, je lui demande d'une voix de petit garçon devant un étalage de bonbons:

«Attends, montre-moi ta fabuleuse poitrine, juste un peu! Une fois, je t'en supplie!»

Émoustillée malgré elle, Malika me repousse, recule de deux pas et soupire:

«Juste un peu, alors, et après on redescend.»

Elle déboutonne lentement son chemisier, en m'épiant sous ses longs cils. Mes yeux suivent fébrilement chacun de ses gestes, j'ose à peine respirer de crainte de rompre le charme. La dentelle délicate laisse entrevoir sa peau mate et sa poitrine qui jaillit du décolleté transparent de son soutien-gorge, les mamelons durcis par leur soudaine quasi-nudité et par l'érotisme insoutenable du moment. Malika lève les yeux pour me toiser, se sentant maîtresse de la situation. Un court instant, les rôles sont inversés, c'est elle qui bat la mesure! Elle bombe le torse pour exposer fièrement ses seins magnifiques. Ses cheveux en bataille sont à moitié rabattus sur son visage et je la sens basculer dans l'abîme, le souffle haletant.

Je m'approche d'elle et pousse l'audace jusqu'à lui murmurer de dégrafer son soutien-gorge. Elle hésite un instant avant d'obtempérer avec un long soupir, soutenant toujours mon regard, épiant chacune de mes réactions. Ses seins sont tout simplement merveilleux, de grandes aréoles brun foncé comme un écrin autour de ses mamelons érigés. Je suis obnubilé par cette vue sublime.

Elle est à demi appuyée sur la grande table de conférence et mes yeux n'en ont que pour elle. Je la saisis par la taille et la retourne. Malika pose ses deux mains sur la table. Ses hauts talons donnent encore plus de prestance à son corps divin.

«Que fais-tu, Guillaume? Non… arrête, dit-elle d'une voix rauque.

— Ma chérie, je veux tout voir. Tu ne peux t'arrêter en si bon chemin, montre-moi tes fesses si délicieuses!»

De mes doigts impatients, je soulève brusquement sa jupe déjà froissée. Plaisir suprême, elle porte des jarretelles attachées avec indécence à des bas noirs soyeux qui montent jusqu'en haut des cuisses. M'est d'avis que ses intentions n'étaient pas aussi pures qu'elle a voulu me le faire croire en acceptant mon invitation à dîner! Sourd à ses protestations peu convaincantes, je déroule son *string* déjà trempé le long de ses jambes, le laissant enroulé autour d'une cheville. Je peux enfin me repaître du spectacle de son joli cul encore plus ferme et rebondi que je l'imaginais.

Mes mains sur ses hanches, je me penche sur les voluptueuses fesses, mes lèvres les embrassent, les lèchent comme une chatte qui nettoie son petit. Je les mordille, les pétris, les pince, je voudrais les manger, ces belles fesses dont j'ai tant envie. Elles sont enfin à moi et pour mon seul plaisir, ma seule satisfaction. Malika m'encourage avec des gémissements tout en me répétant d'une petite voix de cesser mes avances.

«Arrête, Guillaume, noooon… il ne faut pas!»

Des mots qui, dans cette situation, semblent signifier: *Continue! J'aime ça, j'adore!*

«Je suis mariée, tu sais! Non, Guillaume, je vais le regretter, arrête s'il te plaît. Non, oui, non, non, ouiiii!»

Mon pantalon défait, je sors mon sexe, que j'empoigne de la main droite. L'intensité de l'excitation monte en flèche, l'air bruit littéralement de notre passion. Nous nous abandonnons tous les deux, dans une chaleur intense. Malika tourne la tête pour m'embrasser goulûment, ses dernières résistances vaincues. Elle tâtonne derrière elle pour saisir mon sexe et se résout à succomber au désir qui la tenaille.

Dos à moi, appuyée sur la table de sa main gauche, Malika lance le rite en astiquant mon membre d'un doux va-et-vient. Je sens une merveilleuse succion qui m'emprisonne, d'abord à la base du sexe, puis en remontant tout doucement jusqu'au col, le franchissant, encapuchonnant le gland, repartant en sens inverse en me raidissant toujours plus furieusement. Une petite halte à la racine, où mes couilles s'exaspèrent d'échapper à son massage des plus érotiques.

D'un geste doux, elle appuie mon sexe sur mon ventre, se tourne langoureusement et se glisse à genoux. De sa langue, elle parcourt ma queue en entier, de bas en haut et de haut en bas. Puis elle prend mes couilles dans sa bouche, les lèche, avant de recommencer à faire tourbillonner sa langue sur mon gland sans cesser de me branler. Je me laisse aller à ses caresses douces et précises. Le sang afflué dans mon membre et la chaleur gagnent chaque partie de mon corps, de la racine des cheveux jusqu'aux orteils.

Puis, sa bouche s'enfonce langoureusement sur mon sexe. Les mains posées sur sa tête, j'accompagne ses mouvements. Je donne le rythme, tantôt je la ralentis, tantôt je la presse. Malika, docile, soumise, s'applique à la tâche en se caressant en même temps de deux doigts coquins. Elle savoure les frissons qu'elle fait naître en moi, à coups de langue impudiques. Je goûte à la volupté, à l'excitation qui monte, qui reste supportable, mais à peine. Sa bouche est chaude, serrée, confortable, accueillante. J'y resterais bien enfoncé toute ma vie.

Mes yeux ne sont pas en reste, ils aiment ce qu'ils voient, ma queue qui entre et sort de sa bouche dans cette grande salle de conférence vide... vision délicieusement pornographique qui restera gravée dans ma mémoire et viendra hanter mes nuits d'insomnie...

Ma respiration s'accélère, les « oui, oui, oui... » que je lâche entre deux soupirs l'encouragent à persévérer et même à redoubler d'ardeur. Elle me suce avec gourmandise pendant qu'une de ses mains me masse les couilles, lourdes, chaudes, et que l'autre flatte frénétiquement sa chatte. Puis, elle remonte deux doigts le long de mon périnée pour chatouiller le pli de mes fesses. Je pousse un sourd gémissement sous cette nouvelle caresse.

Mais il est temps de reprendre les choses en main. Je l'aide à se relever. Du bout du soulier, je pousse son *string* dans la poussière. J'écarte ses jambes, je m'accroupis devant ce chef-d'œuvre, cette toile digne d'un Picasso. Elle lève un peu les fesses, tendant ainsi sa chatte à la hauteur de mes yeux. Elle me jette un coup d'œil en coin, la tête penchée sur le côté, le visage rouge, les cheveux en bataille, les traits ravagés par la jouissance. Je m'applique de la bouche et de la langue à fouiller ses lèvres bouillantes. Je déguste son bouton écarlate en érection et, comme un bonbon, je le garde en bouche, le mordille délicatement, le triture dans tous les sens.

Puis je me redresse. Le front contre son cou, j'appuie mon membre sur son volcan en éruption. Vorace, je passe mon visage barbouillé de son liquide d'amour sucré-salé dans sa tignasse. Je profite de mon festin et elle ondule légèrement du bassin pour m'accompagner, pour faire partie de cette cérémonie mi-érotique mi-sexuelle. Mon sexe se fraie un chemin à l'intérieur d'elle tout en douceur pour ne pas heurter ses lèvres les plus intimes. J'ai du mal à définir ce qui brûle le plus en elle, son sexe chaud et humide ou ses fabuleux mamelons que je sens frémir sous mes doigts. Je suis ébloui par la délectable obscénité de la situation. Ma queue bouillonne et s'impatiente de cavaler droit et loin, jusqu'au bout de ses chaudes profondeurs, de ses lointains abîmes.

Les mains sur ses hanches, je la pénètre enfin jusqu'au fond et je pousse fort, puis, arrivé à la base, je ressors complètement. Elle me saisit les fesses et me murmure de continuer à la labourer. Je recommence pour goûter encore et encore au délice de la baiser. J'entreprends des allers-retours salvateurs, je module le rythme pour apprécier pleinement chaque millimètre parcouru. Je suis terriblement dur. Dur comme jamais. Je suis entièrement en elle. De lent, mon rythme s'accélère et devient de plus en plus rapide, mes mains lâchent ses hanches pour prendre appui sur ses épaules, tout en faisant de petites pauses pour freiner mon excitation afin de ne pas jouir trop tôt. Et elle me souffle, la voix rauque :

« Plus fort, mon chéri. Oui... oui, c'est trop bon... Encore... plus fort ! »

Je sens qu'elle frôle l'orgasme, sa respiration devient de plus en plus courte.

Je lui souffle :

« Je vais éjaculer en toi, Malika. Ça vient. Je vais jouir dans ta chaleur si confortable, si serrée. Que c'est bon. Je vais venir, me voilà, ma chérie ! »

Malika se met à crier.

« Hmmmm, chéri. Oui, oui, ouiiii… Je te sens en moi, aaaah… »

Nous atteignons l'orgasme au même moment. Un dernier coup de rein décisif et elle se fige sur place, les yeux fermés, la tête penchée vers l'avant, à l'écoute de sa jouissance qui n'en finit plus de la secouer. Moi, j'éclate comme un feu d'artifice. Je suis au paradis et le bien-être de cette fraction de seconde d'absence au monde est divin...

Je m'affale ensuite sur elle, pose ma tête sur son épaule. C'est le repos du guerrier, du valeureux, de l'Homme. Mes bras la serrent fort. Son cœur bat à tout rompre. Mon sperme chaud s'écoule lentement d'elle, mouillant ses cuisses.

« Chéri, j'adore être remplie comme ça de toi, soupire-t-elle. Je t'appartiens tout entière, tu m'as vaincue.

— Tu es ma proie du jour, Malika. »

Elle semble surprise par la formule. Puis une lueur de malice traverse ses yeux.

« Oui, je suis ta proie du jour. »

Le tailleur sensuel

Sa boutique attire les plus belles femmes du monde entier, les plus attirantes et les plus élégantes. Les femmes de grande classe, celles du *jet-set,* hors de portée de la majorité des hommes, qui n'osent même pas s'imaginer attirer leur regard, ne serait-ce qu'une seconde. Même les plus séduisants, les plus virils des mâles, ceux qui savent ordinairement parler aux femmes, ne tentent pas leur chance.

Ces femmes sont en effet la chasse gardée d'un groupe sélect de richissimes hommes, puissants parmi les puissants. Ceux qui possèdent un pied-à-terre dans toutes les capitales et qui peuvent offrir le luxe, les plus célèbres tables et les plaisirs raffinés que recherchent ces femmes d'exception.

Mais ces beautés doivent bien s'habiller quelque part, lorsque les chefs-d'œuvre de la haute couture ne leur plaisent pas. C'est pourquoi elles viennent le visiter, lui, Danilo, ou plutôt sa boutique d'apparence anodine au centre-ville de Milan. Elles s'y font tailler leurs robes de gala, les tailleurs qu'elles passeront pour admirer l'œuvre d'un artiste en vue de Tokyo ou les vêtements plus légers à porter dans le jet privé de leur amant, filant vers une nouvelle destination, plus exotique encore que la précédente.

Son talent, la justesse de ses conseils, la qualité des étoffes avec lesquelles il confectionne les vêtements de ces superbes femmes ont propulsé la réputation de Danilo bien au-delà de Milan. Sans avoir le prestige ni l'entregent des Versace, Jean-Paul Gaultier ou Armani de ce monde, il a réussi au fil des années à développer une clientèle fidèle de femmes qui savent reconnaître le goût sûr et qui ont les moyens de se l'offrir.

Sa grande discrétion ajoute à sa réputation, car ces femmes de haut rang, qui aiment tant montrer leurs plus beaux atours, font tout pour éviter les paparazzis qui traînent leur objectif près des podiums des grands défilés de mode. C'est pour cela que Danilo a leur confiance absolue. Il est un des rares hommes à pouvoir s'adresser à ces canons de beauté, à connaître leurs goûts et les endroits qu'elles visitent. Il est leur confident et en tire une immense fierté.

Elles viennent le voir deux ou trois fois par an, pour se faire présenter les nouveaux satins moirés, les lainages de cachemire et les imprimés de soie en vogue. Des tissus soyeux aux couleurs chatoyantes, des étoffes souples et légères, qui invitent à la sensualité. En cette matière, Danilo a un sens inné, un coup d'œil inégalé. Il sait choisir ce qui mettra en évidence la poitrine voluptueuse de celle-ci ou les hanches parfaites de celle-là.

Si ce sens aigu du raffinement contribue à sa réputation, il est cependant pour lui source de grands tourments. Rendre encore plus magnifiques ces beautés irréelles, les aider à mettre en valeur leurs attraits mais sans avoir la possibilité de leur susurrer un mot doux, d'embrasser leur bouche parfaite, de pénétrer leur intimité sexuelle est pour lui une torture constante.

Elles sont à la fois si proches et si lointaines. Proches quand il prend les mesures de leur poitrine, de leur tour de taille ou de leurs jambes. Sa réputation impose la retenue, mais il aimerait tant les voir se déshabiller, effleurer de plus près leurs seins, caresser l'intérieur de leurs cuisses, connaître leurs endroits les plus intimes, sentir leur haleine chaude sur son sexe.

Lointaines, car sitôt les mensurations prises, les étoffes sélectionnées, elles remontent dans leur limousine avec un simple coup d'œil par-dessus l'épaule quand il leur rappelle leur prochain rendez-vous. En outre, sa torture quotidienne est amplifiée dès qu'une nouvelle reine de beauté pénètre dans sa boutique.

Chaque fois qu'une de ses clientes quitte les lieux, ses jambes tremblent et son désir, qu'il étouffe du mieux qu'il peut en leur présence, jaillit si fort de son pantalon qu'il doit retourner l'affichette de sa porte pour indiquer «De retour dans 15 minutes», le temps de calmer ses pulsions.

Danilo vit seul et met tout son talent au profit des plus belles femmes. Lui-même n'est pas dénué de charme, et il lui arrive de faire des rencontres en dehors de son travail, mais ces filles lui semblent bien ternes et sans attrait en comparaison de ses clientes, si bien sculptées, si séduisantes, si envoûtantes, si excitantes...

Pour assouvir son appétit sexuel constamment en éveil, il s'offre des plaisirs solitaires. Il s'imagine alors une de ses clientes entièrement dévêtue, glissant ses longs doigts sur un velours, approchant l'étoffe de sa joue pour en sentir la douceur, en enlaçant ses hanches, la frottant délicatement sur le bout de ses seins pour les voir réagir.

Il se figure sans peine le plaisir de cette femme qui s'enrobe de velours et qui, avec un rebord du morceau de tissu, effleure son pubis, y frotte les poils de l'étoffe pour faire exploser les terminaisons nerveuses des parties les plus intimes de son corps jusqu'à atteindre l'apogée.

À l'approche de l'extase, le plaisir de Danilo se fond avec celui de sa belle cliente imaginaire, qui contrôle l'arrivée de son orgasme par le mouvement du velours contre son clitoris, imposant plus de pression à l'approche des vagues de plaisir jusqu'au sommet de la jouissance, passant le tissu entre ses jambes pour bien sentir chaque spasme traverser son corps.

Au fil de ses plaisirs solitaires, Danilo a élaboré une longue série de fantasmes qui mettent en scène ses clientes et sa vaste collection de tissus des quatre coins de la planète. Nul besoin de jouets érotiques ni de *sex-shop*, tout se trouve à portée de main dans son atelier. Il les habille dans la réalité et les dévêt dans ses fantasmes.

Un jour, Christina entre dans la boutique alors qu'il s'affaire à assembler les pièces d'un chemisier de mousseline.

« Christina ! s'exclame Danilo. Il y avait si longtemps ! Vous êtes resplendissante. »

En effet, son visage plus rond qu'avant lui donne une aura de sensualité incomparable qui éveille d'un coup l'appétit sexuel du tailleur.

« Bonjour, Danilo, je suis venue voir les nouveaux tissus et surtout demander de vos nouvelles, vous m'avez toujours si bien servie. »

Ému, Danilo prend plaisir à lui montrer les tartans écossais en vogue à l'approche de la saison froide. Il lui fait remarquer la souplesse de l'étoffe, la qualité de la fibre. Il en parle avec une passion qui éveille les sens. Christina se laisse emporter et ferme les yeux pendant qu'il effleure son bras dénudé du tissu afin qu'elle sente bien toute la douceur du fil.

Une gêne s'installe alors, comme si avec ce geste la relation de cliente à fournisseur venait de prendre une nouvelle tournure.

« Vous savez, explique alors Danilo pour mettre fin au silence, le toucher est la meilleure façon d'apprécier la qualité d'une étoffe.

— Bien sûr, vous avez raison. Pourrais-je comparer la sensation produite par d'autres tissus sur ma peau ?

— Certainement. »

Danilo s'empresse d'aller chercher des échantillons de madras et de soie. Il prend délicatement le poignet de la jeune femme et frôle l'intérieur de son bras avec les différents tissus.

« Fermez les yeux, vous sentirez mieux.

— C'est très agréable, murmure Christina avec un léger sourire.

— Si vous me permettez, je vous propose une petite expérience. La partie du corps la plus sensible pour le test du toucher est le creux devant les hanches. Voulez-vous essayer ? »

Étonnée par la hardiesse de son tailleur, d'habitude si discret, Christina hésite un moment. Mais comme elle a toujours fait confiance à Danilo, elle relève son chemisier pour dévoiler ses hanches. Jamais Danilo n'a eu de contact si intime avec une cliente, et il a de la difficulté à cacher son émotion en voyant ses hanches parfaites et surtout le bord de son slip, mis en évidence par le pantalon à taille basse qu'il a lui-même confectionné.

Il approche doucement un morceau de tartan d'une des hanches de Christina. En spécialiste, Danilo a choisi la plus douce de ses étoffes, la plus chaude. Avec de petits gestes circulaires, il frotte le tissu sur la peau de la jeune femme. Il est vite évident qu'elle y prend du plaisir. Danilo s'empare ensuite de la pièce de soie et passe à l'autre hanche.

« Concentrez-vous sur la finesse de vos sensations. »

Prenant appui sur une table, Christina soupire de bien-être et s'incline vers l'arrière, lui présentant le bas de son ventre.

Les jambes de Danilo commencent à ramollir, mais, enhardi par la réaction de Christina, il lui explique plus longuement comment les tissus peuvent être source de sensualité. Sentant qu'elle entre dans le jeu, il lui propose de voir si les sensations seraient différentes sur ses cuisses.

Interloquée de découvrir en son tailleur un homme aussi sensuel et entreprenant, Christina hésite encore, mais elle finit par lui donner du regard la permission d'enlever son pantalon. Elle s'étend entre les rouleaux de tissus. Danilo prend quelques instants pour détacher ses escarpins noirs, ne pouvant résister à l'envie de lui effleurer délicatement l'arche du pied, ce qui soutire un léger gémissement à Christina. Comme tout le reste de son corps, ses orteils aux ongles peints en rouge sont parfaits, on dirait deux petites grappes de raisins. Il lui retire ensuite lentement son pantalon en prenant bien soin de laisser le slip en place. Il est ébloui par ce qu'il découvre, ébahi par la grâce de ses cuisses, emporté par la chaleur qui émane du corps de Christina.

Danilo remonte alors lentement un morceau de laine de cachemire le long de ses jambes en prenant le temps de faire le tour de ses chevilles, de ceinturer ses mollets, s'arrêtant un instant pour prêter l'oreille au souffle haletant de Christina. À hauteur des genoux, il s'arrête.

« Qu'éprouvez-vous ? lui demande-t-il à voix basse.

— Continuez », soupire-t-elle pour toute réponse.

L'étoffe de cachemire s'attarde longuement entre les cuisses de Christina et, toujours par des mouvements circulaires, gagne le bas du slip. À voir à quel point il est humide, Danilo comprend que Christina est prête à aller plus loin.

Ce moment, il l'a fantasmé des centaines de fois. Fébrile, il fait passer une extrémité du tissu sous le slip pour la faire ressortir par le haut. En saisissant délicatement l'autre extrémité, il commence un lent mouvement de va-et-vient, laissant le tissu se frayer un chemin du pli des cuisses de Christina vers les lèvres de son sexe, gonflées par l'excitation.

Très doucement au début, il accélère peu à peu la cadence, guidé par les instructions rauques de Christina, qui semble folle d'excitation. C'est le cas également pour Danilo. Oubliant toute retenue professionnelle, il enlève rapidement son pantalon. Jamais il n'a connu d'érection si puissante. Son pénis est gonflé à bloc, secoué de divines pulsations.

Il s'émerveille à la vue de sa cliente, qui a retiré son chemisier et se caresse sans vergogne les seins d'une main. De l'autre, elle cherche à tâtons parmi les rouleaux qui l'entourent un bout de tissu pour reproduire sur sa poitrine la commotion que Danilo lui fait vivre plus bas. Il met dans sa main une pièce de madras. Christina l'empoigne et commence à se masser la pointe des seins. La texture ferme du madras provoque une excitation plus forte que tout ce qu'elle a éprouvé auparavant. Son corps se cambre, tétanisé.

Quant à Danilo, il vit ses rêves les plus fous et dépasse même tous ses fantasmes. Christina est sur le point d'atteindre le zénith grâce à lui. Il augmente l'intensité de ses caresses avec le cachemire sous le slip de la jeune femme. Il sent les vagues de plaisir se rapprocher. Voyant l'instant magique arriver, Danilo enlève d'un coup la culotte de Christina. Il approche ensuite le visage de son sexe pour en sentir la chaleur, en humer l'odeur. Il reste un moment paralysé, ses sens submergés.

Christina relève la tête, cherchant la cause de l'interruption. C'est alors qu'elle aperçoit entre ses jambes son tailleur Danilo, nu de la taille aux pieds, le sexe érigé, brûlant, prêt à exploser au moindre souffle. Sans hésiter, elle lui saisit les mains pour l'inviter à remonter vers elle. Elle lui prend la tête, la cale entre ses seins, et il ne se fait pas prier pour lécher avidement les jolis tétons, mordiller délicatement les mamelons dressés, tels de petits soldats. Christina gémit longuement, ce qui fouette d'autant l'ardeur de Danilo.

Alors, incapable de se retenir plus longtemps, il la pénètre d'un coup sec. Le moment n'est plus aux préliminaires, leur désir à tous les deux est trop ardent. Danilo la laboure quelques instants à peine avant que l'orgasme les emporte, foudroyant, à la hauteur de l'excitation provoquée par le contact mystérieux des tissus.

Repu, comblé, mais penaud de son manque de retenue si inhabituel, Danilo observe ensuite Christina qui reprend ses esprits quelques minutes plus tard et s'ébroue, comme si elle sortait d'un rêve. Ravi d'avoir ainsi pu assouvir ses désirs secrets avec une femme si unique, Danilo lui caresse doucement les flancs en lui murmurant des mots doux. Alanguie, un peu ébahie elle aussi par ce soudain emportement, Christina l'observe un moment en silence, son beau visage fendu d'un large sourire. Elle se redresse finalement pour se rhabiller, les joues rouges, décontenancée par ce qui vient de lui arriver. Jamais elle n'aurait cru en entrant dans la boutique de son fidèle tailleur se retrouver ainsi troussée sur une table de découpe. La découverte de la sensualité des tissus lui donne encore des frissons. Bien sûr, elle connaissait leur effet sur ses amants, le pouvoir qu'ils lui donnaient sur eux, mais l'idée de jouir à leur contact ne lui avait jamais effleuré l'esprit. Une autre raison d'apprécier les talents cachés de ce petit tailleur milanais.

En sortant, Christina mentionne à Danilo qu'elle compte séjourner une semaine à Milan.

« Je repasserai pour vous commander une robe de soirée, dit-elle avec un faux air détaché.

— Je suis à votre service », répond Danilo, ravi.

Au moment de franchir le pas de la porte, elle lui souffle à l'oreille, en déposant un chaste baiser sur sa joue :

« J'aimerais aussi mieux connaître ce talent que je viens de découvrir chez vous. »

Après avoir retrouvé sa concentration – et son pantalon –, Danilo se remet au travail sur le chemisier de mousseline. Il est destiné à Valérie, une autre de ses bonnes clientes, une ancienne top-modèle devenue riche. Elle vit à Paris, paie bien mais exige l'excellence en retour. Il a commandé spécialement pour elle la mousseline du meilleur fabricant d'Italie. Le chemisier est orné de broderies et de paillettes dorées. Translucide à souhait, il laisse deviner ce qui se cache dessous. Danilo a deux jours pour terminer le travail et s'assurer que tout sera impeccable pour Valérie, qui se pointe toujours à l'heure prévue.

Il a du mal à se concentrer sur sa tâche, ses pensées alternant entre le rêve qu'il vient de vivre avec Christina et la réalité. Sa beauté, son corps, ses seins, l'odeur de son sexe l'enivrent encore, comme si la jeune femme était toujours là, avec lui.

Il l'imagine étendue sur la table de découpe, s'offrant à lui, demandant à vivre d'autres expériences sensorielles avec son immense collection de textiles. Il est à nouveau en érection, à concevoir dans son esprit des combinaisons de tissus, des alternances de textures. Il entrevoit mille possibilités, outre le cachemire et le madras. Il y a la dentelle, le tulle illusion, magnifique étoffe d'une minceur diaphane dont il possède un vaste échantillonnage, la laine angora avec laquelle il se voit chatouiller sa victime, ou encore des coupons plus rugueux de lin ou de chanvre pour aviver les sens de Christina. Ses fantasmes se multiplient à l'infini.

Deux jours plus tard, il met la dernière touche au chemisier de mousseline lorsque Christina entre dans la boutique. Elle porte un cardigan de coton et la minijupe en suède fendue sur le côté qu'il lui a fabriquée quelques années plus tôt. Indémodable, celle-ci lui va encore à merveille, dévoilant ses jambes superbes, soulignant la perfection de ses fesses.

Au premier contact des yeux, le souvenir de leurs ébats les réunit. Dans un effort surhumain pour garder son professionnalisme, Danilo la questionne sur la robe de soirée qu'elle désire lui commander.

« À quelle occasion la porterez-vous ? La robe doit-elle séduire ? Attirer le regard ? »

Elle commence à lui expliquer ce qu'elle souhaite en caressant négligemment les tissus étalés sur les comptoirs. Elle les froisse, enroule ses doigts dans les lainages, porte le crêpe à ses lèvres, soupèse les velours. Danilo devine les pensées de Christina. Son sexe est déjà dur et il s'efforce de le dissimuler en restant en retrait.

« La robe est destinée à une soirée d'opéra à la Scala où je dois accompagner un jeune acteur qui vient de remporter un prix au Festival de Cannes, explique-t-elle distraitement. Je la souhaite à la fois éclatante et sobre, car je ne veux pas voler la vedette à mon compagnon. »

Danilo attire alors Christina vers une table sur laquelle il garde des tissus de satin tissés par les meilleurs artisans de Venise. Impossible de trouver mieux.

L'espace est étroit et leurs corps entrent en contact alors qu'ils échangent sur les différents choix. Électrisé, Danilo se sent de plus en plus confiant et ne cherche plus à cacher la bosse qui déforme son pantalon.

Il drape les épaules de Christina d'un satin doré, une couleur qui s'accorde à merveille avec son teint. S'approchant de la jeune femme pour la couvrir entièrement du tissu afin d'imiter l'effet de la robe, il la prend par la taille et la tourne vers un miroir. Elle est sublime, sa beauté est rehaussée par le chatoiement doré du satin. Leurs regards se croisent dans le miroir et, en baissant les yeux, Christina aperçoit l'érection de Danilo.

Parcourue d'un chatouillement qui lui traverse le bas-ventre, elle accepte sur-le-champ la recommandation de Danilo. Il s'apprête à mesurer ses épaules quand elle lui demande timidement si le satin peut lui faire ressentir les mêmes vibrations que le cachemire.

L'espace d'une seconde, Danilo puise dans sa liste de fantasmes. Le satin offre d'infinies possibilités de plaisirs sensuels... Sans un mot, il fait de la place sur une table pour étendre le tissu, prépare un petit cocon chaud et douillet. Christina s'empresse de s'y étendre et il se couche à ses côtés.

Il commence par l'embrasser doucement, savourant la fraîcheur de sa bouche, la grâce de ses lèvres. Aux soupirs qu'elle émet et à son ventre qui ondule sous ses mains, il sent que Christina se laisse aller.

Il lui retire lentement son cardigan. Elle l'aide avec le soutien-gorge, pressée de sentir le satin sur sa peau nue. Danilo admire longuement ses seins, fixant son attention sur ses petits mamelons qu'il trouve adorables. Au moyen d'un petit morceau de satin enroulé autour de ses doigts, il commence à effleurer la pointe d'un sein, en imitant le bout d'une plume. Sous l'effet de la fibre, le mamelon se durcit d'un coup. L'excitation de Christina vient de passer au niveau supérieur.

Il poursuit la manœuvre sur l'autre sein, qui réagit de la même façon. Il continue par de délicats mouvements circulaires sur l'aréole, provoquant chez Christina gémissements et roulements de hanches. À voir ses réactions, Danilo comprend que ces sensations sont nouvelles pour elle, ce que la jeune femme confirme en lui indiquant des yeux qu'il est temps de passer à une autre partie de son corps. Impatiente, elle a déjà une main sous sa jupe. Danilo la lui retire d'un geste habile, mais il met beaucoup plus de temps à enlever sa petite culotte, redécouvrant au passage l'intérieur de ses cuisses, qu'il frôle délicatement avec le satin, mémorisant la beauté de son sexe qui s'offre à lui dans toute sa splendeur.

À son tour, il enlève sa chemise et son pantalon sous les yeux ravis de Christina, qui a saisi un bout d'étoffe pour se caresser la vulve. Elle constate avec satisfaction que, tout comme à sa première visite, le pénis de son tailleur préféré pointe solidement vers le nord, gorgé de sang, prêt à vibrer au moindre toucher.

Danilo glisse le long du corps de Christina, lui écarte délicatement les jambes et emprisonne ses poignets d'une main. Usant cette fois d'une bande de soie qu'il enroule adroitement autour de sa cuisse, il entreprend le mouvement de va-et-vient qu'il maîtrise si bien. La délicatesse de la soie est parfaite pour l'endroit qu'il explore, laissant filtrer l'arôme salé qui s'en dégage. Il s'attarde à lisser le bas du ventre, appréciant du regard le duvet doux et velouté qui recouvre la chatte. Il tend la bande de soie jusqu'en haut du sexe de Christina, là où convergent toutes les fibres nerveuses. La soie fait doucement son chemin vers l'endroit le plus intime et se glisse avec aisance entre les pétales lubrifiés de Christina.

Elle gémit langoureusement, lui faisant signe qu'elle n'en peut plus : jamais elle n'a été aussi excitée. Relâchant ses poignets, Danilo se redresse et enfourche Christina, sa verge dressée à quelques centimètres à peine de son beau visage. Il dépose dans sa main une extrémité de la bande de soie humectée de son nectar. Sa technique connaissant du succès pour la deuxième fois, il désire lui aussi en faire l'expérience tout en poursuivant inlassablement son délicieux frottement sur le clitoris de sa partenaire.

Christina est sur le point d'exploser, mais elle est aussi curieuse de voir l'effet qu'elle peut provoquer chez son amant avec le bout de tissu. Danilo la regarde enrober son pénis de la soie et il synchronise son mouvement de va-et-vient avec celui de Christina, qui n'a besoin d'aucun dessin pour savoir ce qu'elle doit faire.

Ils jouissent en même temps. D'une jouissance extrême qui les laisse hébétés plusieurs minutes, dans un état de semi-conscience, étalés sur le satin doré, avec chacun un bout de soie humide dans la main. Le visage éclaboussé par la semence de son amant, Christina le regarde avec un sourire lumineux, heureuse d'avoir pu atteindre ce coït simultané. Ils pouffent ensuite de rire en réalisant l'incongruité de la situation. Danilo s'empresse de trouver un morceau de coton pour essuyer tendrement la figure de sa maîtresse, en profitant pour y déposer des baisers passionnés.

Puis Christina se rhabille en vitesse et le laisse après l'avoir embrassé longuement. Elle reviendra pour les mesures de la robe, il n'y a aucune urgence.

C'est l'air égaré et les mains un peu tremblantes que Danilo reprend son travail pour poser les derniers boutons au chemisier de Valérie, qui peut arriver d'un instant à l'autre. Il est en train de mettre de l'ordre sur la table où il vient de faire l'amour avec Christina lorsque Valérie fait son entrée dans la boutique. Chagriné, il constate immédiatement qu'elle a pris du poids depuis sa dernière visite.

Valérie a une poitrine de première classe, des seins ronds et fermes qui pointent fièrement vers l'avant. Très consciente de la force d'attraction de son corps, elle souhaite que le chemisier soit une arme de séduction qui mette en valeur sa poitrine.

Avec l'empressement qui caractérise chacune de ses visites et sans aucune pudeur, elle retire son haut devant lui pour essayer le chemisier. Comme d'habitude, elle ne porte pas de soutien-gorge. La crainte de Danilo se confirme. Le vêtement est trop serré aux épaules et écrase un peu sa poitrine, une vue qui est toutefois loin de lui déplaire. La pointe des seins de Valérie attire immanquablement ses yeux et, en ce moment, il en a plein la vue au travers de la mousseline.

Quoique un peu frustrée par la situation, Valérie reconnaît la qualité du travail et avoue, penaude :

« J'ai mangé beaucoup de canapés et abusé du chianti depuis mon arrivée à Milan, dit-elle en souriant. Je dois regagner Paris après-demain. Aurez-vous le temps de faire les ajustements nécessaires avant mon départ ? »

Le tailleur de ces dames se remet donc au boulot. Mais la réalisation de ses fantasmes avec Christina a modifié du tout au tout la manière dont il perçoit ses clientes. En plus de sa grande discrétion, des meilleurs tissus que l'on puisse trouver et de la qualité de son travail, il se voit dorénavant leur proposer de petits à-côtés... une valeur ajoutée à ses services, en quelque sorte. La distance qu'il gardait avec ses clientes et qui le torturait tant a fondu. Perdu dans ses pensées, il rêve à de nouveaux fantasmes...

Le lendemain matin, sans prévenir comme à son habitude, Christina entre en coup de vent dans la boutique, plus radieuse que jamais.

Elle caresse le visage de Danilo avant de l'embrasser fougueusement sur la bouche, sa langue se frayant sans peine un chemin entre ses dents. Il n'y a plus aucune trace de déférence dans la relation que Danilo entretient avec elle, mais le moment est mal choisi pour reprendre leurs ébats. Valérie doit en effet arriver incessamment. Danilo s'excuse maladroitement en lui disant qu'il doit terminer des ajustements pressants. Christina décide de faire le tour de la boutique en attendant, palpant de-ci de-là les tissus de ses doigts fins. À l'instar de Danilo, elle découvre avec ravissement que les tissus peuvent avoir d'autres fonctions que vêtir et orner.

Un peu mal à l'aise à l'idée que son autre cliente puisse les surprendre, Danilo explique à Christina qu'il sera bientôt à elle et lui propose d'aller examiner les nouvelles dentelles dans l'arrière-boutique, lui indiquant où les trouver.

Dès que Christina a disparu, Valérie fait son entrée, avec son air pressé coutumier. On dirait un opéra-bouffe, se dit Danilo, qui commence à avoir un peu de difficulté à mettre de l'ordre dans ses priorités. Il lui présente le chemisier terminé. Comme la fois précédente, Valérie se déshabille aussitôt pour l'enfiler. Il lui va maintenant comme un gant, ajusté pour magnétiser tous les regards vers sa poitrine. Ses énormes mamelons bombent la mousseline juste assez pour émoustiller sans être de mauvais goût.

Ravie, elle se dirige vers un miroir pour admirer l'effet. C'est alors qu'elle aperçoit Christina et pousse un grand cri de joie.

« Christina ! Quelle belle surprise de te retrouver chez Danilo ! Comment vas-tu, après toutes ces années ? Tu es toujours aussi sublime, aussi ravissante ! »

Dépassé par les événements, Danilo regarde les deux femmes s'étreindre.

Christina est enchantée aussi de revoir Valérie, qu'elle a connue à l'école de mannequins. Elle explique à Danilo, de plus en plus interloqué, qu'elles ont partagé la même chambre minuscule pendant une année. Dans un milieu où la compétition pour devenir top-modèle est féroce, elles étaient complices, se confiant leurs joies et leurs peines. Elles dormaient souvent ensemble, en se caressant parfois pour se réconforter. Dans l'univers de la mode, il n'existe aucune inhibition, et Christina ne ressent aucune gêne à conter tout cela à son tailleur, qui ces derniers jours est devenu bien plus qu'un simple tailleur.

En les écoutant se raconter leurs vies, Danilo ressent un léger frémissement dans le bas-ventre. Ce qu'il a vécu récemment avec Christina et ce qu'il apprend maintenant le rapprochent étrangement de Valérie, qui a toujours été plus distante avec lui.

Au bout de quelques minutes de réminiscences, les deux femmes en reviennent à la raison de leur visite chez Danilo. Christina parle de sa prochaine soirée à l'opéra avec son bel acteur. Elle prend la main de Valérie pour lui montrer le satin doré dans lequel la robe sera taillée.

« La couleur est magnifique, acquiesce Valérie, qui étale le tissu sur la table afin de mieux apprécier son éclat. Mais, qu'est-ce que c'est, cette tache blanchâtre au milieu ? Un défaut de fabrication ? »

Christina et Danilo échangent alors un sourire complice qui intrigue Valérie. Se penchant sur l'étoffe, elle comprend alors l'origine de la tache et pouffe de rire. Christina, l'air coquin, lui souffle à l'oreille les talents cachés du tailleur, sans négliger le moindre détail de ses deux dernières visites. Valérie, très portée sur la chose, est aussitôt émoustillée. Elle ne veut pas être en reste et interpelle Danilo.

« Quelle est votre technique, au juste ? Pouvez-vous m'en faire profiter aussi ? »

L'approche directe et brutale de Valérie ébranle Danilo. Ses aventures avec Christina sont arrivées beaucoup plus subtilement. Mais ce qui se lit sur le visage des deux femmes ne laisse place à aucune ambiguïté. La balle est dans son camp et il doit se montrer à la hauteur.

Il a cependant gagné en confiance, et la présence de deux reines de beauté lui offre la possibilité de réaliser un autre de ses fantasmes les plus chers. La mousseline est justement un de ses tissus fétiches, et la dentelle peut elle aussi déclencher des sensations jusque-là inconnues. Il entraîne donc les deux femmes près des échantillons de dentelle et, fort des résultats obtenus la dernière fois, il prépare un autre petit nid en étalant les tissus.

D'un ton péremptoire, il réquisitionne le chemisier. Valérie obéit et en profite pour retirer sa jupe et sa petite culotte, ayant tout de suite saisit que Danilo s'intéresse à l'ensemble de son corps. Il lui demande de s'étendre sur le ventre puis balade légèrement la mousseline du haut des fesses de la jeune femme jusqu'à sa nuque. Il alterne entre un contact vaporeux et un massage plus insistant. Le glissement du tissu contre sa peau fait frissonner Valérie, provoquant une délicieuse chair de poule. Elle commence à comprendre l'emballement de sa copine pour cette technique inhabituelle.

Au bout d'un long moment de sublime torture, Danilo la tourne sur le dos et passe à sa poitrine. Le frottement de la mousseline a tout de suite l'effet recherché. Valérie arque son corps à chaque passage du tissu sur la pointe durcie de ses seins. Voyant le moment critique arriver, Danilo porte la mousseline vers le sexe de sa nouvelle victime. Il l'utilise pour ouvrir délicatement le passage, prenant le temps d'explorer chaque recoin.

Le souffle de plus en plus haletant, Valérie le supplie de poursuivre sa progression. Il exerce des pressions à l'endroit stratégique, offrant à Valérie un formidable orgasme qui la secoue tout entière.

Cette scène ne laisse certes pas Christina indifférente. Audacieuse, elle s'est déjà déshabillée et expérimente la dentelle sur son propre corps. Elle teste la texture du tissu, le fil brodé, la douceur de l'étoffe en alternant les attouchements entre ses seins et sa chatte. La vue de Valérie et de Danilo ajoute à son plaisir et elle jouit en même temps que son amie.

Danilo n'est pas laissé pour compte dans l'affaire. Dès qu'elles reprennent leurs esprits, Christina et Valérie s'occupent de lui. En rigolant, elles le déshabillent et le couchent à son tour sur la literie de coupons. Il ignore quel tissu de la mousseline ou de la dentelle elles utilisent pour le faire jouir, mais l'effet est fulgurant.

Un peu plus tard, après avoir réglé son achat, Valérie quitte les lieux en emportant son chemisier et en promettant à Christina de l'appeler.

« Ne vous inquiétez pas, Danilo, je m'occuperai de le faire nettoyer », ajoute-t-elle avec un clin d'œil en désignant son vêtement souillé.

Danilo prend rapidement les mensurations de Christina et lui dit de revenir dans une dizaine de jours pour les ajustements de sa robe de soirée, ou avant bien sûr, si elle désire découvrir les vertus cachées d'autres étoffes.

Après son départ, Danilo tourne la clé dans la serrure et inscrit sur l'affichette « Fermé pour la semaine ». Il est aux anges et veut savourer seul ce qu'il vient de vivre.

Il faut aussi qu'il songe sérieusement à revoir son plan d'affaires.

Bunga bunga

Il doit être cinq ou six heures du matin, j'émerge péniblement des brumes. J'ai bu pas mal la nuit dernière, du cognac surtout, ce qui explique le ramdam dans ma pauvre tête. Je ne sais plus à quelle heure je me suis allongé sur la banquette arrière de ma voiture pour me «reposer». J'ai la bouche pâteuse, mal au crâne, au ventre aussi, ou plutôt au foie. J'essaie de me concentrer, mais j'ai comme un trou de mémoire. Mon dernier souvenir, c'est cette fête chez des amis de Lochana.

Lochana, c'est ma plus récente conquête. D'origine indienne, elle a vingt-sept ans, alors que j'approche moi-même du demi-siècle. Un monde de différence, et je ne parle pas seulement de notre âge. Le fossé culturel entre nous deux est immense, et pourtant quelque chose nous unit: notre appétit insatiable pour le sexe. Il y a six mois que nous nous fréquentons. Aussi improbable que cela puisse paraître, j'ai fait sa connaissance dans un commerce de meubles où elle travaille au service à la clientèle les fins de semaine afin de payer ses études. Elle était presque austère assise derrière son écran d'ordinateur, ses longs cheveux de jais remontés sur sa nuque dans un chignon serré, vêtue d'un uniforme gris souris qui dissimulait tout de ses formes. D'ailleurs, tout reflétait la grisaille dans ce bureau, sauf quand elle m'a souri! J'ai tout de suite été subjugué par son sourire magnifique. Il illuminait son visage et donnait un éclat intense à ses grands yeux verts magnifiques. Il se dégageait d'elle une telle énergie que j'en ai eu le souffle coupé! J'ai rapidement réglé mon affaire en essayant d'engager la conversation avec cette déesse exotique. Ce n'était pas facile, nous étions sans cesse interrompus par des appels auxquels elle devait répondre par le truchement du micro du casque qui lui enserrait la tête. J'ai néanmoins réussi à la convaincre de souper avec moi ce soir-là. J'ai dû déployer tous mes minces artifices de séducteur pour la persuader d'accepter, car elle se méfiait de moi, un homme d'âge mur.

Nous nous sommes donc retrouvés après son travail dans un restaurant portugais de quartier. Après des débuts hésitants, elle s'est finalement dévoilée un peu, me racontant à gros traits sa vie. J'ai ainsi appris qu'elle était née à Pondichéry, ancienne enclave française sur la côte sud-ouest de l'Inde. Son père, un négociant français, avait brusquement disparu de sa vie après avoir rencontré une autre femme, alors qu'elle n'avait que cinq ou six ans. Il leur avait quand même laissé, à sa mère et à elle, suffisamment d'argent pour que Lochana puisse faire ses études primaires et secondaires dans un lycée français de la ville. Lorsqu'elle a eu seize ans, sa mère a brusquement décidé d'émigrer au Québec pour y retrouver une vague cousine qui lui promettait une vie meilleure. Comme toutes deux parlaient le français, les formalités ont été vite expédiées. Néanmoins déroutée par ce dépaysement brutal – on ne passe pas aisément d'un climat subtropical au rude hiver québécois –, Lochana traînassait depuis à l'université. Après un premier baccalauréat en littérature classique, elle en faisait maintenant un autre en sociologie, incapable de décider quoi faire de sa vie.

Donnant-donnant, j'ai ensuite dû lui révéler, un peu à contrecœur, quelques volets de mon existence, cependant moins mouvementée que la sienne. Je lui ai ainsi raconté que j'avais été marié une quinzaine d'années à une femme merveilleuse, Marie. Quinze ans d'union marquée par la quiétude et la tranquillité, mais sans enfants. Marie était d'un tempérament très zen, posée, réfléchie, cérébrale. Elle avait mené de brillantes études en droit et s'était spécialisée dans le domaine des affaires. Elle trouvait toujours une façon d'aborder les choses d'un point de vue rationnel, convaincue que lorsque les émotions entraient en ligne de compte, son travail commençait!

Elle ne se laissait jamais envahir par les sentiments, elle réussissait toujours à isoler ce qu'elle ressentait de ses affaires professionnelles. Je m'accommodais assez bien de cette vie. Nous avions une certaine aisance, une maison moderne dans un quartier chic, de grosses voitures allemandes toujours récentes, des voyages dans le Sud plusieurs fois par année. À cette époque, j'avais un bureau d'assurances qui tournait assez bien. Le portrait typique du bonheur tranquille, jusqu'à ce que le malheur frappe. À l'âge de quarante ans à peine, Marie a été emportée en quelques mois par un cancer du sein foudroyant. Je me suis alors interrompu, un sanglot dans la gorge, au souvenir de cet épisode pénible.

Lochana m'écoutait, à la fois fascinée et attristée par cette vie à des années-lumière de ce qu'elle avait connu en Inde, qui n'est pourtant pas épargnée par les malheurs. Comme elle voyait que la disparition de ma conjointe me troublait encore, elle m'a pris la main pour me réconforter. Ce fut comme une décharge d'électricité ! J'ai senti un grand frisson me parcourir jusqu'à la pointe des pieds. Ses longs doigts me caressaient doucement la paume pendant qu'elle m'invitait à terminer mon récit. Je lui ai brièvement raconté comment le décès de Marie m'avait persuadé de tout chambouler dans ma vie. J'ai vendu les bagnoles, notre maison, notre chalet dans les Cantons-de-l'Est et même mes parts dans mon affaire, mon partenaire étant trop heureux de vivre son indépendance. Je suis ensuite parti en voyage le plus loin possible, retrouver un copain d'université qui s'était établi à Abu Dhabi. C'est là, dans un souk bruyant et poussiéreux, que je me suis découvert une fascination pour les meubles anciens du Moyen-Orient et du Sud-Est asiatique. De retour à Montréal, j'ai utilisé le produit de la vente de mes biens pour ouvrir une boutique d'antiquités orientales rue Sherbrooke, à Westmount, là où je me doutais que ma clientèle aurait les moyens de se permettre les prix plutôt corsés de mes trouvailles en bois laqué et en vieil ivoire.

Je me suis arrêté de parler, un peu surpris par ce grand déballage qui n'était pas dans mes habitudes. Généralement, je gardais pour moi ces moments difficiles et j'essayais de me montrer bon vivant et enjoué. Mais le récit de l'enfance difficile de Lochana avait ouvert les vannes et je n'avais pu retenir ces douloureux souvenirs. Je n'étais toutefois pas ému au point de ne pas me rendre compte que mon récit avait comme effèt de faire fondre les dernières réticences de ma belle compagne. Elle me regardait différemment, les yeux noyés d'eau et la bouche entrouverte. En ratoureux que je peux être, j'ai décidé de profiter de l'occasion. J'ai réglé à toute vitesse l'addition et j'ai entraîné Lochana à l'extérieur. C'était une belle soirée de printemps et nous avons marché sans parler. Elle m'avait pris le bras et appuyait sa tête contre mon épaule. Ses longs cheveux, qu'elle avait défaits en sortant du restaurant, me chatouillaient les joues, allumant en moi des braises inassouvies.

Je n'ai pas eu trop de difficulté à la persuader de venir prendre un digestif chez moi. Habitant avec des colocs, Lochana n'avait pas tellement envie de rentrer. À peine franchi le pas de la porte de mon appartement, elle s'est tournée vers moi pour m'embrasser longuement. Après avoir gentiment tiré les poils de ma barbe blonde avec les dents, elle s'est accroupie devant moi pour défaire sans mot dire mon pantalon et entreprendre une fellation qui en disait long sur ses intentions. J'avais à peine descendu mon pantalon à mi-jambes qu'elle avait déjà enfoui mon pénis au fin fond de sa gorge ! Elle donnait l'impression d'aimer l'exercice, me regardant tout en poussant de petits gémissements. Elle sortait brièvement ma queue de sa bouche pour mieux la gober de nouveau.

Elle m'a doucement repoussé lorsqu'elle a senti que l'orgasme approchait. En chemin vers la chambre, elle a abandonné un à un les morceaux de son uniforme, décidément trop sévère pour l'occasion. J'ai alors pu admirer sa magnifique chute de reins, ses petites fesses rondes et bien dures, ses jambes musclées et la plante blanche de ses pieds, qui se démarquait du beau teint chocolat au lait très clair de sa peau. Parvenue dans la chambre, Lochana s'est mise à genoux au pied du lit, m'offrant sa croupe sans vergogne. La tête légèrement tournée vers moi, ses yeux de braise m'invitaient à la prendre sans plus tarder. Ses longs cheveux noirs coulaient sur son dos, laissant entrevoir un étrange tatouage en forme d'œil égyptien sur son cou. Je me suis déshabillé en vitesse, m'enfargeant dans mon pantalon et oubliant une chaussette dans ma précipitation pour la rejoindre. Sans autre préliminaire, je me suis agenouillé derrière elle pour la prendre d'un seul coup, enroulant une main dans ses cheveux pour la maintenir. Elle a poussé à ce moment-là un râle unique ! À mon deuxième coup de reins, elle a été secouée d'un mouvement vraiment intense. Je n'allais pas pouvoir me retenir bien longtemps, mais elle jouissait déjà ! Je me suis donc laissé aller à mon tour, pour m'affaler ensuite sur son dos en lui caressant délicatement les seins.

Repue pour l'instant, Lochana a cherché ma bouche de la sienne en me confiant au creux de l'oreille qu'elle n'avait jamais joui aussi vite, que ses jeunes amants l'avaient jusqu'alors laissée sur sa faim. Le temps de faire le tour de mon appartement, de mettre un CD d'Anoushka Shankar (drôlement de circonstance, non ?), de nous verser un verre de calvados et nous avons recommencé. Sur une des chaises de la cuisine, où je m'étais affalé pour déguster mon alcool, Lochana est venue s'asseoir sur mes genoux pour me regarder dans les yeux en frottant doucement sa poitrine contre la mienne. Ses seins en forme de longue poire se terminaient par de petits mamelons aplatis au milieu d'aréoles couleur acajou. Elle s'est ensuite levée sur la pointe des pieds pour mieux s'empaler sur mon pénis dressé en poussant encore une fois un gémissement comme j'en avais rarement entendu. Ses bras autour de mon cou, mes mains sur ses hanches, elle rebondissait sur mes cuisses dans un rythme de plus en plus endiablé. Lochana a mis à peine plus de temps que la première fois pour jouir. Elle s'est collée contre moi, ses bras se sont mis à trembler, tout comme ses jambes. Je l'ai prise par les fesses pour éviter qu'elle tombe à terre et je me suis enfoncé profondément dans sa chatte pour venir moi aussi.

Il n'a pas dû s'écouler une demi-heure entre le moment où nous sommes arrivés à mon appartement et celui où elle m'a dit : « Mon amour, je t'aime. » Je suis resté un peu interdit. Il y avait des mois, voire des années, que je n'avais entendu une femme me dire ça. En plus, je sentais chez elle un ton inhabituel, une belle sincérité mêlée à une quasi-détresse, comme si elle voulait me dire « Aime-moi comme je t'aime ». J'étais troublé, elle était si belle, si exotique. Et je me suis dis : « Pourquoi pas ? » Avoir une relation, qui plus est avec une femme beaucoup plus jeune, ne faisait pas vraiment partie de mes plans, mais j'étais disponible et j'ai toujours été séduit par la nouveauté et par l'insolite !

Depuis la mort de Marie, je m'étais investi corps et âme dans mon nouveau commerce, ce qui ne me laissait pas beaucoup de temps pour la drague. Oh, je ne vivais pas en moine, je sortais souvent, mangeant à l'extérieur pratiquement tous les soirs, réticent à m'attabler seul dans mon appartement. J'avais eu quelques fréquentations, mais ces femmes ne faisaient que passer. Je redoutais presque d'en trouver une intéressante, rigolote, pleine de vie... alors je tuais dans l'œuf tout espoir avec des phrases assassines qui les dissuadaient d'imaginer un quelconque avenir avec moi. Pour une raison que je ne m'expliquais pas tout à fait, mes sentiments à l'égard de Lochana étaient différents. Était-ce sa jeunesse, son exotisme fascinant ? Je l'ignorais, mais une chose est certaine, l'été qui a suivi est passé en coup de vent. J'avais été séduit par son sérieux quand je l'ai rencontrée la première fois, mais au fil des semaines, c'est son côté insatiable qui a pris le dessus. Elle était toujours prête, disponible chaque fois que l'envie me prenait. Et elle me prenait souvent !

Nous avons connu des moments exquis, elle était assoiffée de connaissances, voulait tout savoir du Québec. J'étais fasciné par sa joie de vivre et son enthousiasme quasi enfantin. Je l'emmenais dans des lieux qui lui étaient inconnus, elle me faisait découvrir des coins de Montréal dont je ne soupçonnais même pas l'existence. Je ne compte plus le nombre d'endroits insolites où nous avons fait l'amour, toutes les fois où j'ai joui dans sa bouche sans pouvoir émettre le moindre son, de crainte que nous soyons découverts. Je lui ai fait connaître l'orgasme en voiture. Je conduisais, les yeux rivés sur la route, tout en lui caressant la chatte. Je la laissais à peine reprendre ses esprits, elle se sentait obligée de me masturber à son tour, mais je l'arrêtais pour recommencer à la taquiner jusqu'à ce qu'elle jouisse. Nous avons ainsi visité les quatre coins de la province, poussant même parfois jusqu'au Maine pour un petit week-end au bord de la mer. Rouler longtemps avant de nous arrêter dans un motel quelconque, voire dans une halte routière, pour y faire l'amour. Nous avons tout essayé, il n'y avait aucun tabou. Nous avons fait plusieurs arrêts dans des boutiques spécialisées pour y acheter des huiles parfumées, des machins à massage, des jouets divers.

On visitait aussi les boutiques de lingerie. Lochana tenait régulièrement à dénicher de nouveaux dessous pour me séduire. J'avais beau lui répéter qu'un rien l'habillait, elle tenait à mettre guêpières, *bodys* seyants, nuisettes transparentes et tutti quanti pour chaque fois me ravir de nouveau. Elle faisait tout pour que nous ne sombrions pas dans la routine.

Contrairement à bien des femmes que j'ai connues, Lochana n'est pas exigeante. Si on se promet de se voir tel jour et que je l'appelle pour décommander, elle accepte de remettre la rencontre sans la moindre déception. Au contraire, elle montre une joie immense à chacun de mes appels. Elle ne manque jamais de me dire à quel point elle m'aime, que je suis son oxygène. En outre, avec ses cours à des heures impossibles, elle me laisse beaucoup de temps libre pour mon négoce. Elle refuse tout net de vivre avec moi, arguant que son indépendance est non négociable. Je peux ainsi poursuivre mes activités de négociant en meubles du Moyen-Orient, d'Inde, du Népal, de Thaïlande et de Chine. Avec les décalages horaires, je passe beaucoup de temps au téléphone à des heures indues. Nous nous retrouvons seulement pour les bons moments! Au bout de ces six mois, nous revoir nous envahit encore de papillons dans le ventre. Je ne me pose aucune question, je n'ai finalement aucune attente et elle ne me demande rien non plus.

Le contraste entre Lochana et Marie ne cesse de me fasciner. Autant ma femme contrôlait ses émotions dans sa vie professionnelle, autant elle se laissait complètement aller au lit. Elle adorait être soumise, devenir mon jouet la rendait folle de désir. Elle ne prenait aucune initiative, se mettait sur le ventre si je lui demandais ou à quatre pattes si tel était mon souhait, je lui empoignais les cheveux pour la forcer à me sucer, je la prenais, je la retournais à mon gré. Elle était comblée, me répétait tout le temps que j'étais le meilleur des amants. Avec Lochana, c'est différent, elle prend souvent l'initiative. J'aime tellement sa façon de me satisfaire sexuellement ! Elle n'hésite pas à me faire une fellation de fou à peu près n'importe quand. Si nous sommes au resto et que je me lève pour aller me laver les mains, elle me suit, nous enferme dans les toilettes des hommes, où elle s'assoit sur le rebord d'un urinoir pour me sucer divinement. Et elle prend toujours soin de me boire, de déguster jusqu'à la dernière goutte de mon sperme. Elle sait que j'adore cette sensation. En retournant à table, une fois que nous sommes assis, elle me fait un clin d'œil complice en se léchant les babines. Nous avons même baisé en pleine foule lors d'un spectacle extérieur au Festival de jazz ! Lochana était devant moi et je lui tenais tranquillement les hanches tout en me dandinant avec les autres spectateurs au son de la musique. J'ai soudain senti ses petites mains qui baissaient ma braguette et sortaient mon pénis pour le faire bander en un tournemain. Sans plus de cérémonie, elle a relevé l'arrière de sa jupe et s'est reculée pour s'embrocher sur ma queue. Nous n'avons pas mis de temps à jouir, et personne autour de nous ne s'est aperçu de quoi que ce soit, perdus que nous étions dans la foule immense de la place des Festivals. Une diablesse, vous dis-je !

Ces doux souvenirs chassent peu à peu les relents d'alcool qui embrument encore mon cerveau. Je me rappelle vaguement que Lochana m'avait parlé de ce souper chez des amis, des copains de l'université. Des jeunes au demeurant fort sympathiques, mais qui n'ont pas manqué de se moquer un peu de mon âge. Je pouvais ainsi être le père de l'un, le grand-père de l'autre, ils n'ont cessé de me demander comment j'avais pu passer ma jeunesse sans téléphone intelligent ni ordinateur. C'est moi qui ai été la vedette de la soirée. Je me suis volontiers tourné en dérision, j'ai devancé leurs commentaires,

le tout dans une super ambiance, avec quelques verres de mauvais vin et des cocktails de petites vieilles ! Plusieurs d'entre eux ont bientôt baissé pavillon, ivres trop vite, d'autres ont discuté entre eux de conneries qui m'ont échappé, car je ne suis pas un spécialiste de la culture du café équitable au Costa Rica. Lochana aguichait plusieurs jeunes qui lui tournaient autour, mais elle n'avait d'yeux que pour moi !

Avec un sursaut qui se répercute douloureusement dans mon crâne, je me rappelle tout à coup que la mère de Lochana, Lakshmi, est arrivée à l'improviste hier soir. C'était la première fois que je la rencontrais, mais tous les rigolos présents semblaient déjà la connaître et, pour une raison que j'ignore, elle paraissait être leur star.

C'est là que la brume s'estompe finalement, et je me souviens très bien de tout ce qui s'est passé avant que je me réveille dans mon auto. Peu après l'arrivée de sa mère, dans un de ces coups de tête dont elle a la spécialité, Lochana a soudain décidé d'aller boire un verre dans un nouveau bar du Plateau. Ses amis brûlaient d'impatience d'y aller eux aussi. Comme j'en avais assez de me faire railler, j'ai décliné l'invitation, prétextant qu'un vieux monsieur de mon âge doit beaucoup dormir et que je devais me lever tôt le lendemain. En moins de temps qu'il n'en faut pour le dire, toute la troupe a levé le camp. En refermant la porte de l'appartement derrière eux, je m'apprêtais à souhaiter bonne nuit à la maman tant aimée. Et puis… et puis, sans trop savoir comment ni pourquoi, je me suis retrouvé dans sa voiture. À ce moment-là, je n'avais pas encore bu vraiment, j'avais les idées très claires. Comme Lakshmi a presque mon âge, je me suis senti à l'aise avec elle assez rapidement. On a parlé des mêmes choses, elle écoute aussi de la musique que j'aime.

C'est alors qu'elle m'a proposé de l'accompagner chez un couple d'amis à elle, à l'extérieur de Montréal. Les quarante-cinq minutes de route ont passé très vite et nous sommes bientôt arrivés au bord d'une route mal éclairée, devant une lourde grille en fer forgé grande ouverte. Un long chemin de gravier entouré d'arbres sombres nous a conduits à une grosse propriété invisible de la grand-route. Nous n'étions visiblement pas les seuls invités, à moins que les propriétaires possèdent plusieurs Mercedes et BMW ! Une majestueuse porte s'est entrouverte sur un jeune homme basané tout de blanc vêtu qui nous a priés d'entrer et de le suivre. Le domestique nous a précédés dans un grand hall avant d'ouvrir la porte d'un énorme séjour où étaient réunis tous les convives. Des gens de notre âge pour la plupart, beaucoup de femmes, mais aussi des hôtesses très court vêtues qui nous ont offert quelques amuse-gueule, du caviar, du saumon fumé sur des blinis et autres délicieuses bouchées, mais aussi du champagne.

Le spectacle était ravissant pour l'œil de l'épicurien que je suis. J'ai rapidement compris que ma compagne était fort populaire parmi ces invités, car tous semblaient la connaître ! Elle allait d'un couple à un autre, les embrassant sur les joues, mais aussi parfois carrément sur la bouche, sans négliger les femmes. Je me suis dit que, pour une immigrante qui, d'après Lochana, menait une vie tranquille depuis son arrivée à Montréal, elle devait en cacher des pans à sa fille. J'en ai profité pour observer ma mystérieuse compagne du soir. Elle a la peau plus foncée que Lochana, mais nul doute que sa fille a hérité de son corps, sauf que Lakshmi est plus petite et porte les cheveux plus courts, mais ses jambes sont très longues et fines pour sa grandeur. Elle possède aussi une assurance terrible que n'a pas encore sa fille, elle est presque frondeuse et aime mettre ses courbes en valeur. Je devinais ainsi sous sa robe des hanches un peu plus rondes et une poitrine légèrement plus lourde. À ce moment, ses yeux pétillants ne laissaient planer aucune équivoque sur son appétit sexuel. Je pouvais voir que ses mains s'attardaient longuement sur les visages et les corps des gens qu'elle saluait.

Peu après une heure du matin, une sonnerie aigrelette a retenti. C'était comme un signal pour les convives, qui se sont tous levés en même temps pour se diriger vers une lourde porte dissimulée derrière d'immenses tentures sombres. Je les ai suivis et nous avons descendu un escalier en colimaçon qui nous a menés dans une énorme cave voûtée éclairée par une série de candélabres le long des murs. Pour un peu, on se serait cru dans l'antre de Voldemort. Au beau milieu de la pièce trônait un énorme matelas. Un lit d'eau, ou en tous cas une gigantesque enveloppe translucide remplie d'un liquide blanc, posée sur d'épaisses dalles de verre, le tout éclairé par le dessous d'une intense source lumineuse. De gros haut-parleurs diffusaient une musique douce, juste assez fort pour rendre cet étrange spectacle des plus invitants. Au fond de la pièce, de grands casiers s'alignaient en rangs d'oignon pour recevoir les vêtements des invités, qui n'ont d'ailleurs pas tardé à se déshabiller en continuant d'échanger des banalités, comme si tout cela était normal. Derrière ces rangements, je pouvais deviner des douches, un sauna et des bains de vapeur. Je suis resté un peu en retrait, curieux de voir la suite des événements, ce genre de soirée étant entièrement nouveau pour moi.

Les hôtesses qui nous avaient suivis à la cave s'étaient débarrassées de leurs plateaux, en même temps que de leurs petites tenues, d'ailleurs. Elles étaient une demi-douzaine, totalement nues, dont certaines s'étaient couchées sur l'espèce de matelas, tandis que d'autres se trémoussaient entre nous dans une sorte d'incantation qui appelait les adeptes à la luxure. C'est le propriétaire des lieux qui a eu le privilège d'ouvrir le bal. Il a choisi la plus pulpeuse des jeunes filles, qui semblait à peine sortie de l'adolescence mais qui avait démontré de réels talents dans ses déhanchements. Elle avait le dos entièrement couvert de tatouages. D'où je me trouvais, je pouvais apercevoir un dragon cracheur de feu, entouré de quelques têtes de mort et de fleurs du mal multicolores.

Elle a commencé par une pipe sans pareille, engouffrant au plus profond de sa gorge le membre gonflé du maître de céans, ses lèvres pulpeuses descendant jusqu'à la base du pénis du bonhomme, qui appréciait sa gâterie ! Une autre hôtesse s'est ensuite approchée pour l'embrasser fougueusement avant de lui offrir son opulente poitrine. La première fille s'est alors retournée pour exhiber son sexe béant et humide à son partenaire. L'homme, dont je n'avais pas retenu le nom, s'est penché entre les cuisses ainsi offertes, écartant les lèvres des doigts pour mieux s'attaquer à son clitoris désormais idéalement positionné. La deuxième hôtesse s'est étendue sur le matelas devant sa « collègue », qui n'a pas tardé pas à la lécher hardiment! Le signal de départ étant donné, les couples se sont défaits pour en recréer immédiatement d'autres. J'étais tombé sur des disciples de Silvio Berlusconi et de ses séances de *bunga bunga*!

J'ai vu Lakshmi se précipiter sur l'un des invités, un homme nettement plus jeune qu'elle qui était déjà la proie de plusieurs autres femmes. Elle a embrassé chaque pouce carré de son corps, promenant ses mains sans discernement sur lui et sur ses agresseuses. Elle n'avait gardé que ses escarpins à talons, ce qui mettait bien en évidence ses longues jambes brunes et ses belles fesses, sur lesquelles les flammes des candélabres se reflétaient. La lumière qui venait de sous le matelas donnait par ailleurs à ces rapprochements une belle intensité. Les corps se découpaient, les formes étaient arrondies, les imperfections étaient estompées. Les invités allaient et venaient, passaient d'un partenaire à un autre, quand ils ne s'immisçaient pas carrément dans un couple, que ce soit d'hommes ou de femmes. J'avais beau être un peu gêné par ce déferlement de corps et de lubricité, je ne pouvais pas y rester totalement indifférent. Je sentais ma propre queue qui raidissait dans mon pantalon. J'étais en effet le dernier vêtu et, me sentant ridicule, je me suis empressé de me déshabiller à mon tour. En me dirigeant vers les casiers, j'ai aperçu dans la pénombre de longs bars tournés vers les convives. Ils avaient ainsi à leur portée des verres, de la glace et un assortiment hallucinant de bouteilles de toutes sortes. Un des bars ne contenait que des cognacs, de grands verres ballons attendant d'être remplis d'un de ces délicieux élixirs. Pour essayer de me donner une contenance, mon choix s'est porté sur un Louis XIII. Après tout, ce n'est pas tous les jours qu'on peut déguster un cognac à près de trois mille dollars la bouteille!

J'ai ensuite décidé d'aller profiter du sauna inoccupé. Ma quiétude a été rapidement interrompue par une femme mûre qui y est entrée en silence, ses cheveux foncés encore mouillés par la douche qu'elle venait de prendre. Elle a tout de suite remarqué mon érection et, sans un mot, elle s'est emparée de mon sexe pour le caresser de ses doigts aux ongles carmin. Après m'avoir masturbé quelques instants, elle a résolu de me chevaucher. Les jambes repliées, ses bras autour de mon cou, elle se collait contre moi. La sueur provoquée par la chaleur moite du sauna facilitait ses allées et venues. Ses seins, que je devinais refaits, glissaient sans peine contre mon torse.

«Je veux que tu jouisses en moi maintenant», m'a-t-elle glissé à l'oreille dans un français teinté d'un fort accent anglais.

En amant docile et émoustillé, je n'ai pas mis de temps à sentir la fièvre monter en moi et à jouir violemment dans cet écrin douillet. Ma furtive partenaire m'a souri en me serrant dans ses bras quand elle a senti que je me répandais en elle. Puis, elle s'est brusquement relevée pour quitter le sauna et se diriger vers la grande pièce voisine. Intrigué, je l'ai suivie pour la voir s'approcher d'un petit homme chauve assez âgé allongé sur le sol pendant qu'une femme beaucoup plus jeune lui faisait une fellation. Ne faisant ni une ni deux, ma belle inconnue s'est accroupie sur le visage de celui qui était sans doute son mari. J'ai alors clairement vu ma semence dégouliner de sa chatte pour tomber dans la bouche grande ouverte de son jules, qui l'a avalée sans coup férir! Eh bien, monsieur, me suis-je dit, voilà une façon inhabituelle de faire connaissance… Au fil de la soirée, je devais la voir répéter ce petit manège avec différents partenaires, revenant chaque fois déposer leur décharge dans la bouche de son mari, qui avait décidément une méthode bien à lui de prendre ses vitamines!

Secouant la tête devant tant de stupre, je suis retourné prendre une douche... froide. J'avais besoin de me remettre les idées en place. Plus tard, assis, pour ne pas dire affalé, dans l'un des confortables divans près du fameux matelas, je sirotais cognac sur cognac. Je pouvais voir que de nouveaux participants arrivaient encore, alors que d'autres partaient, la mine réjouie, sans oublier de saluer le maître des lieux, même si celui-ci était occupé. Il ne semblait pas manquer d'énergie, celui-là, vive le Viagra!

Je suivais aussi des yeux Lakshmi, visiblement une habituée de ces soirées torrides. Elle était l'une des plus bruyantes, produisant de nombreux cris et râles de jouissance parmi ceux qui s'échappaient de cette réunion lascive. Elle était aussi très recherchée. Souvent, ils étaient plusieurs à vouloir la satisfaire. Elle semblait adorer sucer ses partenaires, s'affairant à en satisfaire plusieurs simultanément. Même quand un homme la pénétrait, elle aimait continuer à en sucer un second pendant que ses mains branlaient deux autres mâles. Régulièrement, elle faisait une pause pour passer sous la douche. Mais les hommes étaient nombreux à l'attendre, et parfois l'un d'eux, plus excité ou impatient que les autres, l'entreprenait pendant que l'eau ruisselait encore sur son corps magnifique. De temps à autre, elle me jetait un regard, mais à aucun moment je n'ai su s'il était complice ou s'il s'agissait d'une demande, d'une invitation. L'ambiance était si intense que j'ai même assisté à certains échanges charnels entre hommes. Des baisers, des caresses, cela participait à renforcer la sensualité extrême de cette soirée.

Partout autour de moi, les invités copulaient sans retenue. Les jeunes hôtesses s'ingéniaient à entretenir la tension sexuelle. Elles voletaient d'un couple, voire d'un trio ou d'un quatuor à l'autre, terminant une pipe ici ou un cunnilingus là. Elles flattaient les croupes, caressaient les seins, pinçaient les mamelons et mordillaient les couilles de tout un chacun, ne restant jamais bien longtemps en place. La petite au tatouage de dragon était la plus active de toutes. À un moment, elle s'est approchée de moi pour m'offrir une fellation. Cédant à la tentation, je me suis laissé faire en regardant cette étrange fille besogner ma bite avec toute l'attention d'une orfèvre. J'ai joui en dilettante tout en avalant une gorgée de cognac. La fille m'a fait un clin d'œil et est repartie en quête d'autres proies. Les choses devenaient de plus en plus confuses sur le matelas, on distinguait à peine ce qui s'y passait dans l'enchevêtrement de bras et de jambes. J'avais perdu Laskhmi de vue.

De guerre lasse et passablement éméché, j'ai décidé que la soirée avait assez duré. Je me suis levé en titubant, me suis dirigé vers les vestiaires, me suis rhabillé en vitesse et me suis quand même servi un dernier grand verre de Louis XIII en passant. Revenu dans le grand salon à l'étage, j'ai demandé au larbin qui finissait de débarrasser les assiettes et les coupes de champagne de m'appeler un taxi.

Et c'est ainsi que je me suis retrouvé ivre mort, au volant de ma voiture, devant chez Lochana. J'ignorais si elle était rentrée, mais dans mon état il valait mieux ne pas chercher à le savoir. J'ai parcouru trois blocs pour m'apercevoir que j'étais trop mal en point pour conduire jusque chez moi. J'ai donc fini la nuit sur ma banquette arrière, à cuver mon cognac.

Maintenant que j'ai retrouvé mes esprits, je me demande ce que je vais bien pouvoir dire à Lochana. Je me sens mal à l'aise, j'ignore si elle est au courant des activités nocturnes de sa maman, et je suis réticent à endosser le rôle de celui qui sait mais qui ne peut rien dire. Je comprends mieux maintenant d'où lui viennent ses instincts charnels si développés. Il vaut probablement mieux taire ce qui s'est passé dans cette drôle de cave. De toute façon, je doute que Lakshmi me dénonce. Je démarre et je rentre à mon appartement dans la lumière blafarde de l'aube qui se lève sur Montréal. Parvenu à la maison, je tente de chasser mon mal de bloc en prenant une longue douche froide et en avalant quelques verres de jus d'orange.

Je m'assois ensuite dans mon salon, une grande tasse de café noir bien tassé à la main, pour essayer de faire la part des choses. Sans être prude, je dois admettre que la nuit que je viens de vivre dépasse mon entendement. J'ai de la difficulté à chasser de mon esprit la vision de cette femme mûre vidant à répétition la semence de ses amants dans la bouche de son mari. Je ne suis pas tellement fier d'avoir cédé à la tentation deux fois, mais je ne suis quand même pas de bois! Les déhanchements et la débauche des petites hôtesses étaient certes stimulants, mais l'orgie qui a suivi était de trop. À chacun ses fantasmes, me dis-je, moi je préfère le sexe à deux, tout bonnement, sans trop de flafla. La sensualité naïve de Lochana me comble amplement. Je ne sais pas quelle attitude Lakshmi adoptera lorsque nous nous reverrons, mais je décide séance tenante de ne rien dire à ma mie. Les vicissitudes de sa mère resteront un secret entre elle et moi.

La croisière

Après trente-cinq ans à tes côtés, trois garçons et quatre petits-enfants, je m'étonne encore d'avoir hâte de te retrouver à la fin d'une journée de travail. Sur le chemin du retour, je ne cesse de penser à tes yeux pétillants d'intelligence, à ton sourire radieux, mais aussi – à ton grand désespoir – à ta nuque de déesse grecque sur laquelle flotte une magnifique tignasse poivre et sel, à tes seins lourds mais encore si fermes, à tes fesses, qui ont conservé leur jeunesse, et à tes jolies jambes, qui ont toujours leur galbe de tes vingt ans grâce à la pratique régulière du vélo et de la natation. Je dis « grand désespoir » parce que l'épreuve de la ménopause t'a douloureusement retiré toute passion pour la chose, toi qui jadis aimais tellement exhiber tes charmes féminins. Et que dire de ma pomme, moi qui t'ai toujours été fidèle et qui me réjouissais tant d'avoir épousé une femme si sensuelle, qui n'hésitait jamais à expérimenter une nouvelle position ou un nouveau jeu au lit ? Combien de fois ai-je entendu des collègues se plaindre du manque d'imagination et de la piètre libido de leur conjointe, de leur besoin quasi maladif de se trouver de nouvelles maîtresses, toujours plus jeunes, dans leur quête d'une illusoire satisfaction sexuelle ! Je les écoutais et je me félicitais de notre réussite conjugale et du fait qu'elle m'évitait non seulement les affres de la drague perpétuelle, mais aussi les pressions et les déceptions de la garde partagée.

Ainsi, je me souviens comme si c'était hier de ce fabuleux épisode survenu il y a longtemps, avant que la progéniture débarque dans notre vie. Ce jour-là, à peine avais-je franchi le pas de la porte que tu as sauté dans mes bras pour m'embrasser et taquiner mes dents de ta langue fouineuse. Avant même que j'aie pu déposer ma serviette, tu as baissé ma braguette et tu m'as saisi par le pénis pour m'entraîner au salon. Plusieurs chandelles éclairaient la pièce d'une lumière chaude et intime, quelques bâtons d'encens ajoutant une note de patchouli envoûtante. J'ai tout de suite remarqué que les volets de bois étaient ouverts et que tu ne semblais pas en faire grand cas. Sans un mot, tu m'as assis dans mon fauteuil préféré, tu as mis de la musique et tu t'es livrée à un strip-tease lascif devant moi, qui n'en revenais tout simplement pas que tu oses un tel spectacle à la vue de tous ceux qui auraient pu passer dans la rue. Une fois nue, tu t'es approchée de moi et tu t'es assise sur mes genoux pour me frotter le visage de tes seins pointés. Tu as ensuite défait ma cravate, que tu as enroulée autour de ton cou, déboutonné ma chemise et poursuivi tes caresses sur mon torse, me pinçant et me léchant tour à tour les mamelons. Puis tu t'es agenouillée pour me faire une magistrale fellation qui reste encore vivace dans ma mémoire. Après m'avoir fait jouir, tu m'as pris la main en m'enjoignant de passer à la salle à manger, où nous avons soupé comme si de rien n'était, tous les deux dans le plus simple appareil.

Mais aujourd'hui, après trente-cinq années de bonheur incommensurable, voilà que je fais face au désert le plus total. Sauf que je ne suis pas prêt à me résoudre à ce que plus personne d'autre que moi ne touche ma queue. Il y a maintenant deux ans que le moindre de mes efforts est repoussé gentiment. Toutes les caresses qui, autrefois, te faisaient fondre et menaient invariablement à de torrides séances de baise n'ont dorénavant plus aucun effet sur toi. Même les week-ends de camping et les excursions en forêt, qui avaient l'heur de t'allumer, n'ont plus d'effet. Oh, ton médecin t'a bien proposé des hormones pour raviver tes sens, mais avec tous les risques que cela entraîne, nous avons mutuellement convenu de décliner. Et malgré ma frustration croissante, je refuse d'envisager de te quitter ou de chercher du plaisir dans les bras d'une autre. Je tente de me convaincre que la plénitude de notre vie de famille – avec nos enfants et petits-enfants – vaut bien quelques déceptions sexuelles. Après tout, je peux toujours compter sur ma fidèle main gauche et sur la grande et mystérieuse Toile pour soulager la pression quand elle devient trop forte.

Bien sûr, pour être honnête, je ne suis pas totalement irréprochable. Je passe encore trop de temps au bureau, à jongler avec les résultats financiers de mes nombreuses grandes entreprises clientes. J'ai toujours aimé dénicher les façons, toutes incontestablement légales, de déjouer le fisc. C'est ce qui a fait de moi l'un des comptables les plus recherchés des richissimes hommes d'affaires de Montréal. C'est grisant, mais force est d'admettre que la vacuité de ma vie personnelle avec toi, Pauline chérie, pèse de plus en plus lourd et commence même à nuire à mes aptitudes à déjouer les rapaces du ministère des Finances.

J'en suis là dans mes pensées mélancoliques lorsque, soudain, mon poing s'abat sur le volant de ma voiture. C'est décidé, il me faut couper court à tout cela, faire quelque chose, frapper un grand coup! Faute de dénicher une potion miracle qui redonnerait à Pauline le goût de la chair, nous devons à tout le moins retrouver l'envie d'être ensemble, comme lorsque nous nous sommes rencontrés. Depuis quelque temps, je caresse l'idée d'une croisière dans les Caraïbes, mais pas à bord de ces horribles palaces flottants qui ressemblent à des casinos de Las Vegas. Non, ce que je recherche, c'est quelque chose de plus intime, un voilier en bois qui voguerait paresseusement d'île en île dans les Petites Antilles. J'en rêve depuis des lustres, mais nous n'avons jamais trouvé le temps de nous lancer dans une telle aventure, et Pauline craint le mal de mer. Cela dit, s'il y a un espoir, si mince soit-il, de ressusciter notre vie de couple, le jeu en vaut assurément la chandelle!

Je sais qu'il me faudra faire preuve de trésors d'imagination pour convaincre Pauline de quitter la ville pendant quelques semaines. Elle tient beaucoup à son rôle d'Urgence grand-mère, toujours prête à tout laisser tomber pour courir au chevet d'un de ses petits-enfants souffrants, mais là, c'est de ma propre santé mentale qu'il s'agit!

Alors que j'arrête ma voiture dans la neige sale devant notre entrée de garage, je décide d'explorer toutes les possibilités, échafaudant même un subterfuge pour entraîner Pauline à l'étranger.

Ce soir-là, pendant que ma mie est à la piscine, j'appelle tour à tour nos fils pour les mettre dans le coup et les convaincre qu'ils peuvent se passer de leur mère pendant quelques semaines. Intuitivement conscients de mes besoins, ils acceptent tous les trois de se débrouiller sans leur béquille maternelle. J'entreprends ensuite des recherches sur Internet pour trouver la perle rare, un beau voilier prêt à nous emmener à l'aventure sans que nous soyons entassés comme des sardines avec d'autres touristes.

Je tombe assez vite sur le site d'un couple de Français qui possède un ketch de vingt-cinq mètres à la Guadeloupe. D'après leur biographie, il s'agit de Parisiens dans la cinquantaine qui ont décidé de laisser tomber leur carrière pour acheter un bateau et faire des traversées sur demande dans les îles antillaises. La femme, une petite brune aux cheveux longs, est assez jolie. Lui a davantage le physique du marin, grand et baraqué, les cheveux grisonnants et le teint hâlé. Ils offrent à bord de la *Belle Monique* des séjours de deux semaines à un mois à sillonner les Petites et les Grandes Antilles. Exactement ce que je recherche ! Les photos montrent un deux-mâts qui cadre tout à fait avec l'idée que je me fais d'une croisière romantique. Le magnifique pont en teck est agrémenté d'un rouf et d'une dunette en bois exotique, derrière laquelle trône une grande barre à roue traditionnelle. Je tombe tout de suite en amour avec la *Belle Monique.* Seule ombre au tableau, l'embarcation est conçue pour recevoir une quinzaine de passagers, avec quatre membres d'équipage. C'est un peu plus de monde que ce que j'envisageais, mais tant pis. Je consulte le calendrier des excursions pour voir à quel moment on pourrait partir. Maintenant que ma décision est prise, je bous d'impatience. Au diable les clients et le fisc ! Malheureusement, l'horaire semble assez chargé, toutes les croisières pour les trois prochains mois sont déjà réservées. Un peu dépité, je m'apprête néanmoins à faire une tentative de réservation lorsque je tombe, tout à fait en bas de page, sur une rubrique intitulée « Dernière minute ». Intrigué, je clique sur le lien pour voir s'afficher l'annonce suivante :

À qui la chance ? Départ de dernière minute... Une annulation vient de libérer une cabine pour deux personnes dans le cadre d'un voyage de découverte sensuelle.

Passez trois semaines en mer des Antilles à explorer les côtés cachés de votre sexualité en compagnie de trois autres couples...

Je sourcille à la vue du tarif de ce séjour, qui semble tout indiqué à notre situation, à Pauline et à moi : presque dix mille dollars, trois fois plus que le coût des croisières habituelles sur ce voilier ! Mais au diable l'avarice, l'occasion est trop belle. Je clique donc sur l'annonce et remplis fiévreusement le formulaire de réservation, qui me paraît plutôt détaillé. Outre nos noms et coordonnées, numéros de cartes de crédit, etc., je dois en effet entrer mon âge et celui de ma conjointe, notre statut matrimonial, des renseignements assez intimes sur notre état de santé, et fournir deux photos récentes en maillot de bain. Bizarre, me dis-je. Mais la promesse d'une découverte sensuelle me fait oublier mes réserves de comptable bien rangé. Je cherche rapidement dans l'ordinateur deux photos de Pauline et de moi à la plage, que je joins au formulaire avant de cliquer sur « Soumettre ». Voilà, les dés sont jetés, il ne reste plus qu'à attendre la réponse. Comme courriel de retour, j'utilise une adresse Gmail que j'ai créée il y a plusieurs mois pour les sites XXX que je fréquente à l'insu de Pauline. Satisfait, j'efface mon historique de navigation. Ni vu ni connu !

Au bout de vingt-quatre heures, la réponse arrive. À mon grand soulagement, ma demande de réservation a été acceptée. Je trouve même en copie des photos des trois autres couples qui nous accompagneront. Il s'agit de Britanniques, de Japonais et d'Espagnols. Bien qu'aucun détail ne soit fourni, ils ont tous l'air d'avoir à peu près notre âge. Je constate avec plaisir que les femmes, très différentes physiquement, sont plutôt mignonnes et que leurs yeux pétillent de malice. Leurs maris semblent distingués et ont aussi un physique avenant. L'excitation du départ commence à me gagner. Plus que quelques jours à attendre. La croisière est réservée et j'ai mis la main sur deux billets en première classe à bord d'un vol à destination de Pointe-à-Pitre.

En cachette, je fais rapidement nos valises, que je dissimule dans le coffre de la voiture. Il ne me reste plus qu'à entraîner Pauline à l'aéroport. Bien entendu, une fois sur place, elle réalisera qu'il y a anguille sous roche, mais je me fais fort de la convaincre de monter dans l'avion. Tout marche comme sur des roulettes. Pauline proteste bien un peu quand j'engage la voiture dans le stationnement longue durée.

« Que fais-tu, Martin, pourquoi se stationne-t-on ici ? Tu m'avais dit qu'on venait accueillir un de tes clients et son épouse.

— Euh, tu verras, ma chérie, c'est une surprise.

— Comment ça, une surprise ?

— Des vacances, si tu préfères !

— Quoi ! On part en vacances comme ça, sans prévenir personne ! Pour combien de temps ? Et les petits-enfants ? s'exclame-t-elle, catastrophée.

— Ne t'inquiète pas, j'ai tout prévu. Les garçons sont avertis. Ils vont se débrouiller sans nous pendant quelques jours. »

Intriguée par ce voyage mystère, Pauline se calme. Je perçois même une certaine excitation qui monte en elle. Mon plan fonctionne à merveille. Nous nous présentons au comptoir d'Air Canada et ce n'est qu'alors que Pauline apprend notre destination. Médusée, elle pousse un petit cri en se jetant dans mes bras.

« Oh, mon amour, la Guadeloupe, quelle merveilleuse surprise ! Je dois avouer que je commençais à en avoir soupé de la froidure et de la sloche.

— Parfait. Tu vas voir, ce voyage sera mémorable », dis-je en lui adressant un clin d'œil.

Elle me regarde avec des points d'interrogation dans les yeux, mais je refuse de répondre à ses questions en lui répétant que c'est une surprise. Le voyage en avion se déroule sans anicroche, le service princier en première classe finissant de ravir Pauline, qui enfile plusieurs coupes de champagne coup sur coup pour célébrer ce croc-en-jambe à la routine. Après quelques heures, nous débarquons à

Pointe-à-Pitre, où le soleil brille dans un ciel uniformément bleu. Un taxi nous emmène directement au port. Amusé, je vois Pauline passer de la surprise à l'ébahissement à la vue du ketch qui nous attend à quai. Nous sommes accueillis à la passerelle par une magnifique blonde aux yeux bleus, vêtue d'une courte jupe et d'un t-shirt blanc au profond décolleté en V qui laisse deviner une jolie petite poitrine.

« Bonjour, dit-elle en nous faisant la bise, je m'appelle Angélique. Vous devez être Pauline et Martin. Nous n'attendions plus que vous pour appareiller. Mes parents sont au grand salon. »

S'emparant de nos valises, Angélique nous précède sur la passerelle qui mène au pont. Je saisis la main de Pauline et l'entraîne à ma suite. Dans la dunette, Angélique descend quelques marches et disparaît dans une coursive sombre après nous avoir indiqué la porte du salon. Nous y retrouvons les autres passagers et les propriétaires de la *Belle Monique,* assis autour d'une table basse à siroter un mojito.

André, le propriétaire du bateau, se lève et s'avance vers nous la main tendue.

« Bienvenue à bord, Pauline et Martin, permettez-moi de vous présenter ma femme, Sylvia, et voici vos autres compagnons pour cette croisière sensuelle. Je vous promets beaucoup de bon temps. »

À ces paroles, Pauline hausse les sourcils et me lance un regard interrogateur, dans lequel je lis aussi un brin de ce sens de l'aventure qui l'animait jadis. André nous présente tour à tour le couple de Japonais, Keiko et Nobu, le couple de Britanniques, Nancy et John, et finalement les deux Espagnols, Andrea et Manuel. Je ne peux m'empêcher de noter qu'aucun nom de famille n'est prononcé. Nous nous assoyons à notre tour dans une des banquettes le long de la coque et André nous sert à chacun un mojito bien frappé. Après le champagne que nous avons bu dans l'avion, cela met Pauline dans un état d'esprit léger, et elle ne semble pas trop choquée de se retrouver dans cette situation un peu incongrue.

Pendant que nous avalons les premières gorgées, j'en profite pour examiner discrètement nos compagnons de voyage. Le moins qu'on puisse dire, c'est que ce ne sont pas des jeunes premiers. Le couple britannique a le teint pâle. Lui est grand et mince, il a les yeux rieurs d'un bon vivant, et son visage un peu couperosé est barré d'une mince moustache grisonnante. Sa femme est plus petite et plus ronde. C'est une rousse aux yeux vert pâle et au visage constellé de taches de rousseur qui lui donnent un air ingénu. Les Espagnols ont le teint mat des Méditerranéens. Elle est toute petite et sourit tout le temps. Ce qui frappe au premier abord, ce sont ses grands yeux bruns qui semblent tout observer autour d'elle avec beaucoup d'intérêt. À la voir constamment toucher le bras de son mari, je la sens très sensuelle. Lui, en fier hidalgo, a un grand nez en bec d'aigle et un air impérial. Il a belle apparence et on voit qu'il se tient en forme. Finalement, le couple de Japonais a l'air mystérieux des Orientaux. Ils ne parlent pas beaucoup, se contentant de grands sourires et de hochements de tête. Monsieur est petit et mince, il a l'œil allumé du mec qui ne manque jamais de repérer les jolies filles. Elle est plus discrète, mais ses merveilleux cheveux noirs de jais entourent un visage à la peau de porcelaine où aucune ride n'apparaît. Si je me rappelle bien, elle a pourtant plus de cinquante ans, mais elle en paraît à peine quarante. Sylvia, qui est vêtue de la même jupette et du même t-shirt que sa fille, se lève, interrompant ma rêverie.

«Maintenant que nous avons fait connaissance, dit-elle, je vous annonce que nous appareillerons dans quelques minutes. Après avoir contourné l'île de Marie-Galante, où nous passerons sans doute la nuit, nous filerons plein sud vers la Martinique, que nous atteindrons dans un jour ou deux, selon notre fantaisie. Ma fille Angélique va vous montrer vos cabines tout à l'heure. En attendant, je vous invite sur le pont pour assister à la manœuvre.»

Joignant le geste à la parole, notre hôtesse emprunte la coursive et monte le court escalier menant à l'extérieur. En la suivant, je remarque qu'elle a de fort jolies jambes bronzées, aux mollets bien sculptés. Encore un peu gênés, nous nous retrouvons tous sur le pont arrière, près de la barre. À notre étonnement, nous constatons que l'équipage est composé uniquement de filles, toutes plus jolies les unes que les autres. Leur air de famille ne laisse aucun doute: il s'agit de sœurs.

Hormis Angélique, la grande blonde, il y a quatre brunettes qui ne nous ont pas encore été présentées. Elles s'affairent à larguer les amarres et à enrouler les cordages d'une main experte. Deux bons coups de gaffe et le voilier s'éloigne du quai. André a pris place à la barre. Il fait démarrer le moteur pour sortir du port à reculons. Il lance quelques ordres brefs, et ses filles commencent à lever les voiles une à une, après quoi il coupe le moteur. La *Belle Monique* s'engage dans le chenal menant à la haute mer. Rapidement, le vent du soir provenant de la côte gonfle les voiles et le bateau prend de la vitesse, en gîtant un peu. Le silence est merveilleux, on n'entend plus que le suintement de l'eau qui glisse sur la coque et le cri des mouettes qui nous suivent, à l'affût de miettes échappées. Angélique s'approche alors de nous.

« Messieurs, mesdames, dit-elle de sa voix mélodieuse, si vous voulez bien me suivre, je vais maintenant vous montrer vos cabines. »

Nous rentrons donc en file indienne. Pauline me prend la main, et je sens son pouce qui gratte doucement ma paume, signe que l'air du temps commence à lui faire de l'effet. De quoi m'enchanter ! Nos cabines sont réparties le long de la coursive centrale. Assez étroites, elles sont quand même spacieuses et bien éclairées par deux grands hublots. Chacune contient un lit pas vraiment double, mais pas simple non plus, avec un rebord aux extrémités pour empêcher de tomber en cas de mauvais temps. Chaque cabine a aussi sa petite salle de bain. Les boiseries vernies, éclairées par les rayons du soleil couchant, donnent à l'ensemble un petit air de chalet de campagne. Je vois que Pauline est tombée sous le charme.

« Oh, Martin, c'est ravissant ! Merci, mon amour, quelle adorable surprise ! Mais maintenant que nous sommes seuls, dit-elle en m'enserrant la taille, si tu me disais ce que signifie "croisière sensuelle" ?

— Euh… réponds-je, un peu mal à l'aise, je t'avoue que je n'en sais fichtre rien. J'ai trouvé le site Internet d'André et de Sylvia par hasard, et je me suis laissé tenter. Tu sais que j'ai toujours voulu faire une croisière en voilier, et avec cet hiver qui ne veut pas finir, j'ai pensé qu'un séjour dans le Sud nous ferait le plus grand bien.

— Tu as bien raison, mon coquin», conclut-elle en se collant contre moi.

Une fois nos affaires rangées, nous sortons rejoindre nos compagnons, qui se dirigent vers le salon où nous attendent Sylvia et Angélique. Toutes deux sont maintenant vêtues de longues robes vaporeuses laissant facilement deviner leur poitrine aux aréoles foncées. D'un geste gracieux, Sylvia nous enjoint de nous asseoir sur les banquettes. Angélique débouche un magnum de champagne et nous offre à chacun un verre. Pendant que nous dégustons nos bulles, Sylvia donne enfin quelques explications sur la nature de la croisière.

«Dans une petite heure, nous devrions rejoindre notre premier mouillage, au large de Marie-Galante. C'est là que nous dînerons et passerons la nuit. Comme vous pouvez le constater, ma fille et moi nous sommes mises à l'aise. Mes autres filles s'occupent seules de la manœuvre pour l'instant, elles nous rejoindront pour le service une fois que nous serons à l'ancre.»

Tout en parlant, Sylvia se déplace dans la cabine, ce qui nous permet d'admirer ses longues jambes par les fentes de sa robe. Elle est pieds nus et bouge avec la grâce d'une nymphe.

«Vous êtes conviés à ce que nous appelons une croisière sensuelle. Mes filles et moi déploierons tous les efforts pour vous rendre le séjour des plus agréables. Deux d'entre vous, mes amis Keiko et Nobu, en sont à leur troisième voyage en notre compagnie, donc si vous avez des questions vous pourrez les leur poser. Les règles sont fort simples: tant que nous sommes à bord et loin des côtes, vous êtes encouragés à vous promener dans le plus simple appareil. Mes filles et moi passons notre temps torse nu et même souvent complètement à poil. Il n'y a rien de plus agréable que le chaud soleil des Antilles sur la peau. Au fil des jours, nous organiserons de petits jeux qui vous feront découvrir des facettes cachées de votre sensualité. Mais attention, mes filles ne sont pas des prostituées, et si elles sont prêtes à vous ravir en vous montrant leurs charmes, elles n'iront pas plus loin. Les activités sexuelles vous seront réservées. Vous commencerez par les faire en couple, puis, si le cœur vous en dit, vous pourrez changer de partenaires. Entre vous, rien ne sera interdit. André et moi nous joindrons volontiers à vous si vous le souhaitez.»

À ces mots, je sens Pauline se raidir. Je la prends par la taille en lui chuchotant à l'oreille de se laisser aller. En balayant la pièce du regard, je peux voir que nos deux amis japonais échangent un sourire entendu, tandis que le couple de Britanniques semble aussi peu à l'aise que ma Pauline. Quant aux deux Espagnols, ils sont déjà dans l'ambiance, la dame caressant ouvertement le sexe de son mari à travers son pantalon.

«Ce soir, poursuit Sylvia en s'assoyant et en dévoilant ses jambes jusqu'aux cuisses, il ne se passera rien. Nous profiterons du repas pour faire plus ample connaissance. Les festivités commenceront demain. En règle générale, le couple du jour est choisi au hasard le matin même, mais comme Keiko et Nobu sont des habitués, ils ont déjà accepté d'être les premiers à se soumettre à nos petits jeux. Cela dit, n'essayez pas de leur tirer les vers du nez, s'il vous plaît, ce sera une surprise pour demain soir.»

Sylvia s'interrompt en s'apercevant que le voilier s'est arrêté. Se levant, elle nous invite à la rejoindre dans une demi-heure sur le pont, où le repas sera servi sur la plage arrière. Nous nous dispersons pour regagner nos cabines et nous changer. Pauline semble songeuse et je l'observe avec une certaine crainte, mais elle me surprend. Une fois dans la cabine, elle se tourne vers moi avec dans les yeux une lueur que je ne lui avais pas vue depuis une éternité.

«Alors, mon amour, dit-elle en passant ses bras autour de mon cou, si j'ai bien compris, tu m'as entraînée sur un bordel flottant.

— Euh… ce n'est pas ce qu'elle a dit. Rien ne t'oblige à faire quoi que ce soit avec les autres voyageurs.

— Dommage, répond-elle en me grattant le cou de ses longs doigts, je dois dire que le bel Espagnol ne me laisse pas indifférente.»

En entendant ces paroles, mon cœur bondit de joie. On dirait que mon projet porte ses fruits. Il y a trop longtemps que j'ai senti ma belle Pauline aussi câline. Pressés de retrouver nos compagnons, nous nous changeons rapidement. Pas encore prête à se promener nue, Pauline enfile une courte robe d'été, mais je remarque avec plaisir qu'elle dédaigne de mettre des sous-vêtements. Elle sait que j'adore voir sa lourde poitrine se trémousser en liberté sous le fin tissu, et elle me lance une œillade complice. Pour ma part, je décide de passer simplement mon maillot de bain et de rester torse nu.

Sur le pont, tout le monde a eu la même idée. Les femmes sont très court vêtues et les hommes ont le torse nu. Nous prenons place autour de la longue table. Angélique nous présente ses sœurs, Justine, Maxine, Chloé et Juliette, qui ont revêtu l'uniforme de circonstance : la longue robe portée sans soutien-gorge. Quel plaisir pour les yeux de voir ces jeunes poitrines aux tailles et aux formes différentes ! L'air plus frais du soir a raidi leurs mamelons, et elles se promènent entre nous avec les plats sans aucune gêne apparente. Si sa femme, Nancy, garde pudiquement les yeux baissés, John les suit avidement des yeux, tout comme les autres hommes, d'ailleurs. Quant à Pauline, je la vois qui regarde nos compagnons avec curiosité. Oh, ce ne sont pas tous des Apollon ! Si l'Espagnol, Manuel, a conservé une belle taille et des pectoraux enviables, les autres mâles montrent malheureusement les signes de leur âge. Tout comme moi, ils ont une petite bedaine et des seins un peu flasques, perdus dans des toisons de divers tons de gris.

Réservées au début, les conversations s'animent au fil des coupes de champagne qui se succèdent à un rythme endiablé. Peu à peu, les convives perdent de leur réserve et échangent à bâtons rompus. Levant un dernier verre, le capitaine, André, nous annonce que nous passerons la journée du lendemain à l'ancre dans la crique où nous nous trouvons. La météo annonce un peu de vent et il ne veut pas risquer de nous rendre malades dès le premier jour.

Nous nous couchons ce soir-là de fort bonne humeur, Pauline et moi. Je la serre contre moi avec tendresse et, tout en lui caressant doucement le bout des seins, je lui répète combien je l'aime. Ronronnant de plaisir, elle se colle contre moi et frotte ses fesses sur mon

pénis à moitié bandé. D'une voix rendue pâteuse par l'excès de champagne, elle me murmure qu'elle est trop fatiguée ce soir, mais que je ne perds rien pour attendre. Je m'endors le cœur léger.

La journée du lendemain passe rapidement. L'un après l'autre, nous cédons à l'envie de demander à nos amis japonais ce qu'ils nous préparent pour la soirée, mais ils restent bouche cousue, se contentant de nous faire de grands sourires. Comme l'avait prévu le capitaine, le vent s'est levé, mais, à l'abri de notre crique, nous ne sommes pas inquiétés et passons la journée à nous baigner et à prendre des bains de soleil sur le pont. Toutes les femmes commencent la journée en maillots deux pièces, mais à mesure que la température s'élève, elles commencent à retirer le haut. La première à le faire est Keiko, dévoilant deux petits seins aux aréoles à peine plus grandes que les mamelons. Même Pauline finit par se dénuder. Je prends un grand plaisir à lui appliquer de la lotion solaire, en profitant au passage pour pincer et chatouiller ses mamelons. Il y a si longtemps que je n'ai pas eu l'occasion de le faire ! Les yeux fermés sous son grand chapeau de paille, Pauline se laisse faire en poussant de petits gémissements prometteurs.

Andrea décide soudain de se mettre complètement nue, et nous pouvons tous constater que ce n'est certainement pas nouveau pour elle puisqu'elle arbore un bronzage intégral. Ne voulant pas être en reste, Nancy finit par suivre le mouvement. Ses seins, aux grandes aréoles foncées et aux multiples taches de rousseur, sont plutôt flasques et tombent sur son ventre, mais elle ne semble pas en être embarrassée. Les hommes ne tardent pas à suivre le mouvement, et nous sommes bientôt tous à poil. Quelle sensation agréable de se baigner nu dans les eaux chaudes qui nous entourent !

Le dîner léger est servi par Justine et Maxine, entièrement nues elles aussi. Nous pouvons à loisir admirer leurs jambes et leurs belles croupes rebondies. Elles vont et viennent entre nous et échangent volontiers des badineries avec chacun. Leur bonne humeur est très contagieuse. Je constate qu'elles y sont pour beaucoup dans le relâchement général de l'atmosphère.

Le soir venu, la fraîcheur de l'alizé nous incite à rentrer pour souper. Sylvia a distribué à toutes les passagères la même robe à demi transparente que ses filles et elle portent. Nous prenons l'apéritif au salon, pendant que nos amis japonais préparent leur surprise dans la salle à manger adjacente. Au bout d'une demi-heure, Nobu ouvre la porte et nous convie à un festin nippon. Curieux, nous entrons pour voir Keiko étendue nue sur la table. Son corps est recouvert de sushis, de sashimis et de makis. Nobu nous annonce que nous n'avons pas le droit de nous servir d'ustensiles ni de baguettes pour manger, ni même de nos doigts. Nous devons prélever chaque succulent morceau uniquement avec notre bouche. Éberlués, nous nous regardons en nous demandant qui sera le premier à se risquer.

Devant notre hésitation, Sylvia s'avance vers la table et se penche pour saisir délicatement entre ses dents un morceau de thon sur le ventre de Keiko. Elle en profite au passage pour lui chatouiller la peau de sa langue. Enhardis, nous entourons la table et admirons un instant la petite Japonaise. Elle repose les bras étendus le long du corps, entièrement couverte de boules de riz collant et de tranches de poisson cru. L'effet est saisissant. Un par un, nous suivons l'exemple de notre hôtesse. Keiko reste imperturbable, ne bougeant pas d'un poil pendant qu'une demi-douzaine de langues lui chatouillent les côtes en même temps. Nous nous concentrons sur son ventre et sur ses cuisses, les parties les moins embarrassantes. À mesure que les délicatesses disparaissent dans nos estomacs, Nobu en ajoute, les déposant avec soin sur la peau de sa femme, qui n'a toujours pas dit un mot ni ouvert les yeux.

Finalement, Andrea décide de prendre l'un des sushis qui repose sur le sein droit de Keiko en s'attardant longuement pour lécher le mamelon. Voyant cela, Pauline s'empresse de se pencher pour faire de même avec l'autre sein. Je sens immédiatement une érection naître à la vue de l'amour de ma vie qui lèche le sein d'une autre femme. Elle semble en effet prendre beaucoup de plaisir à taquiner du bout de la langue le mamelon durci avant de gober le morceau de sashimi. Nobu dépose alors une belle tranche de saumon sur la bouche de sa femme, nous mettant silencieusement au défi d'aller le ramasser. À notre surprise, c'est Nancy qui le gobe d'un coup, sa langue caressant délicatement les lèvres de la belle Japonaise. Sous ces attaques concertées, Keiko a enfin un frémissement de plaisir qui lui parcourt le corps.

Avec un léger sourire, Nobu ne cesse de remettre des bouchées sur les seins et sur la bouche de sa partenaire, nous invitant du regard à aller les chercher. Personne n'a encore osé toucher aux tranches de poisson déposées sur la chatte de Keiko. Encore une fois, c'est Sylvia qui prend l'initiative et écarte lentement les jambes de la Japonaise pour atteindre son but. Sortant la langue, elle part de très bas et remonte lentement le long de la fente pour finalement saisir le morceau. Keiko gémit faiblement. Nobu, dont l'érection est maintenant bien apparente dans son maillot, s'empresse de déposer un sushi bien collant à la place du poisson que Sylvia vient de manger. Andrea se penche pour l'avaler, prenant soin de prélever du bout de la langue les grains de riz dispersés dans la toison noire de la Japonaise.

Le repas se poursuit ainsi jusqu'à ce qu'il n'y ait plus de sushis. Qu'à cela ne tienne, Nobu s'empare alors d'une bouteille de saké tiède et en verse quelques gouttes sur les seins de sa femme. Cette fois, c'est Pauline et Nancy qui se précipitent pour lécher l'alcool. Elles en profitent même pour échanger un court baiser au-dessus de la poitrine de Keiko. Eh bien, me dis-je, surpris, voilà un aspect de la personnalité de ma femme que je ne connaissais pas ! Tendant la bouteille à John, Nobu lui fait signe d'en verser sur la chatte de sa femme pendant qu'il s'installe entre ses jambes pour le boire. Nous assistons alors à une séance de cunnilingus à l'alcool de riz des plus émoustillantes. Médusés, nous regardons en silence le Japonais faire jouir sa femme. Lorsque celle-ci ouvre finalement les yeux, elle se lève pour rendre la pareille à son mari. D'un geste preste, elle engloutit d'un coup son pénis. Il ne faut pas longtemps à Nobu pour jouir à son tour, mais plutôt que d'éjaculer dans la bouche de sa partenaire, il en ressort pour asperger son visage et sa poitrine. Puis il invite de la main les autres femmes à s'en régaler. Toutes les inhibitions ayant disparu, aucune ne se fait prier. Pauline se précipite et étire la langue pour lécher le sperme qui recouvre le menton et la bouche de Keiko. Son geste se termine par un baiser profond qui dure une éternité. Je n'en reviens tout simplement pas de l'audace de ma Pauline, mais je ne m'en plains pas, bien au contraire !

Une fois le sperme avalé, les femmes se reculent en se jetant des regards un peu timides. Finalement, elles éclatent toutes de rire et s'embrassent joyeusement. La glace est définitivement brisée. La soirée se termine après quelques rasades de saké, dans des verres cette fois, et chaque couple réintègre sa cabine en se souhaitant bonne nuit. Une fois que nous sommes seuls, je m'empresse de prendre Pauline dans mes bras et de l'embrasser tendrement.

« Eh bien, ma coquine, tu t'es dégênée ce soir ! Je ne te connaissais pas ce goût pour les femmes !

— Oh, Martin, répond-elle en collant ses seins contre mon torse, je ne sais pas ce qui m'a pris. J'espère que tu ne m'en veux pas !

— Au contraire, mon amour, au contraire ! Avoir su, j'aurais préparé ce voyage bien avant. C'était drôlement érotique de te voir embrasser Keiko.

— Hmmm, elle a la bouche si douce, et le sperme de son mari avait un petit côté salé bien agréable… Mais maintenant, c'est à ton tour d'être servi. »

Joignant le geste à la parole, Pauline s'agenouille devant moi et baisse mon maillot pour saisir mon pénis à deux mains et me faire une divine fellation, digne des premières années de notre mariage. Enfin ! me dis-je, soulagé. Non contente de me sucer simplement le gland comme à son habitude, Pauline descend la langue le long de ma verge pour gober tour à tour mes couilles et les rouler délicatement entre ses dents, puis remonter vers l'extrémité de ma queue sans me quitter du regard.

« Viens, mon chéri, me murmure-t-elle d'une voix rauque, je veux que tu jouisses à ton tour et, comme Nobu, je veux que tu viennes sur mon visage ! Je veux sentir ta semence chaude sur mes joues et sur mes lèvres. »

C'en est trop ! À ces mots, je jouis puissamment, envoyant plusieurs jets de sperme sur le visage ravi de ma femme. C'est la première fois en trente-cinq ans qu'elle me permet une telle débauche. Toujours en me regardant droit dans les yeux, elle passe ensuite un doigt sur ses joues pour ramasser ma semence et s'en délecter. Retirant complètement mon maillot, elle m'entraîne vers le lit. Comme au bon vieux temps, Pauline se livre ensuite à un strip-tease, enlevant langoureusement sa longue robe pour venir se lover contre moi. Insatiable, elle me taquine les mamelons de la langue et des dents pendant que ses doigts agiles font revivre mon érection. Elle s'installe à califourchon sur mon bassin et s'enfonce lentement sur mon membre dur en gémissant. Les mains bien à plat sur mon ventre, elle monte et descend frénétiquement. À ce rythme, elle ne met pas de temps à jouir en frémissant de tout son corps et en murmurant mon nom encore et encore. Trop heureux de retrouver la chaleur de son buisson, la seule vue de son orgasme suffit à me faire venir une deuxième fois, un autre événement qui n'était pas survenu depuis une éternité. Mon esprit débridé échafaude mille scénarios mettant en scène ma Pauline et les autres femmes à bord, ce qui me promet de beaux rêves. Nous nous endormons finalement, enlacés et ballottés par le doux claquement de la houle sur la coque du voilier.

Le lendemain matin, au déjeuner, Sylvia procède au tirage au sort du couple qui amusera les autres en soirée. Le hasard désigne les Espagnols. En attendant de savoir ce qu'ils nous mijotent, nous nous retrouvons sur le pont pour une autre journée de baignade paisible. Maintenant que la glace est rompue, toutes les passagères décident d'emblée de délaisser leur maillot et de se prélasser nues au soleil. Après leurs attouchements de la veille, elles n'hésitent plus à manifester leur intérêt les unes pour les autres. C'est ainsi que Pauline est la première à s'offrir pour enduire Keiko de crème solaire, prenant un malin plaisir à lui caresser la poitrine et à lui pincer les mamelons. Nancy s'approche d'elles et s'agenouille à côté de la Japonaise. Son mouvement de va-et-vient pour étendre la lotion sur les cuisses de Keiko fait en sorte que nous avons une belle vue sur ses fesses, qui s'entrouvrent légèrement. La Britannique semble avoir oublié sa gêne du premier jour et elle s'amuse à chatouiller du bout de ses seins les genoux de Keiko pendant que ses doigts effleurent la chatte de sa victime consentante, à qui elle arrache des soupirs de plaisir.

De son côté, Andrea a entrepris son mari. En riant aux éclats, elle lui retire son maillot pour saisir son membre à pleines mains et le caresser ouvertement, sans aucune pudeur. Goguenard, Manuel se laisse faire sans perdre des yeux Justine et Chloé, qui nous servent des rafraîchissements. Voyant cela, Andrea se met à sucer vigoureusement son conjoint, bien décidée à détourner son intérêt des deux jeunes membres d'équipage, qui disparaissent en rigolant dans la dunette.

Résolu à prendre part aux festivités, je m'approche de Pauline pour lui gratter gentiment le dos pendant qu'elle poursuit ses caresses sur la Japonaise. Laissant mes mains descendre sur les hanches de ma femme, je les glisse discrètement entre ses cuisses pour titiller ses petites lèvres et son bouton, qui est déjà bien humide. Je plonge un doigt au fond de sa chatte et y prélève un peu de nectar dont j'enduis effrontément les seins de Keiko, enjoignant à Pauline de le lécher en lui penchant la tête vers la petite poitrine. Avec un gémissement sourd, elle s'exécute de bon gré, promenant sa langue sur les tétons durcis. Puis elle se redresse, s'appuie sur ma poitrine et écarte les jambes afin de me donner un accès plus libre à ses charmes. Enhardi, je lui masse les seins pendant que mes doigts poursuivent l'exploration de sa vulve. À tâtons, Pauline réussit à saisir mon pénis, qu'elle caresse du bout des ongles.

Du coin de l'œil, je vois Nobu s'accroupir au-dessus de la tête de sa femme. Il se trouve ainsi aux premières loges pour voir Nancy insérer deux doigts dans le vagin de sa femme et la masturber vigoureusement. Le corps agité de tremblements, Keiko sort la langue pour lécher les couilles et le périnée de son mari, pompant sa verge d'une main, pendant que de l'autre elle tient fermement celle de Nancy entre ses jambes. Au bout de quelques minutes, la Japonaise jouit bruyamment en poussant des cris aigus. Satisfaite, Nancy se lèche langoureusement les doigts en nous faisant un clin d'œil. Il ne m'en faut pas plus pour mettre Pauline à quatre pattes et la prendre brusquement en levrette. Perdue dans son plaisir, elle se laisse faire. C'est alors que Sylvia, qui observait la scène, se glisse sous elle pour venir taquiner ma verge et la vulve de ma femme. Pris d'une inspiration soudaine, je pousse délicatement la tête de Pauline vers le sexe de notre hôtesse. Elle résiste à peine avant de se mettre à lécher la Française. Cette vue m'achève et, me retirant, je jouis sur ses fesses avec un grognement rauque. Sylvia s'empresse d'occuper la place libre en s'attaquant à son tour au sexe de Pauline, gobant au passage les quelques gouttes de sperme qui gouttent de son postérieur. Tout à leur soixante-neuf torride, les deux femmes ne se préoccupent plus de ce qui les entoure, et elles se font bientôt jouir mutuellement. Repue, Pauline s'affale ensuite sur le dos en me regardant du coin de l'œil.

« Alors, Martin, dit-elle, essoufflée, ton fantasme est réalisé, mon coquin ? Je n'aurais jamais cru vivre un jour ce genre d'expérience !

— Il n'est jamais trop tard pour bien faire, ma chérie ! C'était merveilleux de te voir avec Sylvia. On va se rafraîchir, maintenant ? »

Sur ces mots, je la prends par la main et l'entraîne à l'eau. Nous faisons quelques longueurs autour du voilier pendant que nos compagnons poursuivent leurs ébats. Je peux ainsi entendre John rugir alors qu'il baise sa femme à côté de Nobu, qui fait de même avec Keiko. Quelle orgie des sens ! C'est encore mieux que dans mes rêves. Pris d'un accès de tendresse, j'attire Pauline vers moi pour l'embrasser profondément. Avec un sourire taquin, elle s'éloigne ensuite pour nager. J'admire les muscles de ses fesses et de ses jambes en essayant vainement de la suivre. Elle a toujours été meilleure nageuse que moi. Je décide alors de plonger pour l'admirer d'en dessous, me délectant à la vue de ses seins qui ballottent au rythme de son puissant crawl.

Le soir venu, nous nous retrouvons tous autour d'un grand feu sur la plage après un merveilleux souper de langouste grillée. Pendant que deux des filles de Sylvia nous servent des digestifs, Andrea et Manuel se préparent pour les jeux de la soirée. Les femmes ont de nouveau revêtu l'uniforme de rigueur, la belle robe diaphane, alors que les hommes sont encore en maillot de bain. Les Espagnols s'approchent. Manuel tient une guitare, et sa femme, des castagnettes. Il s'assoit sur une souche et commence à jouer un flamenco langoureux. Andrea s'avance vers une section de la plage où affleurent des roches plates. Elle s'en sert comme piste de danse et entame les lents mouvements typiques de la danse de son pays. Ses chaussures à talons bas claquent au rythme saccadé de la musique. À la lueur des flammes, nous suivons des yeux, captivés, les mouvements de ses bras et de ses mains qui tournent au-dessus de sa tête. Andrea bat la mesure avec ses castagnettes et cambre les reins pour nous offrir une magistrale performance. Au bout d'un moment, elle et Manuel se mettent à chanter. L'instant est magique et nous restons bouche bée devant ce spectacle des plus sensuels. Les morceaux s'enchaînent, de plus en plus endiablés. Subjugués, nous suivons les mouvements frénétiques des belles jambes d'Andrea qui apparaissent et disparaissent dans les froufrous de sa longue robe blanche. Dans une apothéose lyrique de pincements de cordes, Andrea s'arrête soudain en se penchant vers le sol. Nous nous levons d'un seul bond pour applaudir chaleureusement.

Un grand sourire aux lèvres, Andrea s'effondre dans une chaise. Angélique lui tend un grand verre de bière, qu'elle avale d'un trait.

« Merci mes amis, dit-elle de sa voix chaude d'Andalouse. J'ai toujours adoré cette danse, mais ce n'était qu'un avant-goût de ce que Manuel et moi vous réservons. Après la prestation de Keiko et de Nobu hier soir, nous ne pouvions en rester à cette modeste démonstration de flamenco. Je vous propose donc un petit jeu. Manuel ? »

L'Espagnol dépose sa guitare et s'approche de sa femme. Celle-ci lui enlève prestement son maillot et l'invite à se coucher par terre devant elle. Elle ôte ensuite ses souliers et commence à le masser délicatement avec ses pieds nus.

« Mesdames, je vous invite à faire comme moi avec vos maris. Le jeu consiste à les exciter jusqu'au paroxysme. La gagnante sera la première à faire jouir son homme en utilisant uniquement ses pieds et ses orteils. »

Amusés et intrigués, nous nous plions de bonne grâce aux instructions d'Andrea. Les hommes s'étendent aux pieds de leur femme, André et Sylvia se joignant volontiers au jeu. Bientôt, tous sont livrés aux fantaisies pédestres de leurs épouses. Pouffant de rire, ces dames s'ingénient à nous masturber avec leurs orteils. Ce n'est pas simple, elles doivent en effet trouver la bonne position pour saisir nos organes, ce qui les oblige à écarter les jambes et à relever leurs robes afin d'avoir une plus grande liberté de mouvement.

Stoïquement, je subis les premières tentatives maladroites de Pauline, qui éprouve des difficultés à trouver le bon angle d'attaque. Au début, ses ongles me soutirent des gémissements de douleur, mais Andrea avait tout prévu. Deux des filles de Sylvia viennent répandre généreusement de l'huile parfumée sur les sexes des messieurs. Du coup, les orteils de Pauline glissent plus facilement, soulevant délicatement mon scrotum avant de remonter le long de ma verge tendue. Elle saisit ensuite mon pénis entre la plante de ses pieds et effectue un lent mouvement de bas en haut. Jetant un coup d'œil autour de moi, je vois que les autres femmes ont adopté une technique semblable, nous dévoilant leurs jambes, qui luisent sous l'éclairage chatoyant du feu.

On n'entend bientôt plus que le souffle des filles en plein effort. Keiko décide tout à coup de changer de tactique. Enlevant carrément sa robe, elle se couche sur le ventre entre les jambes de son mari pour reprendre son pénis entre ses pieds, mais en se soulevant sur les genoux et en présentant sa croupe à Nobu dans l'espoir de le stimuler visuellement autant que physiquement. Le pauvre essaie de résister pour prolonger le plaisir, mais c'est peine perdue, et il jouit bientôt en poussant un soupir rauque. Keiko lance un petit cri de victoire en passant ses pieds dans le sperme de son mari. Un à un, tous les hommes finissent par se libérer sur les pieds de leur épouse. Les femmes éclatent de rire devant leur succès et, d'un commun accord, elles se relèvent pour venir s'accroupir sur nos visages afin que nous leur rendions la pareille.

Pauline se frotte avec volupté sur mon menton, m'offrant tour à tour sa vulve et son anus, que je lèche à grands coups de langue gourmande. Après avoir enlevé sa robe pour être plus à l'aise, elle se caresse les seins tout en regardant avidement ses compagnes prendre leur plaisir. C'est bientôt un concert de gémissements qui s'élève dans le ciel étoilé de notre petite île. Après avoir joui, Pauline se couche sur moi pour m'embrasser et me caresser le visage de ses longs doigts.

« Hmmm, Martin, ta technique s'améliore. C'est le cadre enchanteur qui te donne des idées, mon amour, ou toutes ces femmes nues ?

— Oh, bien sûr, j'apprécie la vue de ces beaux corps, mais c'est de toi que je m'ennuyais le plus. Je suis si heureux de te retrouver.

— Moi aussi, mon amour, dit-elle en m'embrassant de nouveau. C'est vraiment une bonne idée que tu as eue, cette croisière. Je redécouvre les plaisirs simples de nos corps l'un contre l'autre. Il faudra que nous poursuivions dans cette veine une fois revenus à la maison. Je pourrais suivre des cours de flamenco, ou peut-être de baladi, qu'est-ce que tu en penses ?

— En attendant, il va falloir inventer un jeu pour le jour où ce sera notre tour d'émoustiller nos amis. Pas évident.

— Bah, répond-elle en se tournant sur le dos pour admirer les étoiles, nous trouverons bien, il nous reste encore presque trois semaines. J'ai hâte de découvrir d'autres façons de te stimuler, mon amour, je t'adore. »

En entendant ces mots, je pousse un grand soupir de soulagement. Un poids énorme vient de tomber de mes épaules. J'ignore ce que nous réservent les prochains jours, mais déjà mon but est atteint : ma tendre Pauline a retrouvé le goût des ébats amoureux. Je n'ai alors plus de doute que nous parviendrons, à deux et avec un peu d'imagination, à entretenir longtemps le bonheur de notre couple.

Les filles de Rosaire

Rosaire Tremblay et moi avons terminé nos études en commerce ensemble il y a une trentaine d'années. C'était un bon vivant, plein d'humour. Il savait parler aux femmes. D'ailleurs, il en invitait souvent à l'appartement que nous partagions, pour un petit gueuleton, un digestif, une séance de bécotage et de pelotage, et, lorsque nous étions assez convaincants, de baise intense.

À la fin de nos études, avant que tous les étudiants se dispersent aux quatre vents pour entreprendre leur vie professionnelle, c'est Rosaire qui a organisé le party de finissants. Un vrai de vrai, dont je me souviens comme si c'était hier. Il a eu lieu en bordure d'un beau lac isolé, dans un luxueux chalet des Laurentides qui appartenait au père d'un de ses amis. Nous étions une bonne trentaine de gars et de filles. Du vin, beaucoup de bière, un peu de mousseux, des pizzas et des hamburgers au barbecue, et une ambiance d'enfer.

Rosaire avait tout préparé, depuis les haut-parleurs installés dans les arbres jusqu'aux projecteurs multicolores qui laissaient des zones d'ombre savamment pensées. C'était un samedi soir de canicule à la fin de juin. Nous fêtions la réussite de nos examens, l'obtention de notre diplôme, mais aussi ces quatre années de vie de groupe avec ses hauts et ses bas.

Copains, copines, fiancés et fiancées avaient été proscrits. Seuls les membres de notre cohorte étaient admis. C'était notre party, que nous voulions mémorable et dont les péripéties devaient rester entre nous. Rosaire nous avait fait promettre solennellement de garder secret ce qui se passerait à cette soirée. Il tenait mordicus à ce que nous puissions lâcher notre fou sans crainte de représailles de parents, de conjoints ou des autorités. Prudent avant l'heure, il nous avait même obligés à lui remettre à notre arrivée les clés de nos véhicules, qu'il avait soigneusement enfermées dans un tiroir verrouillé.

Le vaste chalet contenait assez d'espace pour nous accueillir tous. Rosaire avait aussi fait la tournée de ses amis et de ses parents pour recueillir suffisamment de matelas et de sacs de couchage afin que tout le monde puisse roupiller (ou faire autre chose) à son aise.

La soirée a commencé tranquillement, de petits groupes se formant ici et là, les gars d'un bord et les filles de l'autre. Les discussions ont d'abord tourné autour de nos notes, de nos impressions sur les profs, de la saison du Canadien, qui encore une fois s'était fait rapidement sortir des séries, des plus récentes frasques d'acteurs populaires et des projets de vacances de chacun. Mais l'alcool coulant à flots, les choses ont rapidement pris une tournure moins guindée. D'abord les filles, puis de plus en plus de gars, ont envahi la piste de danse pour se trémousser au son des Bee Gees, de Blondie, des Bangles, de Duran Duran, mais aussi de Charlebois, d'Offenbach et de Noir Désir. Rosaire faisait office de D.J. et mêlait savamment rocks endiablés et *slows* langoureux.

Avec la chaleur étouffante qui régnait, les danseurs ont bientôt résolu de se rafraîchir en se jetant à l'eau, sans se préoccuper de maillots de bain. Ils ont sauté à la flotte en caleçon, en slip et en soutien-gorge. Ils se lançaient des brassées d'eau, se tiraillaient et se poussaient afin de s'amener mutuellement à perdre pied. Sous l'eau, d'autres jeux plus sournois se déroulaient aussi. Les gars essayaient de rejoindre les filles pour leur enlever leurs sous-vêtements. Pour se venger, les filles faisaient de même. Au bout d'un petit moment, presque tous les baigneurs étaient nus.

Ceux qui étaient restés sur la grève rigolaient de bon cœur et applaudissaient ce grand strip-tease nautique. Cédant à l'invitation des baigneurs, plusieurs d'entre eux se sont jetés à l'eau à leur tour. Des baigneuses se sont tout à coup retrouvées entourées de deux ou trois gars qui effleuraient qui un sein, qui une fesse ou une cuisse.

Les filles criaient à tue-tête mais ne cherchaient pas à se dérober, semblant même apprécier cette promiscuité qu'elles avaient pourtant toujours refusée à leurs camarades.

Tout à coup, j'ai décidé que ceux qui étaient sur la berge devaient nous rejoindre. En rigolant, six ou sept autres baigneurs et moi les avons traînés et poussés à l'eau tout habillés. Les autres se sont mis à les arroser et à leur arracher leurs vêtements. Quel rêve, toutes les filles de la classe, même les plus prudes, complètement nues et ravies de cette soirée et de cette nuit de folie.

Rosaire, qui était resté à l'écart en surveillant la situation, a alors monté le son pour que le party se poursuive sur la plage, au rythme de mélodies envoûtantes et sensuelles. En sortant de l'eau, nous avons cherché nos vêtements, mais comme ils étaient trempés et qu'il faisait chaud, nous avons décidé de poursuivre la soirée nus.

Sous l'influence de l'alcool et de la musique lascive, des couples d'un soir se sont bientôt formés. Les filles avaient perdu leurs inhibitions et acceptaient les avances de mecs à qui elles avaient à peine parlé pendant tout notre baccalauréat. J'ai même entraperçu dans la pénombre certains trios improbables se minoucher. D'autres se baladaient main dans la main dans les petits sentiers de la forêt proche, pendant que des couples se réfugiaient dans des chaises longues, s'embrassant et se caressant à la vue de tous.

Médusé, j'observais cette débauche en sirotant une bière en compagnie de Rosaire, qui était le seul à avoir conservé son pantalon. De nature plutôt timide avec les filles, je n'avais pas hésité à prendre part aux jeux aquatiques, poussé par l'anonymat du groupe, et à déshabiller moi aussi quelques-unes des dernières récalcitrantes. Mais maintenant que les choses sérieuses avaient commencé, j'étais plus hésitant.

Pendant quatre ans, j'avais fantasmé sur Louise, une belle grande brune bien proportionnée, intelligente, mais très réservée. Elle faisait partie de la petite clique de filles studieuses d'Outremont qui se tenaient toujours ensemble à la cafétéria de l'université et qui refusaient presque toutes les invitations, que ce soit pour aller voir un film ou prendre un verre. Mais voilà qu'elle était devant moi, nue comme les autres. Je pouvais à loisir admirer ses longues jambes, sa taille mince, son abondante toison et ses petits seins, aux aréoles d'un rose un peu plus foncé que sa peau claire. Déhanchée, une bouteille de bière à la main, l'autre main derrière la nuque, comme pour mieux projeter sa poitrine en avant, elle me regardait en souriant avec une lueur coquine dans les yeux.

« Alors, Paul, me dit-elle de sa voix chaude, on ne danse plus ?

— Euh, si, si, Louise, je dansais tout à l'heure, mais là j'essayais de décider avec Rosaire quelle toune mettre.

— Pourquoi pas un *slow* ? J'adorerais danser avec toi. C'est à peine si tu m'as adressé la parole de toute la soirée. Allez, viens. »

Joignant le geste à la parole, Louise a posé sa bière sur une table et m'a pris par la main pour m'entraîner vers la plage pendant que Rosaire, amusé par l'attitude soudain dévergondée de la prude Outremontaise, s'est empressé de faire jouer *Love me Tender*. Louise et moi étions tous deux dans le plus simple appareil. Décontenancé, je la fixais, hésitant sur l'attitude à adopter. Je n'aurais pas demandé mieux que de la sauter immédiatement, mais malgré son attitude plus sensuelle que sur les bancs de la fac, je sentais instinctivement que je devais la laisser prendre l'initiative. Pour ne rien brusquer, nous dansions donc en gardant entre nous une petite distance. Je lui tenais une main, pendant que l'autre enserrait sa taille, à distance respectueuse de ses fesses. Pour sa part, Louise avait la main sur mon épaule et se déhanchait langoureusement au son des paroles sirupeuses de Presley. Après quelques pas maladroits dans le sable, elle s'est rapprochée jusqu'à ce que nos corps se joignent et m'a embrassé, d'abord tendrement, puis avec beaucoup plus de fougue. Après quatre ans d'attente, mon rêve se réalisait enfin. Ma langue bataillait ferme avec celle de la belle Louise, si hautaine la veille encore.

À chaque mouvement, ses seins se frottaient contre mon torse et je sentais ses mamelons durcir. Loin d'être indifférent, mon pénis s'est mis à allonger contre son ventre. En fine renarde qui guette sa proie, elle sentait mon excitation ainsi que ma gêne. Elle a alors mis ses deux mains sur mes fesses pour me serrer encore plus fort contre elle, plaquant sans vergogne son pubis contre mon sexe. Mon excitation devenait de plus en plus évidente. Je l'ai enveloppée de mes bras tout en cherchant sa bouche à nouveau. Nos pas de danse se faisaient de plus en plus hésitants. Nos corps, soudés, bougeaient à peine.

À la fin de la chanson, j'ai attiré Louise vers la maison pendant que Rosaire enchaînait en rigolant avec un rock beaucoup plus dynamique. À l'intérieur, des couples dispersés ça et là faisaient l'amour. La vue de nos camarades qui s'embrassaient et se caressaient nous a excités, mais Louise et moi recherchions plus d'intimité. Nous l'avons trouvée dans la salle de billard, où un matelas gonflable avait été étendu sur le sol, à demi-dissimulé par l'énorme table de billard en bois massif. Je l'ai entraînée gentiment, l'invitant à s'y étendre. J'ai délicatement écarté ses jambes et les ai repliées sur sa poitrine, exposant son sexe divinement hirsute. Sans autre préliminaire, ma bouche et ma langue se sont mises à explorer ce nid douillet, attrapant en même temps les deux magnifiques seins ronds qui m'avaient tellement fait fantasmer. J'avais envie de lui faire l'amour… et que ça dure toute la vie.

Louise s'est laissé caresser en gémissant doucement. J'étais maintenant celui qui prenait l'initiative et ça me plaisait. Je la sentais excitée. Son sexe était de plus en plus mouillé. Je léchais son clitoris avec vigueur, puis avec plus de douceur, alternant savamment mes cajoleries. J'entendais ses murmures, ses petits cris, son plaisir qui grandissait au rythme de mes caresses. Au bout de quelques minutes, elle a joui en lâchant un long râle. Elle m'a alors saisi la tête à deux mains pour m'embrasser et goûter sur mes lèvres le nectar de son corps excité. Elle m'a attiré contre elle et, pendant que nos langues reprenaient leur ballet endiablé, elle m'a renversé sur le dos. Elle voulait me chevaucher. Elle s'est accroupie au-dessus de mon membre dur et l'a enfilé sans plus attendre entre ses lèvres dorées. J'étais au septième ciel.

Sa chatte mouillée montait et descendait sur mon pénis. Elle avait les jambes écartées face à moi et je voyais ses cuisses et ses seins qui tressautaient à un rythme de plus en plus rapide. Je pouvais admirer la beauté de son corps : ses jambes fermes, son ventre plat, ses seins juste de la bonne taille et son sexe juteux et accueillant. Elle contrôlait notre plaisir par la vitesse de son mouvement de va-et-vient. J'ai senti qu'elle approchait d'un autre orgasme. J'étais moi-même sur le point d'éclater lorsqu'elle a de nouveau poussé un cri rauque. Nous avons joui en même temps. Un orgasme tellement fort que j'en ai eu les larmes aux yeux. Louise s'en est aperçue et s'est étendue à mes côtés pour m'étreindre et m'embrasser tendrement.

Nous avons fait l'amour à plusieurs reprises cette nuit-là, en explorant chaque fois une autre facette de nos corps et de notre sensualité, en éprouvant un ravissement et un plaisir uniques. J'ai pensé que ce devait être ça l'amour véritable, celui qui fait qu'on veut passer toute notre vie ensemble. Louise avait la tête sur mon épaule, et elle a senti que j'étais sur le point de dire une grosse bêtise. Elle a mis un doigt sur mes lèvres en murmurant :

« Non, Paul, tais-toi. Tu as été un amant merveilleux. Mais je pars après-demain pour Rouyn, où mon fiancé m'attend. Gardons ce moment unique juste pour nous deux. »

Au petit matin, j'ai été réveillé par les rires et les exclamations de mes camarades qui se préparaient à partir. Il nous fallait rejoindre le groupe. Le moment des dernières salutations et embrassades était venu ; chacun allait commencer sa nouvelle vie. Louise est partie en début de matinée. Après une dernière étreinte, je l'ai laissée s'envoler, le cœur lourd, en sachant qu'elle était mon premier amour et que son souvenir resterait pour toujours gravé dans ma mémoire.

Rosaire, qui nous avait vus quitter la fête main dans la main, s'est aperçu de mon trouble. Il a essayé de me réconforter en me lançant des platitudes du genre « Une de perdue, dix de retrouvées », mais je n'avais jamais eu sa facilité à « lever des pigeons », comme il disait, et je savais au fond de moi que Louise serait difficile, voire impossible à remplacer. Mon ancien colocataire m'a ensuite confirmé que lui aussi partirait dans quelques jours rejoindre son coin de pays, dans le Bas-du-Fleuve. Son père l'y attendait afin de le préparer à reprendre le restaurant dont il était propriétaire.

Je n'ai jamais revu Louise. J'ai su par d'anciens camarades d'université qu'elle avait épousé un médecin de Rouyn cet été-là et qu'elle a eu trois enfants, maintenant adultes. Je repense souvent à notre nuit d'amour. J'espère qu'elle ne regrette pas sa vie rangée en Abitibi. Elle me manque encore, mais j'en ai pris mon parti. Peut-être un jour nos chemins se croiseront-ils à nouveau…

Quant à moi, comme je l'avais pressenti, je n'ai jamais retrouvé l'amour et, à bientôt cinquante-cinq ans, je suis toujours célibataire. Oh, il y a bien eu quelques histoires d'un soir ou de petites aventures, mais jamais avec une autre Louise.

Pour ce qui est de Rosaire, je l'ai revu une ou deux fois par année depuis qu'il est rentré dans son patelin il y a trente ans. J'ai été invité à son mariage et j'ai passé quelques vacances en compagnie de sa petite famille. Nous nous parlons régulièrement au téléphone pour prendre des nouvelles l'un de l'autre et pour échanger sur les difficultés et les succès de nos deux établissements. Car, moi aussi, je suis devenu restaurateur, à Longueuil, et mon commerce fonctionne bien.

Rosaire vient tout juste de m'informer que le principal employeur de sa ville a mis la clé sous la porte, poussant au chômage plusieurs centaines de salariés et, par ricochet, réduisant à néant la clientèle de son restaurant. Le syndic vient d'ailleurs de fermer son établissement, et on lui a saisi tous ses biens. Il a à peu près tout perdu, le pauvre, hormis quelques économies. Ses employés n'ont plus de travail, dont ses trois filles : Isabelle, l'aînée, Laurence, la cadette, et Laurie, la benjamine. Trois jeunes femmes dans la vingtaine, capables, m'assure-t-il, de remplir une foule de fonctions dans un restaurant : maître d'hôtel, capitaine, hôtesse à l'accueil ou serveuse. Je me rappelle vaguement les avoir vues lorsqu'elles étaient enfants. Un peu gêné, Rosaire m'a demandé si je pouvais les accueillir en ville et les aider à se trouver un emploi à Montréal. Bien entendu, j'ai tout de suite acquiescé, heureux de rendre service à mon vieux camarade.

Les demoiselles arrivent quelques jours plus tard à Longueuil, où je passe les accueillir au terminus d'autobus. On ne s'est pas vus depuis des années, mais elles me reconnaissent sans difficulté. Heureusement, parce que de mon côté j'en aurais été bien incapable. Les trois fillettes tapageuses de jadis sont en effet devenues de magnifiques jeunes femmes, deux brunes et une châtaine. Elles semblent excitées d'arriver à Montréal et peut-être aussi d'entreprendre une nouvelle vie loin de leurs parents.

Comme je suis aussi propriétaire d'un immeuble résidentiel où se louent des appartements meublés, je les installe dans un logement de trois chambres qui vient de se libérer. J'avais déjà fait les courses afin qu'elles ne manquent de rien pendant plusieurs jours. Ensuite, nous allons manger tous les quatre à mon restaurant afin de faire plus ample connaissance. Ce sont des femmes très ouvertes et sans pudeur. Peut-être en raison des liens qui nous unissent, leur père et moi, elles n'ont aucune difficulté à me raconter leur vie, leurs désirs, leurs ambitions, leurs rêves, sans oublier les difficultés que la famille a vécues depuis la fermeture du restaurant familial. Autour d'un pousse-café, je leur demande ce qu'elles pensent de mon établissement. Elles se disent impressionnées par la qualité du menu, la beauté du décor et le bel accueil.

« Aimeriez-vous y travailler ? Je suis toujours à la recherche d'employés compétents. Le roulement de personnel est beaucoup plus élevé ici qu'en région. »

Emballées, toutes trois acceptent d'emblée ma proposition. En les raccompagnant à leur nouveau logement, je leur donne rendez-vous pour le lendemain afin que nous poursuivions nos discussions. Elles me remercient chaleureusement. Chacune m'embrasse sur les deux joues en me serrant dans ses bras avant de descendre de voiture. Trois accolades de belles jeunes femmes qui me laissent un peu décontenancé. Je suis séparé depuis trois ans de ma dernière flamme (oserais-je dire flammèche ?) et, comme je travaille beaucoup, j'ai investi très peu de temps dans ma vie amoureuse. Mais ce sont les filles de Rosaire et, même si elles sont très attirantes, je ne peux ni ne veux me permettre quelque pensée équivoque que ce soit.

Le lendemain, elles m'attendent sur le perron. À la vue de leur petite valise à leur arrivée, je me suis douté qu'elles avaient besoin d'un peu de tout. Je les emmène donc rue Sainte-Catherine, à Montréal, pour faire les boutiques.

« Faites-vous plaisir, les filles, achetez tout ce qu'il vous faut ! »

Après quelques secondes d'hésitation et de protestation, promettant de me rembourser dès qu'elles auront un salaire, elles se lancent à fond de train dans les rayons des boutiques. Avant chaque achat, j'ai droit à une présentation ou à un petit défilé impromptu. Trois jolies jeunes femmes qui déambulent pour obtenir mes commentaires suscitent des envies que je m'empresse de refréner. Elles me demandent mon accord et, bien sûr, l'obtiennent. La partie la plus délicate est celle du choix de la lingerie. Je reste un peu à l'écart, mais je les vois comparer leurs trouvailles. Enthousiastes, elles me montrent finalement ce qu'elles souhaitent acheter : soutiens-gorge, slips, bas de nylon, etc. Avec un petit sourire gêné, je les invite à passer à la caisse. En les raccompagnant à leur appartement, je donne à chacune trois cents dollars d'avance sur leur salaire. Comblées et rouges de gêne, elles ne cessent de me répéter qu'elles n'ont jamais espéré être aussi choyées. J'ai encore droit à des accolades et à des baisers plutôt troublants.

Elles commencent à travailler au restaurant le lundi suivant. Je leur ai demandé, afin de pouvoir leur assigner une fonction et de les mettre en contact avec le personnel de cuisine et le reste du personnel de salle, d'arriver une heure plus tôt. Pour les évaluer, je les affecte d'abord toutes les trois au service aux tables. Je constate rapidement qu'elles ont effectivement de l'expérience et sont très gentilles avec la clientèle. En moins d'une semaine, elles deviennent les stars du restaurant. Tous les clients veulent être servis par l'une d'elles. Elles gagnent vite pas mal d'argent, car les pourboires sont plutôt généreux. Ravies de leur nouvel environnement et de leur emploi, elles ne manquent pas une occasion de me remercier. C'en est presque gênant, et je me tue à leur répéter que je ne leur fais aucune faveur et que c'est à la sueur de leur front qu'elles acquièrent leur réputation.

Deux semaines après leurs débuts, l'aînée, Isabelle, que je trouve particulièrement sexy, vient me voir dans mon bureau.

« Paul, je peux te déranger une minute ?

— Bien sûr. Il y a un problème ?

— Non, tout va bien. Je voulais juste t'inviter à notre appartement jeudi soir. On te propose un petit gueuleton typique du Bas-du-Fleuve préparé par nous trois.

— Avec grand plaisir, Isabelle ! Qu'est-ce que j'apporte ?

— Rien, on s'occupera de tout. À jeudi, alors ? » conclut-elle avec un sourire.

En me croisant dans le restaurant un peu plus tard, Laurence et Laurie m'assurent à tour de rôle qu'elles sauront bien prendre soin de moi.

Cette invitation me plaît et m'intrigue.

Je frappe donc à leur porte vers dix-neuf heures ce jeudi du mois d'août avec en main, malgré leur insistance, deux bonnes bouteilles de champagne. Laurie, la plus jeune, m'accueille vêtue d'une magnifique robe courte au large décolleté. Elle m'embrasse tendrement sur les joues avant de me faire signe d'entrer. C'est une soirée chaude, et toutes les trois portent de belles robes en tissu imprimé qui mettent en valeur leurs charmes. Pendant que Laurence met mon champagne au frais, Isabelle m'invite à m'asseoir au salon.

Laurence revient de la cuisine avec quatre coupes d'un autre champagne, du rosé Perrier, mon préféré. Installées côte à côte dans la causeuse juste en face de moi, elles s'animent en me racontant leur vie au restaurant, dans ce quartier qu'elles apprennent à découvrir, leurs incursions à Montréal et le dernier James Bond qu'elles ont vu au cinéma. Pendant qu'elles parlent, malgré tous mes principes, je ne peux empêcher mes yeux de glisser le plus discrètement possible sur leurs jeunes corps. De temps à autre, leurs jambes s'entrouvrent, me laissant découvrir le haut de leurs cuisses et deviner leurs petites

culottes. Je suis bientôt convaincu qu'elles s'en rendent parfaitement compte puisque, à plusieurs reprises, en me servant des canapés ou du champagne, elles se penchent et laissent impudiquement s'ouvrir leur décolleté. Laurie a une petite poitrine aux gros mamelons et les deux autres, des seins plus lourds qui se tiennent néanmoins bien droits. Aucune ne porte de soutien-gorge et, quand elles se rassoient, elles ne font pas grand effort pour empêcher le bas de leur robe de remonter sur leurs belles cuisses bronzées. Le champagne aidant à dissiper mes réticences, je me rince l'œil, de plus en plus persuadé que les trois sœurs sont complices et très conscientes de l'effet qu'elles me font.

Nous passons ensuite à table. Compte tenu de la chaleur moite de cette soirée d'août, les filles ont renoncé aux plats traditionnels de leur coin de pays pour servir un carpaccio, suivi d'une entrée de crevettes. Comme plat principal, ce sont des scampis avec du riz. Finalement, le dessert est une tarte aux bleuets, dont la recette vient de leur maman. Tout le repas est bien arrosé, et nous finissons sans difficulté les bouteilles de champagne que j'ai apportées. Après le dessert, devant un bon café, Isabelle prend la parole.

« Paul, nous voulons te remercier à nouveau de tout ce que tu as fait pour nous. »

Les sœurs me regardent avec de grands yeux noyés d'eau et j'en suis ému. Laurence poursuit :

« Nous voulons t'offrir un cadeau, un cadeau qu'il est impossible de trouver en magasin.

— Notre père m'a confié que c'est lui qui avait organisé votre soirée de finissants, reprend Isabelle avec un air faussement pudique. Il m'a aussi raconté qu'il avait fait jurer à tous les participants de garder le secret sur ce qui s'est passé pendant cette nuit de canicule. Bien entendu, il ne nous a jamais rien révélé, mais, au fil des années, j'ai cru comprendre que cela avait été plutôt débridé. Ce soir, Paul, trente ans plus tard, nous voulons te proposer de refaire le même serment. Nous devons nous engager tous les quatre à ne jamais dévoiler ce qui va se passer ici ce soir.

— Nous allons te prendre en charge toutes les trois et nous voulons que tu vives une des plus belles nuits de ta vie, continue Laurie. Même si tu es plus âgé que nous, Paul, tu nous plais, tu es un très bel homme et tu t'es très bien occupé de nous depuis notre arrivée en ville. C'est pourquoi nous t'avons préparé un après-dessert qui, nous l'espérons, te comblera.

— Laisse-toi faire et profite pleinement de l'instant», conclut Laurence.

La beauté de ces jeunes femmes, conjuguée à l'ambiance sensuelle qui règne ici, à la musique envoûtante ainsi qu'aux libations généreuses, a fait fondre toutes mes réserves. Curieux et plus qu'émoustillé, je m'engage donc volontiers à garder le silence sur une soirée et une nuit de félicité qui resteront pour toujours entre nous. Laurie est la première à se lever et à venir vers moi. Elle s'assoit sur mes genoux et me prend la tête entre ses mains pour m'embrasser comme il y a longtemps que je ne l'ai été. Sa petite langue pointue s'insère dans ma bouche et s'enroule autour de la mienne. J'en ai le souffle coupé! Sous le regard approbateur de ses sœurs, elle me tend ensuite la main et m'invite à la suivre.

Nous nous dirigeons vers la salle de bain. Laurie ferme la porte, se colle contre moi et m'embrasse à nouveau, mais avec beaucoup plus de tendresse. Elle commence à détacher un à un les boutons de ma chemise et, avant de m'enlever mon pantalon, fait couler la douche en ajustant soigneusement la température de l'eau. Elle enlève sa robe, me dévoilant la petite poitrine ferme que j'avais entrevue plus tôt, mais bizarrement elle conserve son slip, dont la transparence ne cache de toute façon pas grand-chose. Son nombril est percé et elle arbore une série de jolis signes chinois tatoués le long de sa colonne vertébrale. J'essaie de calmer les pulsions qui s'emparent de mon bas-ventre.

M'invitant à la suivre dans la douche, elle commence à me laver avec un savon liquide très doux qui sent la lavande. L'eau tiède nous asperge tous les deux. Son slip mouillé laisse transparaître son sexe rasé court. Les mamelons durcis de ses beaux petits seins se collent contre moi pendant qu'elle me frotte énergiquement. Puis Laurie se place derrière moi pour me savonner tendrement les oreilles, le cou, les épaules et le dos. Parvenu aux fesses, elle ralentit le rythme, qui devient presque caresse. Elle me les écarte et y passe lentement un doigt savonneux tout en s'attardant sur mon anus, qu'elle chatouille délicieusement en roucoulant. Mon pénis devient de plus en plus dur. Avec un petit rire cristallin, et ses mamelons plaqués contre mon dos, Laurie s'en empare de la main droite pour le savonner à son tour d'un petit mouvement de va-et-vient, passant et repassant ses longs ongles vernis sur mon gland distendu. Veut-elle me faire venir tout de suite? me dis-je, très excité. Mais non, elle poursuit en me savonnant les jambes.

Laurie s'accroupit ensuite devant moi pour prendre chacun de mes pieds entre ses mains. En me jetant une œillade lubrique, elle les dépose tour à tour sur son pubis trempé pour en masser délicatement la plante. Me prenant au jeu, je tortille les orteils pour essayer de les insérer sous la bande élastique de sa culotte. Avec un petit rire, Laurie se dérobe. Je grogne de dépit. De toute évidence, ces ablutions ne sont qu'un prélude, je dois donc ronger mon frein et laisser ces trois sorcières progresser à leur rythme. Laurie se relève en passant langoureusement ses mains savonneuses le long de mes jambes de bas en haut. Encore une fois, elle se sert de ses ongles pour me faire frémir de désir en gratouillant l'intérieur de mes cuisses, sans oublier au passage de soupeser mes testicules, qui deviennent de plus en plus lourds.

En remontant vers mon torse, Laurie m'embrasse et cherche ma langue pendant que ses mains enserrent délicatement mon pénis gonflé. La façon dont cette jeune femme prend plaisir à me caresser est divine. Je suis totalement à sa merci et sur le point d'exploser à plusieurs reprises. Mais la sournoise s'en rend compte et interrompt chaque fois ses câlineries pour m'empêcher de jouir trop vite. À la fin, elle me rince tout le corps avec le pommeau de la douche. Puis elle m'essuie avec une grande serviette en s'attardant sur mes parties les plus sensibles. Pendant ce temps, je lui caresse les seins et me penche pour lécher ses mamelons durcis. J'ai tellement envie d'elle, de cette jeune femme de trente ans ma cadette, mais ô combien désirable !

Après avoir revêtu un peignoir, Laurie ouvre la porte de la salle de bain et m'entraîne vers l'une des trois chambres. Uniquement vêtue d'une grande chemise blanche semi-transparente qui laisse entrevoir sa chatte et ses magnifiques seins en forme de poire, Laurence est là pour m'accueillir. Laurie se retire en me donnant un dernier baiser. Nu comme un ver et bandé comme un cheval, je me sens un peu ridicule, mais de sa voix chaude et sensuelle, Laurence m'enjoint de m'étendre à plat ventre sur la grande table de massage qui m'attend, puis me couvre les jambes jusqu'aux fesses d'un léger drap blanc. Elle m'informe qu'elle est également massothérapeute diplômée, mais que ce soir elle va s'ingénier à explorer des avenues qui ne sont enseignées dans aucune bonne école. Elle commence par les touchers et les pressions d'un massage d'épaules traditionnel. Après ce que je viens de vivre avec Laurie, cela fait baisser ma tension sexuelle. Mais cette pause ne dure pas très longtemps.

Les longs doigts vigoureux de Laurence me massent délicieusement le cou, les épaules et le dos avec force et dextérité. Complètement détendu, je m'abandonne. Elle fait ensuite glisser le drap qui me couvre. Je sens alors ses mains empoigner mes fesses, les écraser et les presser fermement. Son toucher est sensuel, entreprenant. Pendant qu'elle triture chacun de mes globes de la paume, l'extrémité de ses doigts s'insère insidieusement dans ma craque. Je sens tout à coup qu'elle y verse de l'huile tiède, lubrifiant ainsi mon orifice arrière. D'un lent mouvement circulaire sur mon anus, elle y insère lentement un doigt jusqu'à la deuxième phalange. Je n'ai jamais vécu pareille expérience et la sensation est double : d'abord une légère douleur, puis le plaisir et un sentiment de chaleur qui envahissent graduellement mon bas-ventre. Laurence me pénètre ainsi à répétition tout en me murmurant à l'oreille de me détendre et de lui faire confiance. Sous l'influence de cette caresse des plus intimes, ma queue se raidit à nouveau sous mon ventre.

Laurence se redresse alors pour retirer d'un geste preste sa chemise, ce qui me permet d'admirer sa lourde poitrine et sa chatte à l'état naturel. Ses mamelons sont beaucoup plus petits que ceux de sa sœur, mais aussi rigides. Surtout, ils sont entourés d'énormes aréoles très foncées. Elle me demande de me retourner. Elle peut alors apercevoir mon pénis qui a fière allure, dressé bien droit. Un large sourire sur les lèvres, elle me touche les oreilles, le cou, les pectoraux et l'estomac. Puis, tout à coup, elle grimpe sur la table, la tête vers mon sexe et les jambes de chaque côté de ma propre tête. Se penchant, elle me masse les cuisses en enfonçant ses ongles dans ma peau hypersensible. Son sexe avance et recule pour s'arrêter chaque fois à quelques centimètres de ma bouche. J'étire la langue pour y toucher, mais peine perdue, elle reste hors d'atteinte. C'est une autre diablesse, me dis-je, qui prend plaisir à me torturer. Je la sens pourtant aussi excitée que moi. Lorsqu'elle met fin au massage de mes jambes, son cul s'arrête presque sur mes lèvres. J'ai le nez entre ses fesses et la bouche sur sa vulve. Enfin !

Arquant un peu plus le dos, Laurence entreprend de masser ma verge, ses mains montant et descendant à répétition sur mon sexe qui n'en finit plus de durcir. Elle l'enfourne finalement dans sa bouche pendant que je lèche avec délectation sa fente et ses lèvres mouillées. Son cul est divin et j'en hume avec bonheur l'odeur musquée en éprouvant une excitation de plus en plus grande. Elle me suce, me déguste avec sa langue et enfouit ma queue dure presque jusqu'au fond de sa gorge. Au bout de quelques minutes d'intense plaisir partagé, je sens mes couilles se serrer et ma semence commencer à monter. Laurence le devine et interrompt sa merveilleuse fellation pour descendre de la table, à mon grand désarroi. Je lâche un grognement de frustration.

« Ne t'impatiente pas, Paul, dit-elle en pouffant de rire. La nuit est encore jeune. Laurie et moi sommes là uniquement pour préparer le terrain. Isabelle nous en voudrait de te laisser venir trop vite. C'est son droit d'aînesse qui est en jeu !

— Grrrr ! dis-je d'un ton mi-colérique, mi-affectueux. Vous êtes des diablesses toutes les trois ! Ne puis-je au moins te faire jouir, toi ? Ça me comblerait.

— Non, Paul, ce soir, seul ton plaisir compte. Tu nous as assez gâtées depuis notre arrivée, c'est ton tour. »

Laurence décide de terminer son massage par des étirements d'orteils et des pressions sous mes pieds. À la fin, elle s'approche de mes lèvres et me donne un baiser brûlant qui goûte nos deux sexes.

« Détends-toi », murmure-t-elle avant de quitter la chambre en m'y laissant seul et très excité.

Quelques secondes plus tard, c'est au tour d'Isabelle de faire son entrée. Contrairement à ses sœurs, elle ne s'est pas changée et porte les mêmes vêtements qu'au souper. De ma place, je peux voir ses longues jambes fines et bronzées se prolonger jusque sous sa petite robe. Ses pieds fins aux ongles rouge vif sont enserrés dans des sandales aux talons plats. Un sourire coquin illumine son visage encadré de longues mèches brunes légèrement bouclées. Au moyen de la serviette chaude qu'elle tient dans les mains, elle éponge lentement l'huile qui recouvre mon corps, tout en évitant ma queue bandée. Elle m'enveloppe ensuite dans un grand drap de bain et m'invite à la suivre. Je ne me fais pas prier. Des trois sœurs, même si les deux autres sont fort désirables, c'est Isabelle que je préfère. Elle nous entraîne vers la plus spacieuse des trois chambres, où elle m'invite à prendre place sur une des deux chaises qui font face au lit. Seules deux petites lampes de chevet éclairent la pièce d'une douce lumière tamisée.

« Paul, dit-elle alors en se tournant vers moi avec un grand sourire, je sais que Laurie et Laurence t'ont bien torturé ce soir, c'était prévu. Mais maintenant, si tu le souhaites, tu peux terminer la nuit en ma compagnie. Je suis à toi, disponible pour tous tes fantasmes. Demande-moi ce que tu veux, je suis prête à réaliser tous tes désirs, même les plus fous. J'ai furieusement envie de toi ! »

Je n'en reviens pas, cette superbe jeune femme de vingt-huit ans s'offre à moi sans contrainte ! Plusieurs fantasmes qui sommeillaient dans mon imagination se bousculent soudain. J'ai de la difficulté à savoir par où commencer. Comme elle est toujours debout devant moi, je la dévisage, les yeux pétillant de désirs inassouvis.

« Ma chère Isabelle, lui dis-je, vous me comblez toutes les trois ce soir, et moi aussi j'ai furieusement envie de toi. Si tu es prête à te plier à mes ordres, j'aimerais d'abord que tu t'assoies sur cette chaise face à moi et que tu ouvres lentement les jambes. Je veux que tu découvres peu à peu tes cuisses en soulevant ta robe jusqu'à ta petite culotte. »

Isabelle s'exécute sans mot dire, ses yeux plongés dans les miens. Elle écarte les jambes et remonte lentement ses mains sur ses cuisses, centimètre par centimètre, jusqu'à atteindre le haut de ses hanches, découvrant sa culotte blanche. C'est un geste éminemment sensuel et évocateur que j'avais vu au cinéma et qui m'avait beaucoup excité. Ce que je vois devant moi l'est tout autant.

« Je veux que tu enlèves ta robe et que tu te caresses les seins d'une main et le sexe de l'autre sans ôter ton slip. »

D'un geste empreint de sensualité, Isabelle fait alors glisser sa robe au-dessus de sa tête, ses cheveux retombant en cascade sur sa poitrine, qui m'est maintenant offerte dans toute sa splendeur. Elle bombe le torse pour faire ressortir ses seins. Tout comme Laurence, elle a de petits mamelons qui couronnent de larges aréoles. Quel plaisir de pouvoir comparer ainsi coup sur coup les trois sœurs ! Sans quitter mes yeux du regard, Isabelle soulève ses deux seins avec ses mains, les pressant délicieusement l'un contre l'autre. Ses longs doigts parcourent ensuite son cou, ses bras, puis son ventre, avant de revenir pincer et étirer ses mamelons, qui sont maintenant durs et dressés. Tout en continuant de les taquiner de la main gauche, elle glisse sa main droite vers son pubis. Ses doigts s'activent sur le tissu de sa belle culotte blanche. De ma place, je peux voir la douce moiteur qui la mouille tranquillement, la rendant presque transparente. Avec soulagement, je me rends compte que la damnée mode des chattes rasées n'a pas encore gagné les régions : le sexe d'Isabelle est bien fourni, d'une belle toison sombre et bouclée.

Ses caresses nous émeuvent tous les deux. Pendant que j'écoute, ravi, ses petits gloussements de plaisir, je retire le drap de bain qui me couvre pour laisser paraître mon érection.

« Enlève ton slip, lui dis-je d'une voix rauque, et caresse-toi le clitoris et l'intérieur de tes lèvres juteuses. »

Pour ma part, je palpe doucement mon pénis de ma main droite. Je tiens à garder le contrôle de moi-même afin de poursuivre ce jeu sexuel le plus longtemps possible. Isabelle ne quitte pas des yeux le mouvement de mon poignet pendant qu'elle se masturbe. Le rythme de ses frottements s'accélère imperceptiblement.

« Laisse-toi aller, Isabelle, je veux que tu jouisses une première fois pour moi. »

Avec un gémissement sourd, Isabelle ferme les yeux et se caresse le clitoris plus vite. Bien appuyée sur le dossier de la chaise, elle entre d'abord un, puis deux et trois doigts dans son vagin dans un mouvement saccadé de plus en plus rapide. En quelques minutes, son visage se crispe, son souffle s'accélère et elle pousse un cri de jouissance. Cette vue sublime m'incite à me branler plus vite, mais pas trop. Isabelle rouvre les yeux et me regarde en esquissant un sourire empreint de plaisir et de candeur. Elle est complètement nue devant moi et je veux me repaître de toutes les parties de son corps sublime. Pendant que j'admire ses longues jambes musclées qui tressaillent encore, son sexe touffu et ses magnifiques seins, elle reprend lentement son souffle.

« Je veux maintenant que tu te places dos à moi, lui dis-je, à genoux sur le fauteuil là-bas et les jambes écartées. Je veux admirer ton cul dans toute sa splendeur. Tu prendras ensuite tes fesses dans tes mains et, sans perdre l'équilibre, tu écarteras tes fesses. Je veux voir ton anus. »

L'œil allumé, Isabelle n'a aucune hésitation à suivre mes directives. Après avoir enlevé ses sandales, elle se place à genoux sur le fauteuil et, en me regardant par-dessus son épaule, elle place lentement ses mains sur ses fesses. Les empoignant solidement, elle les écarte, dilatant par la même occasion son petit trou, lui aussi entouré de poils follets.

« Bien, Isabelle, dis-je d'une voix de plus en plus haletante. Maintenant, mouille ton majeur droit, pénètre ton anus et masturbe-toi le derrière. »

Loin d'être rebutée par mes demandes de plus en plus osées, Isabelle pousse un gémissement de plaisir en se suçant longuement l'index afin de bien l'enduire de salive. Toujours sans perdre mon regard de vue, elle l'insère ensuite dans son anus dilaté. Rencontrant un peu de résistance, elle répète ce manège à quelques reprises jusqu'à ce que son doigt y soit enferré presque jusqu'à la paume. Elle se dandine alors l'arrière-train pour se donner plus de plaisir, allant même jusqu'à y entrer deux autres doigts. Au bout de quelques minutes à la voir se caresser ainsi, je n'en peux plus. Je me lève et me précipite sur elle. Je retire délicatement ses doigts pour les remplacer par ma langue. Je lui lèche amoureusement toute la longueur de la craque avant de m'attarder à son anus, maintenant bien ouvert, que je lape avec passion.

Isabelle gémit de plaisir en continuant d'agiter les fesses et d'onduler du dos. Je suis de plus en plus excité. Je la prends dans mes bras pour la déposer sur le lit. Elle s'y affale de tout son long et me tend les bras pour que je la rejoigne. Après son cul, je m'agenouille entre ses jambes pour goûter à son sexe. Tandis que je promène lentement ma langue entre son clitoris et ses lèvres, je sens sa jouissance qui monte de nouveau. J'ai moi aussi une très grande envie de jouir. Ma queue est très dure et n'en peut plus de se retenir. En un instant, je change alors de position et m'étends sur elle pour la pénétrer avec vigueur. Nos corps s'embrasent de concert et, en quelques minutes, nous jouissons tous les deux pendant qu'elle me laboure le dos avec ses ongles.

C'est un moment de grâce, de plaisir incommensurable comme j'en ai rarement connu depuis ma nuit d'amour avec Louise. Je m'affale ensuite pour savourer ce moment d'extase. Isabelle cale sa tête au creux de mon épaule tout en me caressant le ventre avec tendresse. Le reste de la nuit, elle me fait l'amour à deux autres reprises en m'amenant chaque fois à de nouveaux paroxysmes de plaisir. Je profite égoïstement de tout ce qu'elle m'offre, m'en donnant à cœur joie sur ce jeune corps souple prêt à assouvir tous mes caprices avant de m'endormir dans ses bras.

Au petit matin, je me réveille seul dans le grand lit, au son des casseroles qui s'entrechoquent dans la cuisine. Enfilant le peignoir laissé à mon intention sur un fauteuil, je vais retrouver mes trois déesses, qui se préparent à servir le petit déjeuner. Assis tous les quatre autour de la table, je ne sais comment les remercier pour les moments uniques qu'elles m'ont offerts. Juste comme elles s'emploient à me convaincre que tout le plaisir a été pour elles, le téléphone sonne. C'est Isabelle qui répond.

« Tiens, bonjour papa, comment vas-tu ? Attends, je vais mettre le téléphone mains libres pour qu'on t'entende toutes les trois, dit-elle en nous jetant un regard où ne pointe ni panique ni détresse.

— Bonjour, mes princesses, j'espère que ça se passe toujours bien pour vous à Longueuil. Maman et moi, on parle de vous tous les jours et on s'ennuie.

— Nous aussi, papa, on s'ennuie de vous, mais ne vous inquiétez pas, nous sommes très heureuses ici, et ton ami Paul a été extraordinaire avec nous, répond Laurie en se retenant de rire.

— Je suis content, c'est un bon ami et je vais essayer de voir comment le remercier pour ce qu'il fait pour vous.

— Ne t'en fais pas pour ça, papa, rétorque Isabelle, on y a déjà pensé. On l'a invité à souper hier soir. Et puis, Paul insiste pour dire que notre seule présence est déjà un cadeau pour lui. Il ne veut accepter rien d'autre, ajoute-t-elle en me lançant une œillade complice.

— Tant mieux alors, ça me rassure, dites-lui que je l'appellerai un de ces quatre.

— Nous n'y manquerons pas, papa, bonne journée à vous deux », entonnent en chœur les trois sœurs.

Isabelle raccroche le téléphone en éclatant d'un rire joyeux. Les trois filles me décochent ensuite un regard lourd de sous-entendus en se prenant les mains et en les levant en l'air comme un boxeur qui vient de mettre son adversaire K.-O.

« Toutes pour une, une pour toutes ! crient-elles en chœur.

— Ce que papa et maman ignorent ne peut pas leur faire de tort, dit sagement Isabelle avec une autre œillade.

— Et puis, nous aussi, on peut avoir nos secrets, ajoute Laurence.

— Ouais, conclut Laurie avec un petit rire, je suis certaine que Paul sera d'accord avec nous sur ce point ! »

Ouf, me dis-je, il faudra que je me morde les lèvres la prochaine fois que je verrai Rosaire.

Chair d'un soir

La séduction est aussi essentielle et imprévisible que le bonheur. Mais si on veut jouer du cul, il faut savoir ne pas trop jouer du cœur, telle est ma maxime.

Un soir d'été, déjà dans ma cinquantaine avancée, coulant une douce retraite derrière un célibat assuré et dans une paix intérieure bienfaisante, voilà qu'une amie d'enfance, comme une miette de vie, me téléphone pour m'inviter à siroter un verre sur une terrasse.

Cette rare occasion surgit comme une étoile filante et j'accepte d'emblée, pour tromper mon ennui et divertir ma quiétude. Le lendemain à l'heure convenue, rasé de près, parfumé, j'arrive pour la cueillir dans mon cabriolet, presque heureux.

Juste avant de descendre de la voiture, elle me tend une photo sortie de son sac à main en me disant:

«Je te présente Mia, c'est une nouvelle copine qui va se joindre à nous.»

Devant le bar-terrasse à ciel ouvert où nous nous retrouvons, je vois Mia qui s'approche. Après les présentations d'usage, j'ouvre la porte aux deux femmes pour emprunter l'escalier qui mène à une superbe mezzanine.

Mia a des airs de secrétaire administrative qui me rappellent la femme du directeur adjoint sur qui je fantasmais à l'époque où j'étais fonctionnaire cadre. Une femme de classe avec qui on ferait du temps supplémentaire bénévolement. Chemisier suggestif entrouvert, talons hauts et jarretelles, du genre que l'on rêve de prendre sous le bureau après les heures de travail.

Soudain, au pied de l'escalier, envahi par une folie inconnue, mon cœur s'éprend d'elle pour quasiment s'arrêter de battre. Je le sens fondre jusqu'à la liquéfaction. Mia, qui monte devant moi, révèle des jambes parfaites, dessinées par l'œil de Dieu, d'une longueur indécente, incroyablement sexy. La part du diable en moi provoque de noirs désirs et une violente pulsion: je la veux maintenant, tout entière et sans compromis! En montant l'escalier, elle ne se doute pas que je la monte déjà en pensée.

Installés côte à côte au zinc en bois rare, dans cette atmosphère de drague et cette odeur de séduction, exacerbés par quelques gorgées d'alcool, nous discutons et tout semble désormais facile, comme un film au ralenti, hors du temps. Mia, vertigineuse et élégante, me fait penser à un grand champagne. Des bulles sortent de sa bouche avec une effervescence des plus expressives. Elle a tant à dire, je bois ses paroles comme du petit-lait. Je me soûle du présent et de cette drôle de sensation d'attirance.

Dans cette ambiance moderne et feutrée, après avoir partagé avec Mia et mon amie quelques galettes de crabe et un chablis tout minéral, mon pilote intérieur quitte sa cabine pour me laisser seul à ne plus décider de rien et à planer sur les ailes du désir. J'invite les deux femmes à s'installer sur les magnifiques causeuses à l'écart du bar et de ses distractions. Je m'y enfonce avec elles, sans me soucier du danger.

La proximité de la peau de Mia, une certaine griserie et les bretelles brodées qui démarquent ostensiblement de noir ses épaules font céder mon barrage de décence. Je brûle du désir de lui mordiller l'épaule, dépossédé de mes manières de gentleman.

J'ai déjà mal d'elle et je ne peux me retenir d'effleurer, subtilement, la chair blanche à l'intérieur de son poignet. Je la sens aussitôt frémir, et ses doigts entrelacés trahissent une décharge émotive. Excité, trop excité, je tente de reprendre mes esprits en allant m'asperger le visage dans les vasques de la grande salle de toilettes.

Mais le tumulte en moi ne se calme pas, et je ne peux m'empêcher de m'imaginer la prendre ici ou là, dans le buisson décoratif, sous les paravents de cèdre ou même en bloquant l'ascenseur. Je n'ai plus qu'une obsession: être en elle.

De retour des toilettes, lassé de la foule et de ses clameurs, mais l'orgueil gonflé à bloc, je constate que mon amie est partie. Je propose à Mia de la reconduire à sa voiture, sûr de rien.

À mon grand étonnement, elle me dit:

«Emmène-moi faire un tour de décapotable, j'aime me faire caresser par le vent.»

Faisant rugir mes chevaux-vapeur et mon orgueil de mâle frénétique, je m'engage dans le vaste stationnement lorsqu'elle me saisit violemment par le bras en me disant:

«Ma vie avance à grands pas et je n'ai plus de temps à perdre, je t'invite chez moi, maintenant, là, là!»

Je me mords les joues pour ne pas rouler par terre de joie et je lui réponds:

«Tes désirs sont des ordres, coquine!»

Nos yeux se croisent, et sa bouche, devenue accessible, m'aspire dans un vortex délicieux. Je me glisse dans l'ouverture de ses lèvres fines et écarlates. Quelque part entre frissons et extases, l'espace d'un soupir ou d'une éternité, nous sommes foudroyés raide. Le trajet est trop long, mais j'entre enfin derrière elle dans son petit loft, prêt au sacrifice sur l'autel rouge d'une prêtresse féroce.

Elle me sert un verre de vin blanc, puis, prenant à peine le temps d'allumer une jolie chandelle, elle m'entraîne directement à la chambre. J'ai la gorge nouée. Je ressens une joie triomphante et une angoisse confuse de n'être pas à la hauteur.

Lorsqu'elle découvre son buste, apparaît à travers l'irrésistible dentelle noire de son soutien-gorge un papillon aux ailes repliées, tout mignon, qui invite au jeu. Le galbe généreux et les courbes de ses seins s'offrent comme les fébriles et opalescentes extrémités des étamines et méritent d'être butinés avec les plus subtils égards.

J'aime ce moment, juste avant, comme un orage qui approche, tel un privilège secret, un rituel défendu, un jardin de délices, un voyage initiatique. Un saut sans filet dans le vide indescriptible de l'abandon.

Les motifs en volutes marquent encore sa poitrine de rougeurs attirantes que j'essaie d'effacer avec ma langue aussitôt son bustier retiré.

Je piaffe comme un étalon qu'on va lâcher, car l'élégance des vêtements qu'elle retire un à un révèle un monde d'harmonie et une texture de peau juvénile.

Ces seins insensés, ces fesses jaillissantes, une taille de guêpe et un sexe de rêve dont je tairai le secret, cette caverne qui recèle tant de trésors cachés. Comme je la couvre d'éloges sur ses formes, elle me dit :

« Je fais de la cardio-danse depuis sept ans. »

Ces mots me font l'effet d'un défi sportif, et tandis que je récite nerveusement dans ma tête les méthodes apprises pour faire plaisir aux femmes, elle ajoute doucement :

« Je ne cherche pas une performance, j'ai simplement besoin d'une orgie de tendresse et d'être là, simplement dans tes bras, fondante. »

Je ne demande pas mieux.

Je suis toujours fasciné par le flair des femmes et le talent qu'elles ont pour deviner nos pensées. Cette intuition toute féminine m'attire frénétiquement et active les circuits d'une érection douce et spontanée qui me surprend chaque fois. Il arrive que cette jouissance mentale et cette bosse inopportune soient si puissantes qu'en moi surgit le courant d'un aimant, et je deviens un prédateur impitoyable qui veut la dévorer, crue, exsangue et abandonnée, cette belle, au buffet de ma bête.

Détendu, je lui fais, après des préliminaires passionnés, un cunnilingus mémorable – ce sont ses mots –, possédé par ce sexe nu, orchidée rare, odoriférante et comestible.

Je sors du désert, de la forêt des solitudes et de trop de temps à en rêver. Le loup qui sommeille dans ma gorge prend alors possession de moi. Je goûte ces lèvres avec précautions et attardements.

Entre ses nymphes, nos langues et les rythmes langoureux et spasmodiques de nos corps, je m'efforce de laisser tremper en alternance mes doigts de sa bouche à son sexe, pour qu'on se goûte bien. Cela nourrit mon flambeau comme la mèche d'un bal à l'huile et le sien comme un derrick inépuisable.

Longuement stimulé, l'intérieur de son vagin vibre en un séisme de force huit. Les soubresauts désordonnés de ses renversements me la révèlent dans toute sa féminité sacrifiée.

Je me laisse illuminer par le moment et par cette grande vague de plaisir qui s'agite dans ma mer intérieure. Sa figue de fille ouverte, rose, granuleuse et tremblante entre mes doigts m'offre un puissant et doux nectar dont je me régale goulûment. La glycérine de son fruit glisse sur son sexe tel un vin de glace fondu sur les parois d'un verre.

Je feuillette ses lèvres rubescentes tel un livre que l'on relit sans cesse en lissant le signet de soie dans le tréfonds de sa reliure.

J'essaie d'exciter avec la palette de ma bouche et la salive du monde toutes ses glandes excrétoires à la fois, afin de m'abreuver de ses eaux troubles. Puis, remontant la source, je touche enfin le bouton originel, turgescent, là, sous son capuchon recueilli.

Le dévoilement de son sexe est expressif, tendre, passionné, violent même. Mais la partie ne fait que commencer. Je bois son suc comme un troupeau de chameaux assoiffés à l'oasis. Pendant ce temps, Schéhérazade danse, danse de ses voiles dans notre désert de stupre...

Graduellement, son membre érectile, fruit du mal et du bien, rougit en montrant l'enflure vibrante de son désir. La plus belle mélodie du monde sur les cordes de son violon rose, vibrantes au crin de mon archet tendu.

Nos corps suspendus glissent langoureusement dans la canicule, nos parfums se mêlant pour incarner *Charnel numéro mille.*

Derrière, au bas de son dos de nageuse, au cambre de ses reins vertigineux, sur le triangle du delta de son coccyx, un autre papillon de couleur, dont le thorax se prolonge vers les grottes du bonheur.

Après lui avoir léché les ailes impunément, je prends mon envol sensuel afin de lui en faire voir, à elle aussi, de toutes les couleurs. Mon corps et mes sensations, injectés d'adrénaline, viennent aisément à bout de mes réserves morales.

Dans un silence initiatique, je la pénètre naturellement, et elle m'enveloppe de ses soies chaudes au fond desquelles je me perds. Deux heures de caresses, de gentillesses, de conversations intimes et d'extases plus tard, une lumière apaisante et éphémère remplit mon être de cet amour précaire, conscient, soudain et formidable.

Puis, tout à coup, Mia glisse une main résolue dont je me souviens très bien, à cause des attouchements récents qui m'ont fait le plus grand bien et qui m'ont mené jusque-là. Je la vois en quête de pouvoir, effleurant ma cuisse, ornée d'ongles rouges soignés, d'un diamant à l'annulaire et d'une mouvance signature, se poser directement sur le frein séparant les joyaux de ma bourse. Je vais jaillir et je lui susurre :

« Ne commets pas l'irréparable !

— Vas-y, amour, c'est à ton tour, laisse tout aller, je te désire tant, dit-elle en me triturant les injecteurs. J'ai déjà eu plusieurs orgasmes, c'est à ton tour ! »

Je me sens passer en elle, en rupture de contrôle, ému par la joie du moment, par ce drame passionnel et surtout par ses spasmes organiques et délicieux unifiés aux miens. Ce doit être comme ça, la création du monde. Un big bang se produit et la vie continue son expansion jusqu'à se réincarner sur d'autres étoiles dans la constellation des Grands Frissons.

Ces mots si tendres ont fait couler un torrent de bien-être dans mon cerveau aussi, extrêmes sensations pulsatives, paradoxe entre douleur et joie.

Puis, le loup se rendort et la mer redevient calme. Nous sentons l'algue et le sel des doux effluves de rapports humains.

Avec beaucoup de tendresse, de chuchotements intimes, de rires et de baisers, nous nous rhabillons lentement, elle dans son peignoir d'inspiration asiatique et moi, dans une certaine désinvolture, une subtile odeur de sexe et une fierté toute masculine. À ce moment précis, je deviens un superhéros dans son costume de ville.

Je pars sans grandes illusions, repu, comblé, complètement vidé, en respirant profondément les parfums complices de cette guerre de draps.

Je ne suis plus le même, mais je prends bien soin de remettre mon cœur dans une zone rouge de quarantaine avant de m'endormir, satisfait de cette précaution.

Mia me téléphone à plusieurs reprises, me texte fréquemment et me donne rendez-vous dans une pizzeria. Confiant et fébrile, je la vois debout, dressée comme un chat, là, au fond, devant la banquette corail, transpercée par les rayons du soleil qui pénètrent le restaurant.

Dans sa splendeur et avec ses airs de vedette de cinéma, portant des lunettes signées des années cinquante, elle se met à parler nerveusement de tout et de rien.

Puis, doucement, de ses yeux cachés par ses lunettes de star se mettent à perler d'abord quelques gouttes, puis, ruisselante, une vallée de larmes. Il doit y avoir du sable dans l'engrenage.

Je comprends alors que la récidive espérée est définitivement compromise. Venu refaire l'amour, je vais ce soir, esseulé, rencontrer la frustration de l'interrompu. J'étouffe ma déception en silence.

Car, inconsolable dans son trois et demie où elle a pris la fuite, sa vie antérieure ressentie comme un échec, remplie d'hommes froids et durs, elle si tendre et sans doute naïve a brisé son cœur de femme vampire et son fil conducteur.

« Même mon fils est froid ! Le médecin m'a mise au repos, voici ma prescription, me dit-elle tout en me jouant des maracas lancinantes avec sa fiole de plastique. Je ne les prendrai jamais ! Je vais m'en sortir seule.

— Je sais ce qui te ferait du bien, moi, lui dis-je en effleurant ses longues mains expertes et ce diamant serti qui m'avait fait fantasmer par le froid de l'or sur mon écrin.

— J'ai besoin de me retrouver, je ne sais plus où j'en suis, j'ai tant de désir pour toi. Je crois que je vais rentrer », ajoute-t-elle entre les hoquets de ses pleurs.

Mon expérience m'empêche de réagir, sachant l'inutilité de la chose. Je tente de neutraliser cet acide qui me ronge l'intérieur et lui dit : « Très bien, je comprends », mais ce n'est pas vrai.

Nous nous enlaçons et, malgré quelques mots tendres, mes lèvres frémissantes le long de sa nuque et mes mains dans ses cheveux, elle s'éloigne, irrésolue. Ce que cela peut être épuisant, l'amour.

Le chant des sirènes peut perforer la carène de mon bateau ivre et me couler parfois dans des abîmes irrésolus.

Je ne l'ai pas encore revue et voici, en guise de réponse à ses délires, mon dernier courriel :

Bonjour, Mia, ton texte m'aide à mieux te comprendre. Tu as tellement à offrir. Nous venons d'une époque romantique, mais notre désir est actuel.

Je te souhaite une belle dernière journée de travail.

Ta vie t'a fait perdre la tête, et toi tu me fais perdre la mienne. Sur les ruines de ces dépossessions pousse une fleur de désir. Nous ne saurons jamais pourquoi. Les braises doivent-elles mourir avant que les arbres de la solitude nous parlent ?

Je ne sais trop, cela vient de l'intérieur, je n'y peux rien, et c'est ta faute. Tu n'avais pas à être si femme. Merci, par contre, de me faire sentir aussi homme. Ta proposition rend cette attente indécente.

J'aurais aimé la revoir, ce fauve noir, elle était si parfaite dans cette fin d'été. Douceur, doigté, beauté et expérience, montée comme le cheval de la Scuderia, sur les jambes infinies des peintures de Dali, un si grand cœur dans un si long corps, un véritable fantasme sur pattes.

La voix *off* de ses paroles aimantes et ses gestes de masseuse resteront inoubliables.

Elle m'a emmené au paradis et laissé aux limbes.

Heureusement, maintenant, je suis averti au sujet des femmes qui font souvent comme les tornades, passer. Je suis trop sensible pour ces jeux, mais j'ai le corps qui brûle et l'âme qui sèche.

Je continue comme dans mes jeunes années à aimer les parfums, les fleurs et la beauté des femmes, obsession limite. Je cherche encore le jasmin de leur sillage ou quelque magnolia sur leur peau, j'aime m'imaginer souvent la chaleur moelleuse et réconfortante de leur poitrine, mon premier cinéma de beauté.

Je suis toujours plus intéressé par Jane, Marianne, les princesses, la Femme-chat et Bonnie que par les exploits de Tarzan, Robin, ces cons de princes, cet idiot de Batman et ce bandit de Clyde.

Je ressens encore, après une longue nuit d'amour, une douce culpabilité, mais surtout une confiance confuse en ma différence de mâle et ma joie de courir vite et d'être fort.

Une vie sexuelle de funambule au-dessus du précipice féminin est l'apanage de mon excitante vie, et cela continuera sans doute. Parfois, cet équilibriste tombe en son cœur et parfois dans l'oubli, c'est selon.

Homme mauve, quelque part entre le rose de mes désirs et le bleu qui coule dans mes veines, je dois verser dans certains excès car mon corps est cheval, mon cœur est guimauve et ma tête taillée de pierre.

Les femmes m'attirent diablement, moi, autonome, enthousiaste, social, mais aussi solitaire.

Je suis peut-être paradoxal finalement, cela explique en partie ma fascination pour les femmes. Je les comprends, mon âme est aussi de dentelles. Aujourd'hui, elles sont triomphantes, et c'est pire, elles me fascinent encore plus.

J'ai joué la carte du cul et je suis resté avec, cette fois.

J'essaie encore de comprendre pourquoi les femmes disent rechercher l'inaccessible étoile alors qu'elles s'évanouissent aussitôt dans les voiles des aurores boréales. Les femmes trichent comme les hommes, et j'en tremble de plaisir.

Elles veulent un homme, un vrai, et en désirent d'autres en même temps. Leur morale est toujours en guerre avec leurs ovaires, tantôt tigresses, tantôt tendresses.

Les femmes vous veulent quand vous avez l'air de ne pas vouloir.

Si vous mûrissez, innocent, là, sous le feuillage, elles vous cueilleront de l'arbre, étoufferont le serpent, mangeront votre chair et vous jetteront le cœur, avec queue et pépins. Vous goûterez quand même au paradis, mais finirez dans l'enfer du désir. Alors Ève cherchera d'autres fruits qui ne regardent qu'elle, puisqu'elle a été créée pour cela.

Les femmes sont plus fortes que la vie, dommage qu'elles quittent si souvent celle des hommes. Mais elles ne laisseront jamais la mienne. Plus de femmes, j'en mourrais.

Alors, comment oublier cette grande salope vulnérable ? En en baisant le plus possible ? Ne rien regretter, mourir comblé, je le jure. Entre mon ventre et leurs entrailles, le désir trucidant de l'évanouissement dans l'autre brûle encore.

Aujourd'hui, subitement, elle m'a écrit pour me donner rendez-vous dans quelques jours. N'espérer rien et s'attendre à tout habitent maintenant ce terme. Je tressaille à ce genre d'incertitude profonde, nuancée d'un réalisme incrédule. Vous dire l'excitation et le désir qu'ils me font ressentir.

Je deviens alors faible devant la tentation de tomber amoureux.

La toile

Dieu, que je m'ennuie! La grisaille de mon cubicule n'a d'égale que le teint blafard de mes collègues de travail. Cloisonné et sans option de fuite, je subis en rafale leurs conversations plus mornes les unes que les autres. Syndicat et convention collective sont des mots qui reviennent pratiquement toutes les deux phrases. La quarantaine à peine entamée, ils parlent déjà de retraite et du jour où ils auront une vie meilleure. Sans compter les palpitantes discussions sur les dents de leurs bébés, les rénovations de leur cuisine de bungalow dans le 450, leurs fichus téléromans et téléréalités au travers desquels ils vivent leurs vies par procuration. Ils rabâchent toujours les mêmes trucs, jour après jour, semaine après semaine, mois après mois. Année après année? Sans l'ombre d'un doute, mais je ne serai certes plus là pour le confirmer.

Ma vie est d'un ennui mortel. Vraiment. Je suis à des années-lumière de l'existence trépidante que je menais il y a à peine trois mois, où je parcourais la planète en tant que guide, accompagnateur, représentant à destination. Mais on a cruellement coupé mon poste. Après ce coup fatal, je me suis dit qu'il s'agissait peut-être de l'occasion rêvée pour me stabiliser, prendre plus de responsabilités, acheter un appartement. Si c'est ça, la stabilité, eh bien qu'on me redonne ma vie de bohême. Illico! Mais en attendant, je dois prendre mon mal en patience, car vivre le moment présent dans la frénésie de mégalopoles comme New York, Paris, Athènes, Istanbul, Barcelone ou encore Rio a eu un coût. Ainsi, je dois renflouer mes coffres avant de reprendre mes errances, mais je ne compte pas laisser ce boulot et son environnement me miner le moral. Oh, que non! J'ai follement envie de sensations fortes et je vais y remédier sans plus tarder. Ma solution? Les sites de rencontres…

Ce genre de sites a fait exploser le nombre de mes conquêtes sexuelles. Un véritable eldorado de plaisirs charnels qui m'ont amené à explorer toutes sortes d'avenues des plus fascinantes. Ici comme à l'étranger, j'ai sévi. Mon secret? Je suis photogénique, j'ai une belle plume et beaucoup de répartie. L'expérience m'a également permis de développer une sorte de sixième sens pour reconnaître les coquines et les aventureuses qui se nichent dans cette mer de possibilités. Celles-là, je peux les débusquer comme le guerrier massaï débusque le lion de la savane avant de l'abattre avec son javelot. Mon Serengeti à moi, c'est Internet. Mais comme le chasseur, il faut savoir faire preuve de patience, ne pas effrayer sa proie et utiliser l'arme appropriée. Bien sûr, la coquine aventureuse, tel le zèbre dissimulé dans la brousse, ne s'affiche pas ouvertement. Elle se nourrit de finesse, de séduction et affectionne la subtilité dans le jeu. Mon intelligence et ma vivacité d'esprit seront mises à l'épreuve, et je devrai oublier la seconde chance si je rate mon coup, car nous sommes nombreux à faire la queue. La compétition est féroce dans le domaine de la drague virtuelle. Mais je me considère bien outillé pour y faire face, et lorsqu'on réussit à se démarquer, tout devient possible…

C'est par un après-midi pluvieux et aussi triste que le fond de ma bouteille de vin blanc bon marché que je décide d'adhérer au marché des joueurs autonomes par le truchement d'un site très connu dont je tairai le nom. RC, ça vous dit quelque chose? L'envie de mettre une touche de Tabasco dans la fadeur de ma vie était devenue irrépressible, et mon ivresse diurne m'a donné l'impulsion finale. Je suis satisfait de ma fiche; mon message est un brin mystérieux et truffé d'humour. Mon album photo est composé de clichés pris dans des lieux insolites, avec des paysages incroyables en arrière-plan. Je crois bien être en mesure de botter le cul à la concurrence, me dis-je en esquissant un léger sourire de vainqueur. Maintenant, je vais laisser le temps faire son œuvre…

Ce n'est que deux ou trois jours plus tard que je retourne consulter le site. Franche déception. Deux messages dans ma boîte de réception et une seule demande de flirt d'une fille – qui semble par ailleurs assez mignonne – de Sherbrooke. Sherbrooke ! Je ne suis même pas certain de pouvoir me rendre jusqu'au métro Vendôme ! Chatou45 et Cocotte71… Sérieusement, avec des pseudos pareils, je ne prends même pas la peine de lire leurs messages. Quelques livres en trop, la quarantaine bien entamée, sans enfants, mais s'accrochant encore à l'espoir qu'un plus désespéré qu'elle lui en fasse un. Les pseudos parlent beaucoup, vous savez, il suffit de savoir les analyser. Aux grands maux les grands remèdes : une recherche par critères s'impose. On me propose une vingtaine de candidates dont je scrute minutieusement les fiches ; je cherche le créneau à exploiter, la brèche qui m'ouvrira de nouveaux horizons.

Une semaine s'est écoulée au pays du virtuel et je suis en contact avec deux personnes, mais ça ne semble pas vouloir décoller ni d'un bord, ni de l'autre. Une troisième, sans photo, a cependant retenu mon attention. Elle m'a parlé d'endroits se trouvant soit sur mes photos, soit dans mon texte et, de ce fait, se sont succédé à un rythme effréné de captivantes conversations sur l'architecture unique de Prague, sur la mythique baie d'Along en passant par les nuits carnavalesques de Rio. Sujets littéraires, politiques, philosophiques s'enchaînaient de façon si naturelle qu'on a même un jour discuté jusqu'aux petites heures du matin.

La connexion intellectuelle est là. Clairement. Physiquement ? Je n'en ai pas la moindre idée. Aucune photo d'elle pour me mettre sur une piste… En fait, seuls quelques éléments descriptifs tels sa taille (cinq pieds quatre pouces), son gabarit (mince) ainsi que son apparence (très bien). En temps normal, il y aurait fort longtemps que je lui aurais demandé des images, des détails, mais c'est comme si je préférais me l'imaginer. De plus, j'ai l'impression que le fait de ne rien lui demander lui plaît aussi beaucoup. Ah oui, j'oubliais, elle a les cheveux noirs. Courts ou longs ? Encore là, je n'en ai aucune idée, mais j'ose espérer qu'ils sont courts. J'ai un gros faible pour les femmes aux cheveux courts. Quidam, son pseudo, est également plutôt avare de commentaires en ce qui a trait à sa position professionnelle. Elle s'est contentée de me glisser qu'elle occupe un poste de haute direction. La délicate question de la sexualité a également été abordée et, là aussi, nous semblons au diapason puisqu'elle se dit avide d'expériences nouvelles. L'intrigante inconnue se découvre à moi à son rythme et c'est très bien ainsi. Mon imagination débordante se charge du reste…

Au bout de quelques autres conversations sur MSN, nous convenons qu'il est temps de nous rencontrer. Elle me demande si je souhaite d'abord la voir sur la webcam, je lui rétorque que non. J'ai plutôt une proposition inusitée à lui faire – c'est un coup de dés sur le tapis vert, mais je sens bien ma chance et je profite de mon élan. Curieuse, mademoiselle Quidam cherche évidemment à en savoir plus.

« Voici comment je souhaite que ça se passe. Je ne veux pas te voir parce que c'est avec le toucher et l'odorat que je veux te découvrir.

— Hum, d'accord, je meurs d'impatience de savoir comment tu veux t'y prendre…

— C'est simple, je vais laisser la porte de mon immeuble déverrouillée et aussi, bien sûr, celle de mon appartement. Je t'attendrai nu et les yeux bandés dans mon lit, avec un simple drap sur le bas du corps.

— Wow, t'es malade ou quoi ? Je ne te connais pas, j'ignore tout de toi. Qui me dit que tu n'es pas un maniaque ?

— Justement, c'est là le piment de la chose, non ? Me faire découvrir ton corps en le promenant sur le mien, sans mes yeux ni mes mains pour sentir tes formes et la texture de ta peau. Et toi découvrant le mien sans que je puisse te voir, appréhendant chacun de tes gestes. Et non, je ne suis pas malade ! J'ai juste envie d'expérimenter, de braver l'inconnu, bref, de me sentir en vie ! Après tout, tu as vu plusieurs photos de moi et tu en sais beaucoup à mon sujet, des renseignements que je ne t'aurais jamais fournis si j'étais malintentionné, tu ne crois pas ? »

J'encours quand même certains risques. Il s'agit peut-être d'une détraquée mentale qui éprouvera une jouissance sans bornes quand elle m'égorgera… Peut-être aussi que c'est un mec qui se cache derrière son pseudo, qui sait? Ou encore, peut-être qu'elle est tout simplement affreuse? Pis, une manchote qui vadrouillera son moignon sur mon corps tandis que je m'imaginerai un sein pointu qui frôle mon épiderme. Ouf. Bref, qui vivra verra.

«Laisse-moi tout de même un peu de temps pour y réfléchir, répond-elle enfin. Ce n'est pas une mince décision: me présenter chez un parfait inconnu qui m'attend à poil dans son lit! Mais tu piques ma curiosité et tu sais être convaincant… Petit pervers!»

Je décide sur-le-champ de ne pas la relancer. Je suis persuadé que le projet fera son bout de chemin dans sa tête de demoiselle prête à titiller l'inexploré. Pour ma part, juste à y penser, je bande. Ce scénario, jamais mis en œuvre mais souvent imaginé, fait monter en moi une adrénaline olympienne.

Le soir même, je reçois un message:

«OK, j'embarque, mais à une condition. Quand j'enlèverai ton bandeau, tu devras me prendre comme je le voudrai. Tu te contenteras de mettre à exécution mes moindres désirs. Et si tu n'es pas à mon goût physiquement, je conserve le droit de rebrousser chemin sans qu'il se passe quoi que se soit. D'accord?

— C'est d'accord.»

Nous convenons ensuite du moment et nous mettons d'accord pour que le scénario se réalise le samedi matin suivant.

La semaine s'étire indéfiniment, remplie d'images lubriques. Nous nous reparlons à deux reprises, mais en évitant soigneusement le sujet, comme si nous avions peur que ça jette un mauvais sort sur notre plan libertin. Tout comme elle, je ne veux surtout pas que ça devienne surplanifié. Les grandes lignes étant tracées, il faut maintenant laisser libre cours à la spontanéité et à l'inspiration du moment. Je pensais la semaine interminable, mais le vendredi, lui, n'en finit plus de finir. Je ne réussis que très tard à fermer l'œil, surexcité par un imaginaire surchauffant comme un vieux moteur en fin de vie.

Le lendemain, je me réveille une demi-heure avant le grand rendez-vous, et je suis aussitôt envahi par un immense frisson d'exaltation que je propage dans tout mon corps en m'étirant. C'est comme si je prenais réellement conscience de ce qui va se passer. Dans quelques minutes à peine, je vivrai une expérience sexuelle hautement excitante. Ça y est presque, me dis-je en me rendant sous la douche. Je n'ai même pas encore savonné mon sexe qu'il est déjà gonflé. Du calme, bonhomme. Je ne peux m'empêcher de penser à Quidam, qui doit être en chemin… Rien pour me calmer. Quand je m'essuie, la serviette qui parcourt mon corps m'offre une pléiade de sensations et, lorsque je m'attarde sur ma verge, elle ne fait qu'enfler davantage. L'idée de me faire couler un café me traverse l'esprit, mais je décide de demeurer dans cet état. État dans lequel les caresses ont un effet exponentiel sur chaque parcelle de mon anatomie. Pour cette raison, j'ai toujours préféré le sexe matinal et, de plus, je trouve que la femme a meilleur goût au lever du jour.

Mon réveil indique 9 h 51. Le moment décisif arrive. Je suis survolté. Comme promis, je déverrouille la porte et je retourne dans mon lit, au cas où Quidam aurait un peu d'avance. Je me mets à plat ventre sur mon matelas, un drap blanc laissant mon corps découvert de la naissance de mes fesses jusqu'à ma tête. Un ventilateur réglé à la puissance minimale balaie la chambre en cette canicule de début d'été, venant légèrement soulever au passage la pièce de coton immaculée. La cécité causée par le bandeau que je place ensuite sur mes yeux amplifie les sons discordants émis par mon voisinage jusqu'à ce qu'un long silence s'installe. Une absence totale de bruit où l'on pourrait entendre une fourmi se déplacer. D'un coup, il n'y a plus de chien qui aboie, plus d'eau qui coule dans la vieille tuyauterie, plus de vaisselle qui s'entrechoque dans l'appartement voisin. Juste une tranquillité quasi troublante. Tous mes sens sont tendus vers l'entrée.

Soudain, le son de la porte de l'immeuble qui claque résonne comme s'il s'agissait de celle de mon appartement. Je descends un tantinet le drap pour découvrir mes fesses à moitié. Nervosité et grande excitation se côtoient. Le bruit des pas qui franchissent la courte distance entre l'entrée et mon appartement est d'une clarté ahurissante. C'est assurément Quidam, car mon unique voisin de palier a le pied plus lourd. Elle gravit les escaliers avec une cadence presque hésitante, mais sans s'arrêter. La tension monte encore d'un cran lorsque je l'entends poser la main sur la poignée puis y demeurer immobile un instant. Il s'écoule cinq longues secondes avant qu'elle la tourne, ce qui fait suspendre le temps de manière aussi brutale qu'un choc post-atomique. L'écho grinçant de ma porte d'entrée qui s'ouvre propulse mon érection à son paroxysme. Bizarrement, l'image que je m'étais faite d'elle se définit. Je peux deviner son visage, ses vêtements, la façon dont ses cheveux sont coiffés, son sac à main. Elle avance tranquillement, se dirigeant vers l'antre du vice. Je la sens maintenant tout près, au seuil de ma chambre.

Une fois ma porte franchie, l'intrépide aventureuse dépose quelque chose sur le plancher. Mes battements cardiaques s'intensifient. Je la sens se déshabiller lentement, j'imagine sans difficulté les vêtements qu'elle laisse tomber sur le sol… Le « clic » de son soutien-gorge qui se détache, le bruit feutré de sa fermeture éclair qui descend, le « toc » de sa ceinture qui heurte le plancher. Le moindre son retentit à mes oreilles aussi violemment qu'un pétard à mèche. Aucun mot n'est prononcé. Seuls quelques subtils sons gutturaux émergeant de ma gorge traduisent ce moment de pure excitation.

Quidam pose ensuite un genou et une main sur le lit, se hissant dans mon terrain de jeu en laissant traîner son autre main au-dessus du drap, de mon mollet jusqu'à l'arrière de ma cuisse. Une main tremblotante mais déterminée, qui me fait me tortiller comme un chat qu'on caresse avec les ongles. La main survole mes fesses sans toutefois s'y attarder, pour aboutir dans le creux de mon dos, qu'elle effleure des lèvres. Elle le bécote avec douceur tout en glissant délicieusement ses doigts le long de mes flancs. Au tour maintenant de ses seins, qu'elle promène en zigzagant sur mon dos et sur mes omoplates ; ses mamelons durs comme du roc me font me cambrer et ses mains, à présent plus confiantes, retirent le tissu qui me recouvre le bas du corps. Me voilà totalement nu et à sa merci. Elle parcourt tout mon corps, et chacune de ses caresses, dans la noirceur de mon bandeau, font se décupler les sensations.

« Alors, mon lapin, susurre-t-elle, que vais-je faire de toi ? Te voilà sans défense.

— Hmmm, réponds-je, tu peux faire de moi…

— *Stop*, m'interrompt-elle d'une voix cinglante en m'assénant une claque sur une fesse, je t'interdis de parler ! Ce moment m'appartient. C'est ce que tu as voulu. »

Un peu interloqué, je me tais. Elle a raison, j'ai voulu ce moment d'abandon. À elle de décider. Quidam reprend ses attouchements, frôlant du bout des doigts la fesse qu'elle vient de frapper, comme pour la consoler. Ses doigts accrochent ensuite mon fessier pour l'écarter brusquement, et le courant d'air du ventilateur balaie mon anus soudain exposé à sa vue. Je la sens approcher le visage. Son souffle chaud offre tout un contraste sur la partie la plus intime de mon anatomie. Sa langue mouillée parcourt alors toute la longueur de ma craque, s'arrêtant longuement sur mon étoile, qu'elle chatouille d'abord délicatement, puis de plus en plus fort. Je me trémousse sous cette pression inhabituelle, me laissant peu à peu gagner par la langueur. Mon pénis bandé étant prisonnier entre mon ventre et le matelas, je ne peux que m'abandonner aux désirs de mon intruse. Quidam accentue sa pression sur mon petit trou, y insérant le bout de la langue et en fouillant délibérément l'intérieur. Au bout de quelques instants de cette délicieuse torture, elle relève la tête pour cracher à répétition sur mon anus. Elle y entre ensuite un, puis deux doigts jusqu'à la deuxième jointure pour aller caresser ma prostate. Je gémis doucement sous cette attaque, me promettant bien de lui rendre la pareille quand mon tour viendra.

Les doigts toujours enfoncés dans mon cul, Quidam m'invite alors de l'autre main à me mettre à quatre pattes. J'obtempère en me demandant ce qu'elle me réserve. Ma queue durcie se balance doucement sous moi. Quidam entoure mon gland de ses doigts et le serre doucement pendant que, de l'autre main, elle poursuit inlassablement son

mouvement de va-et-vient dans mon derrière. Si ce manège se poursuit, je ne pourrai pas me retenir bien longtemps. Consciente de mon état d'excitation avancée, Quidam retire doucement ses doigts de mon anus et relâche mon pénis. Je grogne de dépit, pressé que j'étais de venir, mais mon bourreau n'est pas prêt à me laisser jouir. Elle recommence à flatter mes cuisses et mes fesses en passant de temps à autre ses doigts sur mes couilles gonflées, comme pour juger de l'effet produit. Je la sens ensuite s'accroupir derrière moi pour me lécher les jambes une à une. Ses lèvres descendent langoureusement jusqu'à la plante de mes pieds, qu'elle mouille abondamment de sa salive avant de saisir mes orteils entre ses dents et de les mordiller.

Après m'avoir longuement frôlé de ses mains agiles et de sa bouche baladeuse, Quidam me saisit par l'épaule pour me faire pivoter sur le dos. Je lui offre alors mon membre en pleine érection, droit comme un chêne et d'une taille que je sais légèrement au-dessus de la moyenne. Sa bouche laisse alors échapper un murmure. « Hmmmm. » J'aime qu'elle apprécie. Du bout des doigts, elle câline mon entrecuisse avant de remonter jusqu'à mes testicules, qu'elle tripote et soulève délicatement. Elle sait vraiment s'y prendre, la gueuse. J'essaie d'approcher mes mains de son corps, mais elle endigue aussitôt mon initiative d'une taloche, initiative que j'apprécie d'un gémissement. Elle se hisse alors sur mes hanches et, dans le mouvement, je sens son sexe saillant se frotter sur mon ventre, ce qui me fait perdre la tête encore un peu plus. Pour n'atténuer en rien cette douce folie, elle effleure d'un sein ma bouche entrouverte pour le retirer aussitôt. Fort heureusement, elle le ramène dans l'instant même. D'abord, je mordille un peu son mamelon pour ensuite le sucer allègrement ; il me semble de bonne circonférence. J'adore. Ma langue en fouille le périmètre pour essayer d'en deviner la grosseur, mais elle me tend illico son congénère, qui mourait d'envie lui aussi de se faire téter. J'ai à peine le temps d'en goûter un que je me retrouve à lécher l'autre, et ainsi de suite. Ce manège dure un certain temps, jusqu'à ce qu'elle se retourne en enjambant ma tête.

Les effluves de son sexe parfument mon environnement immédiat tandis qu'elle l'approche de mon visage. Puis elle s'y appuie. L'humidité a transpercé son sous-vêtement; je la hume et la lèche, dans un état d'exaltation démesuré. J'aime ses fluides. Les sentir, les goûter, m'en délecter. Me voyant séduit par la chose, elle se dandine doucement tout en prenant soin de garder le contact avec ma figure. La demoiselle à la culotte trempée empoigne alors mon sexe dûment bandé, qu'elle se met à caresser longuement. Je me tortille de plaisir et elle en fait autant quand ma langue presse de façon insistante son clitoris encore dissimulé. Le rythme de sa masturbation s'accélère pour s'arrêter brusquement. J'en profite pour risquer une autre tentative de contact, mais elle m'en empêche de nouveau avec un feulement de bête sauvage. Je peux alors percevoir qu'elle descend sa culotte et, la seconde suivante, voilà que je reçois sa chatte en pleine gueule. Confortablement assise sur moi, elle me démontre l'abondance de son liquide en l'étendant un peu partout. Je suis terriblement excité par ce geste, qui porte la volupté à un autre niveau. Une mare de jus de liesse comble mon visage assoiffé de luxure. De temps à autre, elle entrouvre même les fesses pour me proposer son anus. Je ne me gêne pas d'y pousser la langue, trop content de lui remettre la monnaie de sa pièce.

Quidam gémit doucement sous mes caresses soutenues. S'assoyant encore plus aisément sur mon visage, elle y demeure assez longtemps pour presque m'étouffer. Puis elle se relève afin que je puisse reprendre ma respiration. Et elle recommence. À plusieurs reprises. Je pensais avoir atteint ma pleine capacité érectile depuis un moment, mais non; ma verge continue à se gorger de sang devant tant de concupiscence. Sa chatte poilue ne cesse de produire son savoureux nectar tandis qu'elle me fait une fellation, saisissant ma queue d'abord à une main, puis à deux. Elle me suce avec tant d'avidité qu'elle pourrait facilement m'amener à l'éjaculation, mais encore là, cette diablesse sait doser ses caresses pour me faire languir. Nous nous gavons littéralement de nos sexes respectifs dans une symphonie de bruits de plaisir qui vibrent dans les quatre coins de ma chambre. Tout à coup, elle se retourne face à moi et s'assoit sur mes cuisses contractées. Je prête l'oreille à son souffle saccadé en me demandant ce qu'elle s'apprête à faire. Si elle compte me foutre une balle dans la tête ou m'ouvrir la carotide, eh bien, je serai mort en pleine gloire.

Mais non, elle prend tout bonnement ma main pour la porter à son sein, que je palpe en douceur. Le moment est grandiose. Le nichon est doux, ferme et juste assez lourd. Il remplit parfaitement ma paume. Je fais rouler son mamelon entre mes doigts avec délicatesse pendant que mon autre main agrippe la mamelle orpheline. Je m'amuse un long moment avec ses seins, les prenant par le dessous pour les soulever légèrement en agitant mes doigts. Je ne veux plus les lâcher tellement j'ai du plaisir à les tâter, à les caresser. Je finis par les délaisser pour explorer le reste de son corps, des cuisses aux épaules, en passant par ses fesses, ses hanches et son ventre. Sa peau est soyeuse comme une étoffe vietnamienne et ses cheveux, de la même texture, sont un peu plus longs que mon esprit les avait imaginés. C'est alors qu'elle se baisse vers moi pour m'embrasser. Elle laisse d'abord traîner tranquillement sa langue sur mes lèvres encore imbibées de ses liquides pour ensuite en suçoter la partie inférieure. Puis, la pointe de sa langue pénètre dans ma bouche et vient taquiner la mienne. Ce baiser profond est particulièrement bon. Doux et sensuel. Je l'embrasserais ainsi des heures, mais c'est à ce moment précis qu'elle retire la bandelette de tissu qui me prive depuis belle lurette de mon sens de la vue. Je souris instantanément et elle aussi. Quidam a de beaux grands yeux verts qui se marient parfaitement à ses traits un peu sévères, mais néanmoins harmonieux. Sa bouche, proéminente, est incroyablement belle. Nue et à cheval sur moi, cette vision de Quidam va bien au-delà de mes attentes. C'en est même surréel.

« Prends-moi comme une chienne, me dit-elle d'une voix rauque, sur un ton franc et résolu. Comme une vulgaire pute pour qui on n'a aucun respect. Je veux me sentir dominée et soumise. Humilie-moi. Fais-moi sentir comme une moins que rien. »

Ces paroles me percutent telle une ruade de coups de Mike Tyson. Bien que j'aie envisagé une demande semblable, la conviction avec laquelle elle l'a faite m'étonne tout de même. Cependant, le chasseur que je suis se ressaisit vite.

Une main à la gorge et l'autre sur son sein gauche, je la fais culbuter sur le dos. J'essaie par la suite de l'embrasser, mais elle résiste, me crachant au visage. J'applique alors une plus grande pression sur sa trachée et lui remet la tête droite. Elle abdique enfin. L'embrasser de force m'allume net. Sans relâcher ma pression sur sa gorge, je lui susurre à l'oreille :

« Alors, ça t'excite de te faire sauter par un inconnu, belle pute ?

— Oui, me répond-elle, la voix altérée par mon emprise sur son cou.

— T'es vraiment une sale pute et les garces de ton genre, j'ai juste envie de les prendre sauvagement.

— Oui, prends sauvagement la pute. Je suis toute à toi, fais ce que tu veux de moi.

— Oui, salope, réponds-je en la giflant. À ton tour de subir mes assauts ! »

J'enligne mon sexe, qui n'a jamais rétréci d'un centimètre, près du sien en même temps que je me rue sur son sein, que je suce vigoureusement. Sa forme et sa grande aréole foncée me fouettent l'ardeur. J'arrête soudainement de le lécher, me recule un instant pour le regarder et replonge aussitôt pour le dévorer de plus belle. Pendant tout ce temps, les cochonneries fusent de ma bouche. Elle voulait connaître l'humiliation, eh bien je vais lui en donner pour son argent ! Il faut dire que cela m'émoustille aussi. En fait, nous sommes tous deux surexcités par cette mise en scène qui se déroule rondement. J'aime particulièrement ses expressions faciales ainsi que son regard à demi apeuré qui semble se demander ce que je lui réserve.

Attrapant ma verge à sa base, je la secoue avec ardeur sur son clitoris tout en la regardant droit dans les yeux. Hum, qu'elle est belle et désirable… Je me vautre dans le creux de son épaule pour goûter à sa peau laiteuse légèrement salée. Elle a un goût de ciel. Dans le vestibule de sa chatte bien mûre, mon gland l'agace sans la pénétrer. Elle chigne comme un caniche qui réclame la porte; jamais je n'ai entendu un tel son. C'est à la fois déroutant et très excitant. Je la fais languir à son tour. Ah, ma coquine, moi aussi j'en connais un rayon sur la façon de t'entraîner au paroxysme du plaisir!

J'aime trop son petit cri pleurnichard. Bien cramponné à ses hanches, je la soulève du lit pour la retourner. Je glisse ensuite ma main dans sa chevelure à peine assez longue pour l'agripper et je la redresse sur les genoux. Son postérieur s'arque lorsque ma langue s'approche de son joli petit cul. Pendant que je lui ramone l'anus avec voracité, ma main libre s'empare de son sexe débordant d'enthousiasme, et j'y enfonce profondément deux doigts. Quidam gémit. Je lui signale d'un grognement que son anus est délectable et que sa chatte dégoulinante me fait bander au plus haut point. Elle se lamente.

Je tire encore plus ses cheveux vers l'arrière. J'ai encore la figure pleine de ses sucs, l'odeur de sa fente m'attise de plus en plus. Je me redresse d'un coup sec et la fais brusquement pivoter afin de conduire sa tête à ma queue, qu'elle n'a pas vraiment le choix de sucer. Je m'enfonce avec plaisir dans sa bouche sans relâcher mon emprise sur sa tête. Je lui baise violemment la gorge à répétition, lui laissant à peine le temps de reprendre sa respiration entre chaque coup de boutoir. Quidam ne proteste pas, se laissant faire sans vergogne. Ses seins gonflés ballottent sous elle, aiguillant encore plus mon désir. Gardant une main bien accrochée dans ses cheveux, de l'autre je lui pince les mamelons, les étirant et les triturant sans pitié. Quidam gémit langoureusement sous mes attaques répétées.

Je sors enfin ma queue de sa bouche pour tout de suite l'embrasser goulûment. Je relâche sa chevelure pour la repositionner sur le dos comme une vulgaire poupée de chiffon. Puis je lui rabats les jambes sur la poitrine pour lui lécher de nouveau le sexe et le cul. Rassasiée pour le moment, ma bouche laisse place à mes doigts, qui ne se font pas prier pour poursuivre les stimulations. Ses gémissements se transforment en petits cris perçants. Au moment où j'amène à ses lèvres la récolte de mes doigts, je la pénètre brutalement. Sans le moindre effort, mon sexe s'engouffre dans le sien tandis que sa bouche pleine l'empêche de s'exprimer autrement que par des grognements sourds. Son visage a chaviré. Je lui cloue les mains au matelas tout en maintenant la forte cadence de mes coups de bassin. Je sors presque entièrement de son sexe pour qu'elle sente bien ma queue retourner tout au fond. Son regard halluciné me transperce et ses geignements continus résonnent à mes oreilles. Je m'écrase contre son buste et lui agrippe le dos en augmentant le rythme. Je l'enveloppe littéralement.

Elle répond à mes grossièretés bien senties par des mouvements de tête et par de brefs grognements de satisfaction. Les yeux à moitié fermés, elle expire en me décochant de petits sourires vicieux ; cette vision pourrait me faire conserver mon érection pendant les trois prochaines années. L'ensemble est remarquablement déconcertant. Son corps, sa beauté, sa façon d'accepter la situation, son attitude soudain docile, tout cela a pour conséquence d'accentuer mon va-et-vient entre ses cuisses. Je lui saisis de nouveau la gorge. Tout d'abord avec modération, puis de plus en plus intensément. Son corps réagit comme si elle allait bientôt jouir. Je la relâche pour l'embarquer sur moi sans jamais que nos sexes se séparent. Elle se penche sur moi, me ballottant ses seins au visage. Après m'avoir embrassé un long moment, elle se redresse et enfonce ma queue puissamment érigée dans les confins de ses entrailles. Je la pousse, mes deux mains soudées à sa poitrine, le plus profondément possible.

Un brin déboussolée, elle me fixe avec insistance avant de lancer d'une voix rauque :

« Frappe-moi.

— Heu…

— Frappe-moi, j'te dis. »

Slap ! Je lui gifle les seins.

« Plus fort ! » lance-t-elle.

SLAP !

« Ouiiii, continue ! Encore ! Plus fort ! »

Je gifle sa poitrine à répétition pendant qu'elle me chevauche violemment.

«Tu vas me faire jouir, saligaud», m'annonce-t-elle, la voix chevrotante.

L'instant suivant, je sens tout son corps se crisper et j'attrape fermement ses hanches. Je veux la voir venir comme ça sur moi, en lui mordillant les seins rougis par mes claques. Je m'enfonce en elle aussi violemment qu'elle le faisait lorsqu'elle donnait la cadence. Un de ses mamelons pincé entre mes dents, mon autre main enserrant de nouveau sa gorge, je la sens qui arrive à l'orgasme. Au moment où son corps est secoué de brusques soubresauts qui annoncent la vigueur de son plaisir, je lâche son téton et l'embrasse avidement. Ma queue encore bien plantée en elle, je la prends dans mes bras en attendant qu'elle reprenne ses sens.

«Mais, réussit-elle à dire entre deux souffles, tu n'as pas encore joui, toi?

— Non, pas encore.

— J'ai été trop rapide?

— Non, tu as été parfaite», lui dis-je avec le plus beau des sourires.

C'est alors qu'elle se relève brusquement pour s'installer à quatre pattes entre mes jambes, réclamant ma verge inassouvie et prête pour un autre round. Ce sera un round explosif puisque, dès la reprise des hostilités, elle me supplie d'éjaculer sur son visage. Elle lèche avec gourmandise ses sucs sur ma queue, l'engouffrant ensuite dans sa bouche pour entreprendre un rapide va-et-vient. Ouf! Je ne peux plus résister. Son splendide cul recourbé, que je vois se dandiner derrière sa tête, me pousse à bout. Quelques coups, une dizaine tout au plus, me suffisent pour lui envoyer en pleine figure une déferlante de sperme dont elle va se souvenir longtemps. L'image est impeccable. Convulsant d'une post-jouissance et tous les muscles de mon corps crispés, je secoue ma verge jusqu'à la dernière goutte. La demoiselle me regarde avec adoration, les yeux à moitié fermés par mon foutre, qui dégouline de partout. Quidam est béate. Elle se passe la langue sur les lèvres et ramasse tout le sperme qui traîne sur ses joues pour le repousser des doigts dans sa bouche et l'avaler d'un seul coup.

« Hmmm, merci Éclectik, souffle-t-elle en se pourléchant les babines, j'avais des doutes, mais ton scénario avait tout pour me plaire.

— Tout le plaisir a été pour moi, ma chère Quidam.

— Ne penses-tu pas qu'il est temps qu'on se présente en bonne et due forme ? Moi, c'est Isabelle.

— Et moi, Louis », lui dis-je en la serrant dans mes bras.

Quelques jours plus tard, tout en me repassant en boucle les images de cette incroyable séance de sexe, je songe que mon cubicule et mon environnement professionnel sont toujours aussi gris, mais que ma tête, elle, est maintenant remplie de couleurs. Je vais revoir Isabelle ce soir et je n'ai plus besoin de courir les sites de rencontres, mon tableau de chasse est bel et bien rempli !

Fantasme de femme

Minuit, heure de fermeture du restaurant. Je m'assure que tous mes employés, cuisiniers, serveuses, plongeur et caissière s'occupent de bien fermer leurs postes respectifs. Pour moi, gérant d'un resto au centre-ville, c'est devenu routinier.

J'active le système d'alarme, je dis bonne nuit à tout le monde et je verrouille la porte. Par une belle soirée d'été, c'est agréable de quitter le travail en voyant l'animation se poursuivre dans le quartier. J'ai le sentiment que la journée n'est pas encore terminée. J'habite non loin, pas plus d'une quinzaine de minutes à pied. Célibataire endurci, je souhaiterais parfois retrouver chez moi une femme sexy et amoureuse, mais je n'ai pas cette chance. Seule ma télé m'attend.

Généralement, j'emprunte l'avenue commerciale, celle où est situé le resto, pour bifurquer plus loin vers le nord dans une petite rue tranquille parsemée d'arbres, quittant ainsi l'animation de fin de soirée d'un endroit achalandé où les bars abondent. J'ai tout à coup le sentiment de me retrouver dans un havre de paix. Une petite détente avant d'arriver à la maison, voilà qui finit bien ma journée trépidante.

Cette nuit-là, au tournant du carrefour, je me rends compte qu'une voiture me suit pour s'arrêter à ma hauteur quelques mètres plus loin. Une demande d'information, me dis-je. Dans une grande ville, ce n'est pas inhabituel. À la lueur du lampadaire, je distingue un couple. Le conducteur, un homme d'une quarantaine d'années, est accompagné d'une passagère du même âge. C'est elle qui s'adresse à moi.

Ils cherchent un bar au nom qui m'est inconnu, ils semblent perdus. Quelque chose cloche, pourtant. Pourquoi m'avoir suivi dans une petite rue, alors qu'il y a des passants sur l'avenue principale qu'ils viennent de quitter ? Et elle, surtout elle, elle est terriblement décolletée, très bien coiffée, genre femme du monde malgré son audace vestimentaire, prenant plaisir, je le vois, à mettre ses seins en évidence en me parlant.

Bof ! Je vois toutes sortes de gens au resto, et il faut de tout pour faire un monde. Je leur dis que je ne connais pas l'établissement qu'ils viennent de citer et je leur demande de quel genre de bar il s'agit. La femme me sourit beaucoup trop. Je commence à me méfier et cherche autour de moi une présence pour me rassurer, mais je suis seul sur mon trottoir. Incapable de répondre à ma question, la femme se tourne vers son compagnon, lui chuchotant je ne sais quoi. C'est alors qu'elle s'offre à moi pour cinquante dollars.

Voilà une proposition à laquelle je ne m'attendais pas ! Cette femme n'a pourtant pas l'attitude ni la personnalité d'une prostituée.

« Désolé, lui dis-je, je n'ai pas cette somme sur moi.

— Quarante dollars alors », rétorque-t-elle, de plus en plus insistante.

Me voyant hésiter, l'apprentie pute revient à la charge en baissant son prix à vingt-cinq dollars et en me faisant moult œillades suggestives. Je comprends alors qu'il s'agit d'un fantasme qu'elle veut satisfaire.

« Je n'ai que vingt dollars, lui réponds-je.

— C'est bon pour vingt dollars, dit-elle, l'œil allumé, vous n'avez qu'à monter dans la voiture. »

Là, ça commence à m'intéresser. Entre regarder un vieux film à la télé et satisfaire le fantasme de cette jolie femme, je me dis que vingt dollars est une somme fort raisonnable. Mais je suis perplexe devant la carrure intimidante de son compagnon, qui me dévisage l'air gourmand. Je ne suis pas du tout chaud à l'idée de me donner en spectacle devant ce malabar.

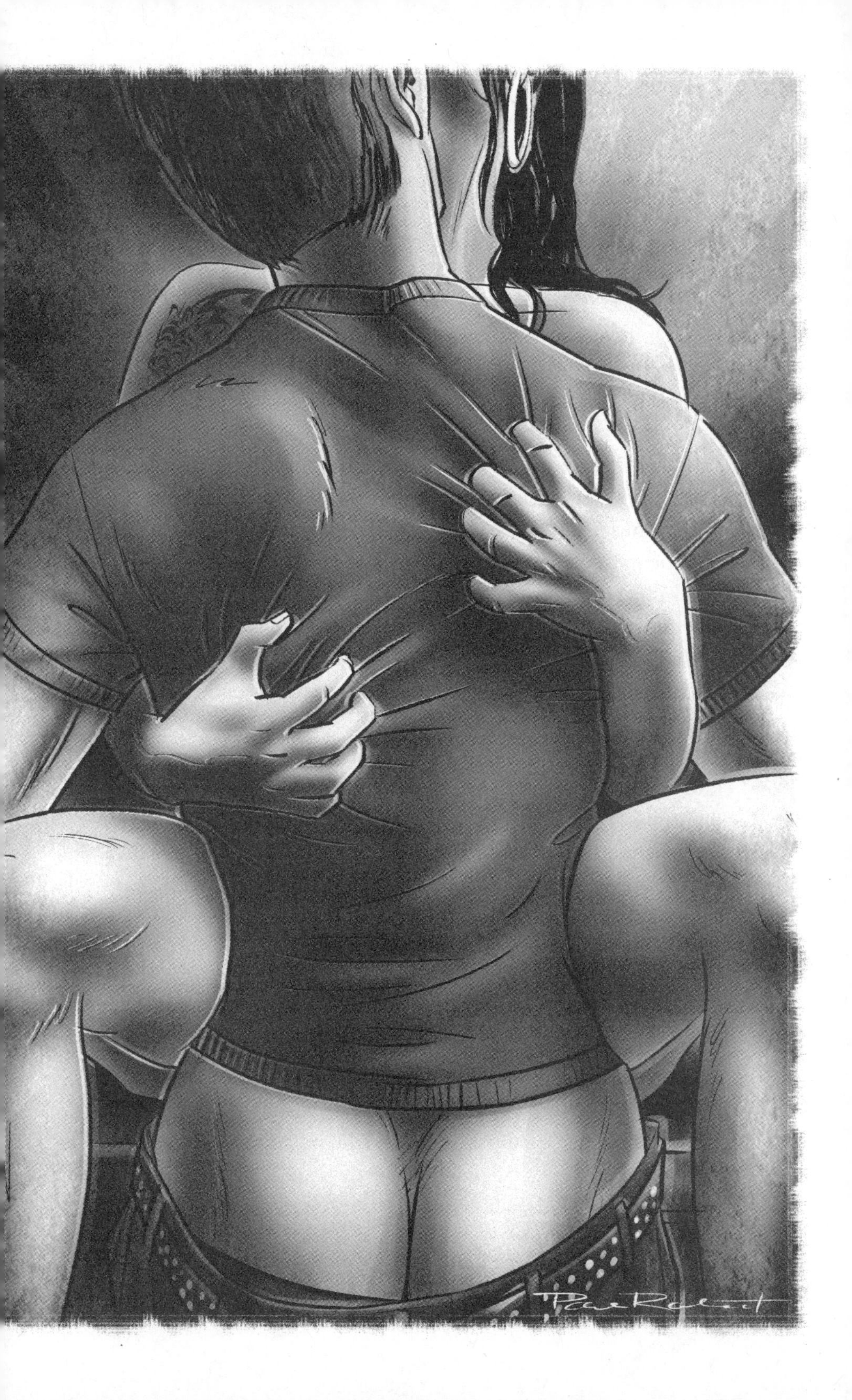

« Seriez-vous plus à l'aise seul avec moi ? me demande la femme en me voyant hésiter.

— Oui, effectivement », lui dis-je, soulagé.

Elle lance un regard suppliant à son compagnon, qui, l'air un peu dépité, éteint le moteur et sort du véhicule pour s'éloigner de quelques mètres.

Nous nous installons à l'arrière. La voiture n'est pas très grosse et nous sommes à l'étroit sur la banquette. Je me demande quand même dans quelle galère je me suis embarqué, mais il est trop tard pour reculer. Tout émoustillée, la femme se colle amoureusement contre moi et, sans plus de préliminaires, se met à frotter mon sexe à travers mon pantalon.

« Hum, mon joli, tu me sembles bien membré, dit-elle d'un ton faussement lascif. Et si on réglait notre petite transaction avant de passer aux choses sérieuses ? »

Embarrassé par la situation, je sors maladroitement de ma poche un billet de vingt dollars, que je lui tends. Elle le saisit prestement et le glisse dans son petit sac à main, qu'elle jette sur son siège à l'avant. Elle se tourne ensuite vers moi en relevant sa courte jupe pour me montrer ses jarretelles.

Finalement, je me prends au jeu en voyant ses belles jambes. Cette femme très parfumée est plutôt jolie. Du coin de l'œil, je vois son compagnon qui s'est rapproché de la lunette arrière de la voiture pour ne rien manquer de la scène. Bon, c'est un fantasme partagé, me dis-je, mais au moins il n'est pas dans l'habitacle avec nous.

La femme me dévisage sans cesser de sourire et recommence à me caresser. Sans perdre de temps, elle baisse ma braguette et s'empare de mon pénis. Je réagis spontanément, un peu surpris par mon érection. Il y a cinq minutes à peine, je ne connaissais pas cette femme, pas plus que maintenant, à vrai dire. Mais je dois avouer que la situation ne manque pas de piquant. Pendant que la belle inconnue me masturbe avec enthousiasme, je baisse son décolleté. Ses seins sont parfaits et je m'empresse de les caresser en pinçant les mamelons, ce qui lui arrache un gémissement.

« Hmm, plus fort, vas-y mon loup, tu m'as payée, prends ton plaisir ! »

Enhardi par ces paroles, je pince plus violemment les deux mamelons en même temps, les tortillant entre mes doigts. Ma compagne d'un soir gémit de plus belle et se penche sur moi pour gober mon membre. Pendant qu'elle me fait une délicieuse fellation, j'étire le bras pour relever le pan de sa robe et lui malaxer les fesses. Elle ne porte pas de culotte et me laisse explorer à loisir son sexe. Je plonge deux doigts dans sa chatte trempée et la laboure vigoureusement. Malgré l'étroitesse des lieux, elle réussit à se mettre à genoux sur la banquette sans cesser de me sucer avec voracité.

« Hmmm, que c'est bon, mon jules, mon premier jules. Vas-y plus fort, je suis toute à toi. Aimes-tu ma bouche sur ta queue ? »

C'est évident et je ne peux que répondre par un grognement affirmatif.

« Veux-tu que je te mette maintenant ? » me demande-t-elle en me jetant un regard coquin.

C'est tout aussi évident. Pour toute réponse, je me contente de baisser mon pantalon jusqu'aux chevilles. La femme soulève sa petite robe et se place à califourchon sur moi. Elle saisit ma queue bien reluisante de salive et la fait disparaître en elle d'un seul coup. Je mordille ses seins qui me sont offerts à volonté. Elle ne cesse de me sourire et de me répéter d'y aller plus fort, de la ravager comme la pute qu'elle est. Ça m'intimide un peu, mais je ne le laisse pas paraître. Je ne veux pas gâcher son plaisir… ni le mien d'ailleurs !

Il est plutôt difficile et contraignant de faire ça dans une voiture. Je suis très à l'étroit pour m'étirer les jambes. Toujours du coin de l'œil, je vois son compagnon qui a sorti son pénis et qui se branle en nous regardant baiser. Les choses sont de plus en plus étranges, mais je suis malgré tout fort excité. Je tiens ma pute par les fesses et, au bout de cinq ou six minutes, ça y est, je suis vidé. Elle jouit à son tour quelques secondes plus tard et s'affale sur moi en soupirant profondément.

«Alors, mon loup, ça t'a plu, ce petit coup? demande-t-elle en souriant.

— Bien sûr! Comment pourrait-il en être autrement?»

Je remonte maladroitement mon pantalon, et elle ouvre la portière en me souhaitant une bonne nuit. Je la regarde une dernière fois, assise sur la banquette arrière de la voiture, sa robe maintenant fripée enroulée autour de la taille. Elle a les jambes écartées et je peux voir ma semence qui coule lentement de sa chatte luisante. Sans un mot, son compagnon réintègre sa place et démarre en trombe. Je peux voir que lui aussi a laissé sa trace blanchâtre sur l'aile arrière de la voiture.

Eh bien, me dis-je en secouant la tête, oui, je vais passer une bonne nuit, imprégné de son parfum. Mais la prochaine fois, je souhaiterais quand même une voiture un peu plus spacieuse.

La lectrice

« Non, laisse, je m'en occupe », dis-je à ma compagne en acquittant la totalité de la facture, on ne peut plus satisfait des précieux conseils qu'elle m'a prodigués.

Cette conseillère, c'est mon amie Lynne. Nous nous sommes rencontrés afin qu'elle me donne son avis sur certains paramètres pour mon roman. C'est l'une des deux personnes qui l'a lu et, en tant que représentante d'une maison d'édition, son avis m'est cher. Avant de lui remettre mon manuscrit, j'ai cependant tenu à ce qu'elle m'assure de son impartialité, sans tenir compte de notre amitié.

« Je veux que tu me dises les vraies choses ! » l'avais-je prévenue d'un ton sévère.

Je ne voulais pas qu'elle essaie de m'épargner au cas où elle trouverait ma prose moche. Mais à mon grand soulagement, sa critique a été dithyrambique. Lumineux, vrai, captivant, insolite, équilibré et chargé de sens ont été les qualificatifs qu'elle a employés. J'étais aussi excité qu'un ado devant son premier numéro de *Penthouse* !

Lorsqu'on s'est connus, il y a environ quatre ans, j'étais très intéressé par une relation sérieuse avec Lynne. Outre sa grande beauté, son intelligence m'avait particulièrement séduit. Malheureusement son cœur affichait *no vacancy* en gros néons rouges fluorescents. Deux ans plus tard, alors qu'elle était en pleine crise conjugale, elle s'était, contre toute attente, jetée sur moi dans un élan passionnel un peu biaisé par l'alcool. Après, mal à l'aise, nous avions tous deux convenus avoir commis une grossière erreur. Je n'étais plus amoureux d'elle comme à l'époque, tandis qu'il s'agissait d'un simple faux pas de sa part. Une sincère relation amicale a ensuite pris forme.

Toujours est-il qu'après la lecture de mon manuscrit elle connaît maintenant tout de mes angoisses et de mes peurs, ainsi que de mes perversions et de mes fantasmes. Il n'y a plus aucun secret entre nous, ce qui me permet de me sentir totalement libre d'esprit en sa compagnie.

À la fin de notre rencontre dans un resto portugais du quartier Centre-Sud, Lynne m'interroge discrètement sur mon rendez-vous de fin de soirée qui nous a obligés à souper plus tôt.

« Il s'agit d'une femme un peu plus âgée, avec qui j'explore diverses facettes de la sexualité, lui dis-je sans filtre. Une Française, si tu veux tout savoir. »

S'ensuit une série de questions plus empreintes de curiosité les unes que les autres. Il faut dire que mon personnage commence à drôlement intriguer Lynne depuis qu'elle en a découvert les tréfonds par le truchement de mes écrits.

Dehors, après avoir allumé une cigarette, Lynne me remet timidement un sac contenant trois livres à caractère érotique.

« Tiens, ça te donnera d'autres perspectives pour tes projets d'écriture !

— Wow ! C'est *cool* comme cadeau, lui dis-je en la remerciant de deux baisers sur les joues.

— Je peux te déposer chez elle si tu veux.

— Je ne dis pas non, même si c'est tout près ! »

En chemin vers sa voiture, Lynne s'avoue un peu jalouse de ma vie, qu'elle juge exaltante et remplie de piquant. Je lui lance à la blague qu'elle peut se joindre à nous.

« D'accord », réplique-t-elle de but en blanc.

Puis elle hésite.

« Bien non, je ne peux pas m'imposer comme ça.

— Pourquoi pas ? Tu es la bienvenue et, tiens, tu pourrais même nous lire des passages de ces bouquins, lui dis-je en lui indiquant le sac que je tiens à la main. Ce serait une façon extraordinaire de les étrenner pendant qu'on s'adonne à quelques petits jeux sexuels, Françoise et moi. »

Un étonnant mélange de gêne et d'incertitude traverse le visage de Lynne ; une expression que je ne lui connaissais pas et qui fait monter en moi une prompte excitation. Des images lubriques s'agitent illico dans tous les recoins de mon imagination dépravée. L'idée fait plus que me plaire. Lynne hésite encore.

« Humm… Peut-être que ta copine ne sera pas d'accord.

— Ne t'en fais pas pour Françoise, nous aimons greffer de nouvelles personnes à notre univers et essayer des choses qui sortent de l'ordinaire. C'est assurément une situation qui l'allumerait, d'autant plus que tu es toi-même une très belle femme ! Et puis tu connais mes goûts en ce qui concerne la gent féminine ! ajouté-je avec un clin d'œil complice.

— Laisse-moi y réfléchir, répond-elle en faisant démarrer sa voiture.

— D'accord, mais tu n'as que dix minutes ! »

Je tente de détendre l'atmosphère en changeant de sujet.

« Pour qui vas-tu voter aux élections municipales ? »

Difficile de faire plus poche comme sujet de conversation dans les circonstances, me dis-je *in petto*.

« OK, mon beau, j'accepte, dit Lynne en riant, si c'est ce qu'il faut pour que tu arrêtes de parler de politique ! »

Quelle délicieuse soirée d'automne, pensé-je en prenant place peu après sur la terrasse de Françoise, une fois les présentations faites. L'air embaume les feuilles mortes et notre hôtesse débouche un excellent pinot noir. Son appartement est très beau et la sonorité enchanteresse de Souad Massi parvient jusqu'à nos oreilles. Commençant à bien me connaître, Françoise a été à peine surprise de me voir apparaître accompagné, et sa réaction a tout de suite été concluante. De toute évidence, Lynne lui plaît. La soirée est bien engagée et le courant semble passer entre les deux femmes. À tel point qu'une seconde bouteille surgit bientôt sur la table.

« Regarde les beaux cadeaux que mon amie m'a offerts, dis-je à Françoise en lui tendant les livres.

— Oh, oh, de la littérature érotique… Quelle charmante attention!

— C'est bien vrai. Et j'ai pensé qu'elle pourrait nous en lire des extraits, n'est-ce pas, Lynne?

— Oui, bien sûr, répond celle-ci un peu nerveusement en prenant le plus volumineux des trois bouquins.

— Voilà qui pourrait être intéressant, en effet», minaude Françoise.

Feuilletant un peu son livre, Lynne tombe sur un passage qui lui plaît et elle entame sa lecture. C'est bien écrit et franchement émoustillant; la voix de notre invitée est douce et envoûtante. C'est l'histoire d'un jeune couple qui s'offre les services d'une danseuse pour son anniversaire. Hum, jolie prémisse!

Mon sexe commence à réagir et je rapproche ma chaise de celle de Françoise. Je ne peux retenir ma main, qui rêvait depuis un bon moment déjà de caresser cette cuisse fuselée recouverte de nylon. Mes doigts remontent lentement le long de ses courbes pour s'arrêter à l'orée de sa courte jupe. Comme pour me donner le feu vert, Françoise se tourne alors vers moi pour m'embrasser. Un long baiser profond, doux et sensuel, comme elle sait si bien les faire. Notre lectrice ne bronche pas d'un sourcil et continue de nous livrer un érotisme presque vivant.

À l'écoute d'un paragraphe où la danseuse lèche amoureusement le sein de la jeune femme après lui avoir fait ce qu'on appelle familièrement une danse à dix dollars, je me mets à l'imiter tout naturellement. Je déboutonne lentement le chemisier de Françoise jusqu'à ce qu'un sein émerge de son bonnet pour ensuite l'empoigner à sa base et le sucer allègrement. Je vois Lynne nous jeter de petits coups d'œil sans toutefois rater une seule ligne. J'adore le goût des seins, leur odeur aussi. Voulant sortir le second, je décide spontanément de libérer Françoise de son soutien-gorge et de son chemisier.

Je me rassois aussitôt le dos bien droit sur ma chaise pour l'admirer. J'adore regarder une fille aux seins nus. Ça me fait bander sur-le-champ. Françoise a des petits seins en clochettes dont les mamelons sont durcis par l'air de la nuit, et elle les arbore fièrement. Avec raison d'ailleurs, puisqu'ils soutiennent la comparaison avec bien

ne rassis aussitôt le dos bien droit sur ma chaise pour
mirer. J'adore regarder une fille aux seins nus, avec
cette partie découverte. Ça me fait bander sur-le-
p et il en a toujours été ainsi. Françoise a de petits
clochettes dont les mamelons sont durcis par l'air
uit et elle les arbore fièrement. Avec raison
rs, puisqu'ils pourraient faire la barbe à bien des
s plus jeunes. Connaissant mes fantasmes, Fran-
contente de fermer les yeux et de rejeter la tête
e en écoutant Lynne poursuivre son récit.
toute retenue, je décide de libérer ma verge
aintes de mon pantalon avant qu'elle
Je me branle lentement en savourant le
Un peu surprise à la vue de mon pénis, Lynne
ais elle reprend vite ses esprits. J'alterne mes
re elle et ma partenaire, qui se caresse genti-
ns, absorbée par l'histoire qui devient de
captivante. Puis, Françoise se penche vers
ler goulûment ma queue.
a danseuse de l'histoire est rendue à
n se faire brouter par la femme pendant
fellation à son mari. Imperturbable,
sa lecture. Le moment est divin. Je
ue gorgée de vin en me disant que la
re plus généreuse à mon endroit. Je
our laisser ma main poursuivre son
e de Françoise jusqu'à sa chatte
t cachée par une mince couche de
de l'humidité sur son bas. Incroyab
sé sa petite culotte, ce qui fouette
xcitation. Je réclame à mi-voix u
re afin d'y plonger les doigts.
elève brièvement pour faire
de la terrasse et enlever so
mment sur le bras de sa
Lynne s'arrête un instant de lire pour prendre elle aussi une
gorgée de vin, mais elle revient aussitôt à son passage. À
présent flambant nue hormis ses bas et ses escarpins, Françoise reprend mon pénis d'une dureté ahurissante dans sa
bouche après m'avoir embrassé avec gourmandise. Son
abondant jus s'est agglutiné dans les poils de sa chatte et je
le récolte pour le porter à sa bouche, m'en abreuvant par la
même occasion. Surexcité, je saisis alors sa culotte mouillée
qui traîne et je me mets à la lécher, tout en lui palpant frénétiquement les seins qui ne cessent de durcir. À l'instant
précis où je l'installe sur la table en lui écartant les cuisses,
n'en pouvant plus, notre lectrice dégrafe son pantalon pour
y glisser sa main. Je lui jette un petit regard complice pour
l'encourager. Faisant preuve d'une discipline de fer, le
timbre de voix de Lynne change à peine tandis que Françoise commence à pousser de petits cris. Son sexe complètement détrempé est exquis, tout comme son anus que
ma langue charnue ne dédaigne point.
Normalement plutôt du genre causante, Françoise se
contente de subir mes coups de langue impudiques en
essayant de se concentrer sur l'histoire lue par Lynne. La
danseuse est maintenant à califourchon sur l'homme
pendant que la femme alterne ses caresses entre les fesses
de la danseuse et les couilles de son mari. Sentant Françoise
près de l'orgasme, je suçote ses lèvres pour ensuite faire
tournoyer rapidement ma langue sur son petit organe
érectile bien bandé lui aussi. Son corps se crispe tout entier.
Ses respirations deviennent haletantes. Françoise atteint
l'orgasme presque muettement, sans doute pour ne pas
ameuter le voisinage, et elle se trémousse tranquillement
sous nos regards. Sans lui donner trop de répit, j'enfonce
ma queue en douceur dans sa chatte en ne quittant pas
Lynne des yeux. Je la trouve mignonne avec sa main dans
sa culotte et sa voix finalement éraillée.

des poitrines plus jeunes. Connaissant mes fantasmes, Françoise se contente de fermer les yeux et de rejeter la tête en arrière en écoutant Lynne poursuivre son récit.

Oubliant toute retenue, je décide de libérer ma verge des contraintes de mon pantalon avant qu'elle explose. Je me branle lentement en savourant le moment. Un peu surprise à la vue de mon pénis, Lynne toussote, mais elle reprend vite ses esprits. J'alterne mes regards entre elle et ma partenaire, qui se caresse gentiment les seins, absorbée par le récit qui devient de plus en plus captivant. Puis, Françoise se penche vers moi pour avaler goulûment ma queue.

Entre-temps, la danseuse de l'histoire s'est retrouvée à quatre pattes, à se faire brouter par la femme pendant qu'elle fait une fellation à son mari. Imperturbable, Lynne poursuit sa lecture. Le moment est divin. Je prends une longue gorgée de vin en me disant que la vie ne pourrait être plus généreuse à mon égard. Je dépose le pinot pour laisser ma main poursuivre son chemin sur la cuisse de Françoise jusqu'à sa chatte encore chastement cachée par une mince couche de soie. Je peux sentir de l'humidité sur son bas. Incroyable ! Son liquide a traversé sa petite culotte, ce qui fouette d'autant plus mon excitation. Je réclame à mi-voix un accès direct à son sexe afin d'y plonger les doigts. Docile, Françoise se lève brièvement pour faire glisser sa jupe sur le plancher de la terrasse et enlever son slip, qu'elle dépose négligemment sur le bras de sa chaise.

Lynne s'arrête un instant de lire pour prendre elle aussi une gorgée de vin, mais elle revient ensuite à son passage. À présent totalement nue, hormis ses bas et ses escarpins, Françoise reprend mon pénis, d'une dureté ahurissante, dans sa bouche après m'avoir embrassé avec gourmandise. Son abondant jus s'est agglutiné dans les poils de sa chatte et je le récolte pour le porter à sa bouche, m'en abreuvant par la même occasion. Surexcité, je saisis alors sa culotte mouillée qui traîne et je me mets à la lécher, tout en lui palpant frénétiquement les seins, qui ne cessent de durcir. À l'instant précis où je l'installe sur la table en lui écartant les cuisses, n'en pouvant plus, notre lectrice dégrafe son pantalon pour y glisser sa main. Je lui jette un petit regard complice pour l'encourager. Faisant preuve d'une discipline de fer, Lynne change à peine de timbre de voix tandis que Françoise commence à pousser de petits cris. Son sexe complètement trempé est exquis, tout comme son anus, que ma langue charnue ne dédaigne pas.

Plutôt du genre causante en temps normal, Françoise se contente de subir mes coups de langue impudiques en essayant de se concentrer sur l'histoire lue par Lynne. La danseuse est maintenant à califourchon sur l'homme pendant que la femme alterne ses caresses entre les fesses de la danseuse et les couilles de son mari. Sentant Françoise près de l'orgasme, je suçote ses lèvres pour ensuite faire tournoyer rapidement ma langue sur son petit organe érectile bien bandé lui aussi. Son corps se crispe tout entier. Ses respirations deviennent haletantes. Françoise atteint l'orgasme presque muettement, sans doute pour ne pas ameuter le voisinage, et elle se cambre sous nos regards. Sans lui donner trop de répit, j'enfonce ma queue en douceur dans sa chatte sans quitter Lynne des yeux. Je la trouve mignonne avec sa main dans sa culotte et sa voix finalement éraillée.

Se masturbant de plus en plus frénétiquement, Lynne abandonne sa lecture un bref instant pour me fixer des yeux. Je sens ma verge grossir dans le vagin de ma partenaire. J'accélère la cadence et je me penche pour mordiller ses mamelons. Je la prends ainsi longuement. Le visage de Françoise transpire de plaisir, ce qui la rend encore plus belle. Au tour de mon orgasme de se pointer à l'horizon et, en même temps qu'une scène particulièrement enivrante du livre, j'éjacule en contractant violemment mes muscles fessiers. Mes deux compagnes jouissent aussi. Quel doux concert de plaisir sur notre terrasse enclavée! Des bruits qui se prolongent encore et encore dans la nuit pernicieuse…

Dans les semaines qui suivent, notre lectrice accepte volontiers de répéter l'expérience, au grand plaisir de Françoise, que ces petits jeux émoustillent au plus haut point. Des séances où l'hédonisme s'intensifie de jour en jour et où les rôles sont interchangés pour le simple plaisir des sens…

Bacchanales florentines

Je danse avec toi dans ce club bondé. Tu portes cette robe que j'aime tant, qui met si bien en valeur tes courbes. Tu es collée contre moi et je te tiens par les hanches. Tout autour de nous, d'autres corps en sueur se trémoussent au son de la musique latine. Certains s'abandonnent plus que d'autres. Ainsi, je peux apercevoir au-dessus de ta tête un couple qui s'embrasse dans la pénombre avec une passion non dissimulée. L'homme agrippe férocement sa partenaire par les fesses, remontant légèrement sa courte robe, en laissant entrevoir le galbe, les deux globes blanchâtres séparés par une mince bande de tissu foncé. Je te retourne et t'indique ce qui a attiré mon attention. Inspiré, je te prends par la taille et me presse contre tes fesses. Je remonte légèrement mes bras pour sentir tes seins s'appuyer contre mes avant-bras. Tes mains saisissent ma nuque et je t'embrasse dans le cou. La nuit promet d'être torride.

Nous sortons parfois danser ainsi, Michèle et moi. La proximité des corps, la chaleur, la musique, la langueur de la danse, l'alcool aussi, évidemment, nous mettent dans un état des plus propices à nos nuits d'amour. Quand le désir devient irrésistible, nous quittons précipitamment les lieux pour nous retrouver dans notre lit, à arracher nos vêtements et à nous jeter sauvagement l'un sur l'autre, jusqu'à épuisement. Parfois, le désir est tel que nous ne pouvons attendre d'être à la maison. Nous trouvons alors un coin d'ombre, une ruelle mal éclairée où je relève sa robe, arrache sa culotte et la prends par-derrière avec abandon, une main sur ses seins et l'autre sur sa bouche, pour l'empêcher de crier afin de ne pas alerter les passants. Sous ses airs parfois pudibonds, je sais que Michèle adore ces moments de débauche et que se dissimule en elle une exhibitionniste que je rêve un jour de libérer.

Nous sommes tous les deux dans la trentaine. Michèle est une grande blonde aux yeux bleus. En bon Québécois au sang chaud, ce que j'aime le plus chez elle, c'est sa forte poitrine et sa taille mince. Grande nageuse qui fréquente assidûment les piscines trois ou quatre fois par semaine, elle a des épaules larges, mais néanmoins féminines. Nous nous fréquentons depuis quelques années déjà, et il y a même des rumeurs de mariage dans l'air, mais pour le moment nous profitons à plein de notre vie de couple sans enfants. Pour ma part, je suis ce que l'on surnomme un grand *slaque* d'un mètre quatre-vingt-dix qui pèse à peine soixante-quinze kilos mouillé. Mon sport à moi, c'est la course à pied. J'ai déjà quelques marathons au compteur et il n'y a rien que j'aime plus que de m'élancer à l'aube dans les rues désertes de Montréal pour faire dix ou quinze kilomètres afin de me dérouiller les jambes avant ma journée de boulot.

Ce soir, il y a déjà deux heures que nous dansons et la pression monte. Nos baisers deviennent de plus en plus fougueux et nos mains, baladeuses. Je porte heureusement une chemise un peu trop longue, que j'ai sortie de mon pantalon afin de camoufler une érection naissante. Michèle me quitte temporairement pour aller nous chercher un dernier verre, et je demeure sur la piste de danse au milieu de cette masse grouillante et sensuelle en ondulant doucement au son de la musique que crachent les haut-parleurs. Les yeux fermés, j'absorbe les sons, la chaleur et les odeurs des corps qui m'entourent. Nous sommes tous habillés, mais une forte sensualité et une grande lascivité se dégagent de nous tous, plus intenses encore que si nous étions nus. Une orgie socialement acceptable, quoi.

Perdu dans mes pensées et dans l'imaginaire de notre baise, que je sais imminente, je sens Michèle me prendre la taille par-derrière. Ses mains descendent rapidement vers mon entrejambe pour vérifier l'état de mon érection. Je me retourne afin de confirmer qu'il est temps de partir, mais à ma grande surprise ce n'est pas Michèle qui me tient ainsi serré. C'est la délicieuse petite brune de tout à l'heure, qui se laissait palper les fesses sans vergogne. Ma surprise est telle que j'en perds un instant mes moyens. Un sourire allumeur illumine son regard, son corps chaud et humide pressé contre le mien. Elle tente de m'embrasser, mais même sur la pointe des pieds elle ne peut m'atteindre. J'essaie poliment, mais fermement, de m'extirper de son étreinte avant que Michèle revienne. Peine perdue, la fille enlace ses mains sur mes reins et me tient solidement prisonnier. Sans dire un mot, elle se frotte le visage sur ma poitrine, cherchant à introduire le bout de sa langue entre deux boutons de ma chemise pour me lécher la peau. Ouf!

Avec un brin d'appréhension, je vois s'approcher l'homme avec qui elle dansait plus tôt. C'est un colosse qui doit bien faire dans les deux mètres et dont les bras musculeux gonflent les manches à les faire craquer. Une chose est sûre, s'il décide de prendre ombrage des libertés que sa compagne se permet avec moi, je n'ai aucune chance. Mais il me sourit à son tour et se contente de se coller sur le dos de mon agresseuse. Celle-ci tourne alors la tête et l'embrasse avec ardeur pendant qu'il lui saisit les seins pour les masser langoureusement à quelques centimètres à peine de mon visage. Michèle choisit ce moment pour revenir, deux verres de bière à la main. Surprise par la scène, elle m'interroge du regard. L'étreinte des deux inconnus se relâche doucement et je parviens tant bien que mal à reprendre contenance, rabattant les pans de ma chemise sur mon érection. Le petit intermède avec la belle inconnue ne m'a certes pas laissé indifférent, mais je tiens avant tout à éviter une scène de jalousie avec Michèle, qui, pour le moment, semble plus éberluée qu'autre chose. Pendant une courte accalmie musicale, nous réussissons à nous présenter mutuellement.

« Bonsoir, dit l'homme d'une voix chaude teintée d'un léger accent, je m'appelle Dante. Je vous présente Claudia.

— Bonsoir, lui dis-je, moi c'est Daniel, et ma compagne s'appelle Michèle. Il me semble que c'est la première fois que je vous vois ici.

— En effet, répond Claudia avec un accent italien mélodieux beaucoup plus prononcé. Nous sommes de passage à Montréal. Nous habitons Florence. Mon amoureux avait à faire dans votre ville et je l'ai accompagné. C'est la première fois que je viens au Québec et je dois dire que j'aime beaucoup l'ambiance.»

Ces dernières paroles s'accompagnent d'une œillade enflammée vers moi, qui échappe heureusement au regard d'aigle de Michèle. Celle-ci semble perturbée par ce couple. Outre sa carrure hors norme, Dante porte un petit collier de barbe qui définit une forte mâchoire et une bouche aux lèvres sensuelles. Entre deux gorgées de bière, Michèle ne peut empêcher ses yeux de glisser le long du corps musclé de Dante, et je la sens intriguée par le contraste avec ma propre stature filiforme. Quant à moi, j'en profite pour examiner de plus près la belle Italienne qui m'enserrait si impudiquement il y a peu. Elle semble dans la jeune trentaine et porte à merveille une petite robe noire dont le profond décolleté laisse entrevoir une poitrine qui, sans être opulente, me paraît très ferme. Elle ne porte visiblement pas de soutien-gorge. Je devine sous le tissu ses mamelons redressés et à peine dissimulés par sa longue chevelure brune qui entoure un visage fin aux yeux verts. Sans être très grande, Claudia a de belles jambes fuselées et basanées.

Au bout de quelques minutes d'une conversation un peu gênée, nous reprenons le chemin de la piste de danse. Presque naturellement, d'un commun accord, nous changeons de partenaire. Dante attire Michèle vers lui, alors que Claudia se suspend à mon cou. Il y a longtemps déjà qu'un corps autre que celui de Michèle s'est tenu ainsi plaqué contre le mien et, ma foi, c'est plutôt agréable. Je jette un coup d'œil coupable du côté de Michèle, qui me sourit. Ses épaules se soulèvent légèrement, comme pour me signifier «Ce n'est pas grave, profites-en». Dante la tient dans ses bras et la serre contre lui, mais je ne ressens aucune jalousie, car je l'aime et je lui fais confiance. Pour tout dire, je m'estime chanceux de partager ma vie avec une femme qui sait encore enflammer le désir d'autres hommes. Et puis le contraste entre ma blonde et cet Adonis italien est intrigant. Je me surprends à échafauder les scénarios les plus fous. Claudia, qui n'a rien perdu de l'échange silencieux entre Michèle et moi, se colle un peu plus contre moi.

« *Mio Dio ! Mio bel uomo*, suis-je si désagréable à regarder pour que tu n'aies d'yeux que pour ta Québécoise ?

— Bien sûr que non, dis-je en plongeant mon regard dans ses beaux yeux verts. C'est juste que nous n'avons pas l'habitude de ce genre de situation.

— *Macché, quale situazione ?* C'est simplement une danse, minaude-t-elle en me chatouillant la nuque de ses longs doigts aux ongles peints en noir.

— Oui, bien sûr, mais tu es une très belle femme, Claudia, et hum… Je n'ai pu m'empêcher de voir comment Dante te pétrissait les fesses tout à l'heure.

— *Bene, uomo mio*, voilà qui est mieux, rétorque-t-elle dans un doux roucoulement. *Ti è piaciuto il mi culo ?*

— Euh… Je ne comprends pas l'italien, Claudia, mais si c'est de ton cul que tu parles, eh bien oui, il me plaît, dis-je en laissant illico mes mains s'y poser.

— *Bene, bene*, je sens que nous allons être amis, susurre-t-elle. Je pense que ta Michèle aime bien mon Dante aussi, *no* ?

— Peut-être bien, oui », dis-je, mal à l'aise.

Tout en se trémoussant lascivement devant moi, Claudia ne cesse de se frotter les seins contre ma poitrine. Je sens très bien ses mamelons sur mon torse et ne peux rester insensible à ce genre de torture. Mais je crains toujours un accès de jalousie de ma blonde. Du coin de l'œil, je constate qu'elle ne perd pas de vue le manège de la belle Italienne, mais je sais aussi que Michèle est parfaitement consciente qu'aucune autre femme ne peut prendre sa place dans mon cœur et dans ma vie. Je m'abandonne donc un peu avec Claudia, certain que de toute façon je retrouverai Michèle et que c'est avec elle que culminera l'explosion de nos sens. Claudia bouge divinement et ne se gêne pas pour continuer de m'attiser. En plus de coller sa poitrine généreusement découverte contre mon torse, elle tente de glisser sa cuisse entre mes jambes pour y frotter sa chatte. En même temps, elle ne se gêne pas non plus pour agripper mes fesses ni pour caresser mon érection, que je n'essaie même plus de réprimer.

Décontenancé néanmoins par ces avances si explicites, je regarde de nouveau Michèle, qui est maintenant adossée à Dante, les bras levés, ses doigts croisés derrière sa nuque. Ils bougent très lentement, oscillant langoureusement au son de la musique. Je suis certain qu'elle sent son sexe entre ses fesses, et cette pensée ne fait qu'exacerber mon propre désir. Dante caresse ses flancs du plat des mains, puis celles-ci descendent plus bas. Petit à petit, il remonte le bas de sa robe, exposant la blancheur de ses cuisses, puis le triangle noir de sa culotte. Michèle, très consciente des gestes impudiques de son partenaire, garde les yeux fermés et se mordille la lèvre inférieure. Sa robe est maintenant au niveau des hanches, et tous peuvent voir le slip sexy que j'avais choisi pour elle. Michèle s'exhibe rarement, mais elle adore quand on le fait à sa place, comme le jour où, sur l'autoroute, j'avais ouvert son chemisier et relevé sa jupe pour la caresser jusqu'à l'orgasme pendant que je faisais exprès de rouler à la hauteur d'un autocar de touristes. Nous n'avions pas vu les visages des passagers, seulement les flashs de leurs appareils photo. Michèle m'a confié qu'elle se masturbait parfois en se remémorant cet épisode. Ce soir, elle me semble si émoustillée que je me prends à croire que tout est possible.

« Dis-moi, Claudia, lui dis-je à l'oreille, tous les Italiens sont-ils aussi délurés que vous deux ? Regarde ton copain, il est pratiquement en train de déshabiller ma fiancée sur la piste de danse.

— *Mio Dio, ma no, amore mio*, répond-elle en forçant son accent et en serrant de plus belle ma queue au travers de mon pantalon. Mais nous sommes en voyage et personne ne nous connaît ici, alors on en profite pour se laisser aller. D'ailleurs, je trouve ta copine ravissante, j'adore les blondes aux gros seins. »

Que puis-je répondre ? Entre les doigts de Claudia qui vont et viennent sur mon sexe et le spectacle que donnent nos partenaires à quelques pas de nous, je sens ma tête qui tourne. Le souffle court, j'épie Dante qui glisse ses doigts sous la bande élastique de la culotte de Michèle pour lui caresser doucement le pli de l'aine. Je peux même deviner quelques poils blonds qui s'échappent. Je suis obnubilé par cette vue, et Claudia se frotte toujours contre mon pénis. Mais soudain elle me délaisse pour se diriger d'un pas déterminé vers Dante et Michèle. Oh, oh, me dis-je, c'est la fin de la récréation. Mais non, Claudia se contente de rabaisser la robe de Michèle, la sortant ainsi de sa rêverie, puis elle la prend par la main et l'attire vers les toilettes des femmes. Imperturbable, comme s'il s'agissait d'un ballet savamment orchestré, Dante me prend par les épaules et m'entraîne vers le bar. Je le suis sans protester, une consommation froide me fera le plus grand bien.

Pendant que nous sirotons nos bières, Dante mentionne d'un air détaché qu'ils ont une chambre dans un chic hôtel du centre-ville. Il m'avoue trouver les Québécoises très jolies mais un peu réservées, sauf certaines d'entre elles, ajoute-t-il avec une œillade complice. Nous bavardons de choses et d'autres jusqu'au retour de nos compagnes. Claudia se jette dans les bras de Dante et opine du chef en lui glissant quelques mots à l'oreille. Michèle se colle à moi et je l'interroge du regard. Elle me chuchote que nos nouveaux amis nous invitent à rentrer avec eux à leur hôtel pour prendre un dernier verre. Elle m'embrasse en me glissant discrètement quelque chose dans la main. Baissant les yeux, je m'aperçois qu'il s'agit de son slip bien humide. Hum… dernier verre *indeed* !

Nous nous retrouvons donc dans un taxi, en route vers leur hôtel. Dante s'est assis devant, alors que Michèle se retrouve coincée entre Claudia et moi, sur la banquette arrière. Le véhicule a à peine démarré que Claudia pose sa main sur la jambe découverte de Michèle et glisse subrepticement ses doigts entre ses cuisses. Michèle m'a déjà confié avoir eu quelques expériences avec des femmes dans les résidences à l'université. D'ailleurs, je lui demande souvent de me conter en détail ses aventures dans l'univers du saphisme lorsqu'elle me branle. À ces occasions, je sens toujours une certaine nostalgie chez elle.

Conscient du manège qui se déroule à l'arrière, Dante bavarde avec le chauffeur haïtien afin de détourner son attention. À mes côtés, je sens la respiration de Michèle s'accélérer alors qu'elle serre les jambes. Je glisse à mon tour une main entre ses cuisses pour la forcer à les écarter légèrement, laissant ainsi un peu plus de liberté aux manipulations de Claudia. Je suis de plus en plus curieux de voir jusqu'où Michèle est prête à se laisser entraîner. À tâtons, celle-ci agrippe mon sexe au travers de mon pantalon au moment où son excitation atteint son comble. Elle commence à gémir doucement. Malheureusement, nous sommes déjà arrivés à destination. Le taxi s'arrête net devant l'hôtel. Nous nous extirpons difficilement du véhicule et j'entraperçois un bref instant son sexe ainsi que celui de Claudia, qui a donc retiré elle aussi son sous-vêtement dans les toilettes du club. Je ne peux m'empêcher de me demander ce qui s'est passé entre elles. M'est d'avis que la jolie Italienne a entrepris la séduction de ma blonde.

Nous nous précipitons dans l'ascenseur, dont nous sommes heureusement les seuls occupants. Visiblement, les caresses interrompues de Claudia ont laissé Michèle dans un état de frustration à peine supportable. Elle s'appuie contre moi en m'embrassant, relève sa jupe et pose ma main contre son sexe trempé en s'y frottant avec de petits couinements. Toutes ses inhibitions semblent s'être évaporées. De son côté, Dante a dénudé les seins de Claudia, qu'il caresse vigoureusement tout en nous dévisageant. Je glisse deux doigts à l'intérieur de la chatte de Michèle que je connais si bien et j'ai le temps de lui arracher un orgasme avant que l'ascenseur s'immobilise. Je retire mes doigts de son sexe. Sans vergogne, Claudia prend alors ma main et la porte à sa bouche. Elle la lèche en fermant les yeux et en gémissant doucement, puis sort de l'ascenseur. Dante la suit. Michèle s'appuie sur moi, les jambes flageolantes.

Nous suivons nos nouveaux amis. Totalement impudique, Claudia a retiré sa robe dans le couloir et déambule nue sur ses escarpins jusqu'à la porte de leur suite. Elle y entre en nous lâchant un clin d'œil concupiscent. La suite est magnifique, avec un grand salon et

une chambre contiguë meublée de deux grands lits. Par les immenses fenêtres, on peut voir les lumières du Montréal nocturne. Allumant au passage quelques lampes, Claudia s'approche d'un guéridon où se trouvent plusieurs bouteilles d'alcool. Elle ne semble pas du tout préoccupée par le fait que les rideaux ouverts permettent aux locataires de l'immeuble d'en face de ne rien manquer de ses charmes.

« *E allora, mie piccioncini,* que voulez-vous boire ? demande-t-elle en prenant une pose provocatrice, la main sur les hanches.

— Hum… En accord avec la soirée, je prendrais bien un verre d'asti spumante, dis-je en repérant la bouteille dans un seau à glace à côté du guéridon.

— Bonne idée, ajoute Michèle en s'affalant dans un des fauteuils moelleux qui font face aux fenêtres. Il faisait vraiment chaud sur la piste de danse !

— Pour ne rien dire du taxi, n'est-ce pas mon amour ? » dis-je pour la taquiner.

Tout en nous servant une coupe de vin, Claudia se pavane nue devant nous. Dante et moi avons pris place sur un grand canapé de cuir et nous délectons du spectacle. Sans aucune gêne, Claudia s'assoit sur le bras du fauteuil de Michèle et savoure lentement son vin en dandinant langoureusement une jambe devant elle. J'ai un peu de difficulté à quitter des yeux ses jolis petits seins dont les aréoles brun chocolat semblent me narguer. Michèle, qui a presque repris ses esprits, essaie d'ignorer le dos de la belle Italienne à quelques centimètres de ses yeux et de nous faire la conversation. Mais Claudia, bien déterminée à parvenir à ses fins, se met à caresser doucement le genou de Michèle, tout en remontant sa robe. Peu à peu, elle lui découvre les jambes jusqu'à ce que ses doigts effleurent son entrecuisse. S'interrompant en pleine phrase, Michèle dépose maladroitement son verre sur la table à côté d'elle et rejette la tête en arrière, s'abandonnant aux caresses de Claudia.

« *Mia cara* Michèle, murmure-t-elle en poursuivant son effleurement, *che bella* !

— *Che bene,* Daniel, dit Dante en pouffant de rire, on dirait que nous sommes de trop ici.

— Je ne sais pas, Dante. Ces demoiselles paraissent décidées à nous offrir un petit spectacle. »

À ces mots, Michèle se redresse et se racle bruyamment la gorge en saisissant la main de Claudia pour l'immobiliser. Je remarque toutefois qu'elle ne fait rien pour dissimuler sa chatte blonde, qui s'offre à notre vue entre ses jambes écartées.

« Hmm... Claudia, ne va pas si vite... Laisse-moi reprendre mon souffle.

— *Ma no !* s'exclame Claudia. Je ne peux plus attendre, moi ! »

Sur ces mots, la jeune femme se lève et, jetant un coup d'œil enflammé à son amant, se précipite sur un des lits. À peine s'est-elle affalée sur le dos que Dante se précipite sur elle. Il la prend sous les genoux et lui écarte les jambes, exposant son sexe entièrement épilé. Claudia pousse un petit cri de surprise feinte alors que Dante commence à la lécher. Elle accroche ses doigts dans ses cheveux et émet un sourd râlement tandis que son dos s'arque sous les attentions de Dante.

Michèle et moi nous regardons, un peu interloqués, mais ma blonde réagit plus rapidement. Se relevant, elle me prend la main et me pousse gentiment vers l'autre lit. Elle défait habilement mon pantalon et d'un mouvement leste me dénude le bas du corps, libérant mon sexe rigide. Avec avidité, elle engloutit mon membre. Sa bouche est délicieuse autour de ma queue, et sa langue danse sur mon gland. Ce n'est qu'avec beaucoup de détermination que je parviens à me retenir d'éjaculer trop vite. À genoux entre mes jambes, Michèle a oublié ses hésitations. Elle n'en a plus que pour mon pénis, qu'elle baigne amoureusement de sa langue mouillée. Quel bonheur !

J'entends Claudia couiner de plaisir et je regarde de leur côté. Dante et elle nous observent maintenant, souriants, tout en reprenant leur souffle. Claudia s'agenouille à son tour sur le lit devant Dante, qui baisse lui aussi son pantalon, exposant un membre à la longueur et au diamètre impressionnants. Tout aussi captivante est la façon dont Claudia parvient à l'introduire au complet dans sa bouche et sa gorge. Lentement, Dante retire sa queue massive de la bouche de Claudia puis l'y glisse de nouveau. Même lorsque son nez est écrasé sur l'abdomen de son amant, Claudia parvient à lui titiller les testicules du bout de la langue. Wow, c'est de la fellation extrême, me dis-je, admiratif.

J'attire l'attention de Michèle sur les prouesses de Claudia. Médusée, elle interrompt un instant sa pipe et c'est à notre tour de les observer. Dante accélère la cadence et grogne plus fort alors que seul son gland se trouve dans la bouche de Claudia. Celle-ci se met à le masturber rapidement à deux mains. Dante est soudain secoué de spasmes pendant qu'il explose dans la bouche de sa partenaire, qui n'en perd pas une goutte. Dante soupire de satisfaction. En nous adressant un petit regard complice, il se relève pour se diriger vers la salle de bain. Claudia se lève à son tour et s'approche de nous. Elle s'agenouille tranquillement à côté de Michèle et passe un bras autour de sa taille.

Avec son accent si sexy, elle lui glisse à l'oreille qu'elle souhaite maintenant me sucer en sa compagnie. Je crains un instant que ma compagne refuse, mais je sens que, ce soir, toutes les barrières ont éclaté et que tout est permis. Michèle opine et enlève sa robe pour se placer à califourchon au-dessus de ma tête, son sexe à l'odeur entêtante à portée de ma bouche. Claudia se penche entre mes jambes en me flattant doucement les cuisses et en me gratouillant délicieusement le scrotum. Je commence à lécher Michèle alors que je sens sa bouche sur mon sexe et la langue de Claudia tournoyer autour de mes testicules. J'essaie de me concentrer sur cette chatte que j'adore, mais les deux langues charnues qui frétillent sur ma queue hypersensible m'empêcheront de résister très longtemps. Claudia et Michèle m'achèvent lorsque je les sens s'embrasser avidement autour de mon gland. Leur baiser passionné ne s'interrompt même pas lorsque j'éjacule avec force.

Insatiable, Claudia relève alors Michèle et la pousse vers le lit voisin. Leurs corps y tombent entrelacés, leurs bouches toujours soudées l'une à l'autre comme des ventouses. Je vois les doigts de Michèle assaillir la chatte de Claudia, pendant que celle-ci s'affaire à explorer la sienne. Le spectacle de ces ébats réveille mes ardeurs et je ne peux m'empêcher de me branler lentement en les regardant se sucer les seins et se masturber mutuellement. Le contraste entre la petite brune basanée et la grande blonde est frappant. Claudia enlace ses mains dans la longue chevelure de ma blonde et écarte les jambes, s'offrant entièrement aux cajoleries de Michèle, qui lèche tour à tour sa chatte et son anus. Je l'ai rarement vue aussi déchaînée.

Maintenant à quatre pattes sur le lit, Michèle glisse deux doigts profondément dans le sexe de Claudia, et je peux voir son coude aller et venir frénétiquement. Sa bouche se presse ensuite contre la chatte de sa partenaire, y enfonçant la langue pour recueillir les moindres perles de nectar. Son beau cul est relevé, complètement exposé à mes yeux et à ceux de Dante, revenu se joindre à nous. Il arbore de nouveau son érection quasi monstrueuse et s'approche de Michèle, la queue au garde-à-vous. Il me regarde pour me demander la permission. J'acquiesce d'un hochement de tête. Il prend alors les fesses de Michèle dans ses grosses paluches et appuie le bout de son pénis extra-large contre sa fente luisante. Elle n'a aucune idée qu'il s'apprête à la prendre ainsi. Elle ne sait pas non plus à quel point je suis excité de les voir.

Dante commence à s'insérer en Michèle et j'entends ses gémissements étouffés par la chatte de Claudia. Son corps se crispe un instant quand elle se rend compte que ce n'est pas moi, mais Claudia la retient solidement entre ses cuisses pendant que Dante glisse de plus en plus loin en elle. Les gémissements de Michèle se transforment en cris rauques. Dante est maintenant complètement en elle. Il commence à aller et venir lentement. Son rythme s'accélère et, au bout de quelques minutes, Dante baise la petite chatte de Michèle avec une force et une vigueur spectaculaires. Incapable de se concentrer pour continuer de lécher Claudia, elle se laisse faire, soumise aux assauts répétés de son nouvel amant. Dante la tient solidement par les hanches et chaque coup de rein puissant lui arrache un feulement presque animal. Elle bouge frénétiquement la tête d'un côté à l'autre, les yeux révulsés, mordillant les cuisses de Claudia dans sa passion. Cette dernière, loin d'être rebutée par les agressions de Michèle, encourage Dante d'une voix rauque tout en pinçant les mamelons de ma blonde.

« *Forza ! Forza ! Dài ! Dante ! Più profonde ! Più forte !* Baise-la comme une *cagna, mio caro*, vois comme elle aime ça ! »

Tétanisé, je change de lit pour m'agenouiller à côté de Claudia, sans perdre de vue le visage de Michèle, crispé de plaisir, à la jonction entre la douleur et l'extase. Claudia s'empare de mon sexe qui se balance à portée de sa main, et elle le porte à sa bouche pendant que Dante ne donne aucun répit à Michèle, qui griffe le lit et se mord les lèvres. La chambre résonne seulement des grognements d'effort de Dante. Quelques minutes s'écoulent ainsi avant que Dante arque lui aussi le dos en donnant un dernier coup, explosant en Michèle, lui arrachant par la même occasion un puissant orgasme dans un cri bestial qui me fait jouir dans la bouche merveilleusement chaude de Claudia.

Dante se retire et Michèle se couche sur le dos, les jambes serrées et les mains couvrant son sexe, savourant les dernières secousses orgasmiques. Claudia lui murmure des mots doux en caressant son corps couvert de sueur. Elle lui embrasse le cou, puis les mamelons, et enfin le ventre. Elle prend ses mains, les dépose le long de son corps et, avec une infinie délicatesse, lui écarte les jambes. Claudia pose sa bouche sur le sexe de Michèle et lape doucement sa fente afin d'y recueillir toute la semence de Dante. Pendant plusieurs minutes, elle lèche ainsi son sexe sensible jusqu'à la faire jouir encore une fois. Enfin repue, Claudia se couche sur Michèle et l'embrasse profondément. Je joins mes caresses aux siennes, lissant de la main la tignasse blonde ébouriffée de ma copine, qui peine à retrouver son souffle. Elle me jette un regard plein de tendresse.

« Oh, Daniel, mon ange, comme je t'aime ! Quel moment délicieux je viens de vivre. J'ai bien cru que Dante allait me fendre en deux !

— Oui, ma chérie, dis-je en l'embrassant sur les paupières. Moi aussi, j'ai trouvé ça très beau. Je t'ai rarement vue aussi excitée. »

Je jette un coup d'œil à Dante, qui est assis sur l'autre lit, son sexe massif toujours dressé vers le ciel. Ma foi, cet homme est décidément insatiable ! Après un dernier baiser à Michèle, Claudia va le rejoindre et l'enfourche. Elle le chevauche avec abandon alors que Michèle et moi nous caressons tendrement. Je veux lui faire l'amour, mais elle n'est pas encore remise des assauts de Dante. Claudia m'appelle alors. Affalée sur le torse de son amant, les seins écrasés sur sa poitrine et toujours empalée sur son pieu, elle m'invite d'un ton délicieusement salace à venir prendre la porte de derrière. J'interroge Michèle du regard. Celle-ci me fait un grand sourire en me désignant l'autre lit.

« Vas-y, mon trésor, je meurs d'envie de voir ça. »

Eh bien, tout est vraiment permis ce soir, me dis-je. Je ne me fais pas prier plus longtemps, un de mes fantasmes secrets, la double pénétration, étant assurément sur le point de se réaliser. Après avoir embrassé amoureusement Michèle, je me précipite vers l'autre couple. L'anus de Claudia est encore mouillé des câlineries de ma blonde. Je m'agenouille entre les cuisses massives de son amant en le contemplant. Je saisis ma queue à pleine main et la pénètre doucement. Son trou est incroyablement étroit et nous nous mettons à grogner d'effort. Une fois Claudia bien pleine de nous, nous faisons une pause de quelques secondes pour lui permettre de s'habituer avant d'entreprendre une lente cadence. Dante et moi alternons notre pénétration, et les cris de plaisir de Claudia s'amplifient à mesure que nous accélérons nos coups de butoir. Je ressens le moindre de ses spasmes, qui sont parfois si puissants qu'ils me serrent la queue d'une façon quasi douloureuse, m'empêchant heureusement de venir trop vite. Je veux savourer ce moment.

« Mio Dio ! Santo cazzo ! Oohhh siii, crie Claudia, qui délire de plaisir. Più profonde, che buono ! Figlio di puttana ! Che cazzo ! Più profonde ! E' così grosso e duro ! »

Je ne comprends rien à ce flot d'italien, mais il me fouette l'ardeur. Claudia nous crie soudainement de la pénétrer ensemble. Dante et moi coordonnons nos efforts. J'enfonce toute la longueur de ma queue en elle alors que mes doigts s'accrochent à ses hanches souples. Claudia gémit férocement et je sens la bite de Dante se gonfler tandis qu'il éjacule pour la troisième fois de la soirée. Il donne quelques coups supplémentaires puis s'immobilise, vidé. Je me déchaîne alors sur le cul de Claudia et, une dizaine de secondes plus tard, je l'inonde à mon tour, gémissant comme une bête.

Je me retourne vers Michèle, qui se pince les mamelons et se caresse la fente. Elle gémit faiblement en atteignant un autre orgasme. Fourbus, mais finalement repus, nous parvenons à nous relever pour prendre une douche. Dante et moi admirons les deux femmes qui se lavent mutuellement, leurs ablutions ponctuées de longues caresses et de profonds baisers sensuels. Elles se frottent les seins en échangeant baiser sur baiser. Nous entrons à notre tour dans la douche, mais ce sont leurs mains qui nous lavent. La chaleur de l'eau et la douceur conjuguée des mains de Claudia et Michèle parviennent à nous faire raidir une fois de plus. Une fois notre douche terminée, elles s'assoient sur le bord du comptoir de la salle de bain, côte à côte, et nous pénétrons simultanément nos compagnes respectives. Nos coups sont lents et amoureux. Claudia et Michèle se tiennent par la main et échangent des baisers pendant que nous leur faisons lentement l'amour avant qu'un dernier frisson de plaisir et d'épuisement nous secoue tous.

Dante et Claudia rentrent en Italie dans deux semaines, nous aurons donc l'occasion de profiter d'eux (et eux de nous) encore quelques fois avant leur départ. Michèle m'a fait promettre qu'on lui ferait à son tour une double pénétration, Claudia a semblé y prendre tant de plaisir. Et nous avons déjà fait nos plans pour aller les visiter en Italie pour, qui sait, passer notre voyage de noces dans leur villa florentine.

D'un fantasme à l'autre

Chaque homme, et même chaque femme, a ses propres fantasmes. Ce qui est fascinant, c'est qu'en ce domaine rien n'est statique. Les fantasmes évoluent constamment avec le temps. Ainsi, en trente ans, j'en ai eu beaucoup. Je crois cependant n'en avoir toujours eu qu'un seul à la fois. J'ai rapidement compris que pour que mes fantasmes évoluent, il faut soit qu'ils se réalisent, soit qu'ils deviennent inaccessibles à tout jamais. Chaque fois qu'un fantasme disparaît, mon esprit devient libre pour en élaborer un nouveau, qui prend toute la place.

Mes premiers fantasmes se sont manifestés dès le début de mon adolescence. Le tout premier consistait à souhaiter des relations intimes avec des femmes plus âgées ou en position d'autorité. À l'âge de douze ans, j'ai commandé par la poste, des États-Unis, des lunettes qui, disait-on, permettaient de voir à travers les vêtements. Longue fut l'attente du colis. Je me souviens que pendant cette période, mes envies et surtout mon imagination m'ont permis d'observer intimement ma cousine, ma voisine ainsi que mon enseignante de français. Hélas, ce premier fantasme a pris fin abruptement lorsque j'ai reçu les fameuses lunettes. Camelote de piètre qualité en plastique, elles ne faisaient que créer un halo autour des gens et des objets. On ne voyait rien du tout à travers les vêtements.

Un peu plus tard, ma deuxième période fantasmatique a été celle où ma cousine, qui nous avait souvent gardés quelques années auparavant, logeait chez nous pendant ses études à l'institut de coiffure. Elle devait avoir dix-sept ou dix-huit ans, alors que j'en avais treize. Je me souviens d'avoir percé un trou dans le mur de ma chambre d'où je pouvais, à grand-peine dois-je admettre, épier Diane à travers le grillage de la bouche de chaleur de la salle de bain, lorsqu'elle prenait une douche. C'était assurément une belle jeune femme. Mince, teint foncé, cheveux noirs bouclés, fesses bombées, seins pointus. C'était la première que je voyais toute nue. Pourquoi me faisait-elle tant rêver ? J'ai vite compris que c'était parce que, comme elle était près de moi, elle me paraissait plus accessible. Soir après soir, je l'observais. L'angle de vue était plutôt limité. Certains jours, lorsque je n'avais pu la contempler à mon goût, j'étais anxieux de mieux faire le lendemain. D'autres soirs, lorsque le spectacle me plaisait, pour la raison contraire cette fois, j'éprouvais la même anxiété. Je ne me lassais pas de ce merveilleux spectacle. La lenteur de ses mouvements, l'eau chaude sur sa peau qui créait un léger brouillard, ses mains qui caressaient ses courbes généreuses, qui passaient et repassaient entre ses fesses, son pubis fourni, tous ces éléments me procuraient des heures de fabulations.

Cette manœuvre a duré deux ou trois mois. Elle m'a permis de réaliser en partie mon fantasme de relation intime avec une personne plus âgée. Mais ce qui devait arriver arriva. Lors d'une séance d'observation, ma cousine a soudainement disparu de mon champ de vision. Un instant plus tard, elle était campée au-dessus de moi, gouttant sur mon épaule et furibonde. J'ignore encore comment elle a découvert le pot aux roses, mais j'ai eu droit à des insultes bien senties et même à quelques baffes. Heureusement, Diane ne m'a jamais dénoncé, se contentant de me toiser avec mépris chaque fois qu'elle me croisait. Je n'avais plus aucune chance qu'elle me dépucelle !

Plus tard, au cégep, j'ai pris un immense plaisir à fantasmer sur les femmes de couleur. Mon arrivée dans la métropole après avoir quitté mon petit village m'a mis en contact pour la première fois avec des immigrants (ou plutôt avec des fils et des filles d'immigrants). Sans en connaître une seule, j'affectionnais particulièrement les noires. Ce n'était pas que les autres ne m'intéressaient pas, mais je trouvais que les femmes noires avaient ce petit quelque chose de spécial dont les autres étaient dépourvues. Je les trouvais tellement plus sensuelles. Leur peau semblait douce, leurs lèvres généreuses et pulpeuses, et enfin leurs fesses bombées attiraient mon attention de collégien. Je me suis alors mis à imaginer tous les moyens possibles afin d'entrer dans leur cercle, en espérant un jour partager l'intimité de l'une d'elles.

C'était plutôt difficile. À l'époque, les membres des minorités visibles avaient l'habitude de ne se fréquenter qu'entre eux et formaient ainsi un groupe étanche et quasi impénétrable. Avec beaucoup de charme, mais surtout grâce aux travaux en équipe, j'ai pu m'approcher de Leila, une splendide Dominicaine de dix-huit ans. Petit à petit, pendant une période qui m'a semblé une éternité, j'ai pu la fréquenter, la connaître et surtout gagner sa confiance. Nous avons formé un vrai couple pendant plus de trois ans. Il m'a cependant fallu au moins deux mois avant de goûter pour la première fois à ses lèvres. Fréquemment, nous étudiions ensemble au collège ou chez moi. Un soir d'automne, lorsque nous révisions nos notes de biologie, j'ai enfin pu l'embrasser. Un premier baiser doux, sensuel et agrémenté de caresses mutuelles. Pendant tout le mois suivant, notre intimité s'est limitée à des baisers chauds et à des caresses par-dessus nos vêtements. Je la sentais timide et, de mon côté, j'étais maladroit. N'ayant jamais fait l'amour, je ne voulais pas être trop entreprenant, de crainte de saboter une relation qui progressait peu à peu.

Un certain soir, après nous être caressés et embrassés avidement sur le sofa, nous n'en pouvions plus. Nous échangions des caresses qui à chaque instant devenaient plus osées. Pendant que sa langue fouillait ma bouche, de sa propre initiative, elle a enfoui la main dans mon jogging et a dégagé mon sexe, qui était si dur qu'il en était devenu douloureux. J'ai alors eu droit à ma première fellation. Ses lèvres pulpeuses étaient douces et sa bouche couvrait toute ma verge. Ce jour-là, j'ai joui sous les caresses d'une femme pour la première fois. Elle m'a ensuite laissé lui rendre la pareille et je me suis rendu compte avec volupté qu'il n'y avait pas que ses cheveux qui étaient crépus : sa chatte aussi.

Notre relation est devenue des plus sérieuses. De chaudes et fréquentes séances de jambes en l'air avaient remplacé nos baisers et nos caresses. Une fois sa timidité vaincue, Leila s'est aperçue qu'elle aimait beaucoup le sexe. Je n'aurais jamais imaginé qu'elle puisse être si gourmande et si audacieuse. Elle avait un appétit sexuel gigantesque, ce qui n'était pas pour me déplaire. Nous faisions l'amour quatre ou cinq fois par semaine, dès que nos parents nous laissaient seuls. Chaque séance, au rythme extrêmement lent, durait facilement une heure, parfois deux. Jamais Leila ne cherchait à accélérer les choses pour en finir plus vite. Lorsque j'allais exploser, elle ralentissait langoureusement le rythme pour reprendre ensuite de plus belle. Heureusement, à l'époque, je pouvais jouir plusieurs fois de suite.

Ma relation avec Leila a pris fin pour une multitude de raisons. Bizarrement, après notre rupture, mes notes se sont améliorées à l'école. Les trois années passées à ses côtés m'avaient néanmoins permis d'assouvir mon fantasme de collégien. Plus jamais je n'ai été attiré par une femme de couleur.

Vingt ans se sont écoulés depuis l'université. Au total, je n'ai eu que trois relations durables. Après Leila, il y a eu Julie, que j'ai quittée au bout de quatre ans, et il y a maintenant Lucille, qui m'accompagne depuis plus de quinze ans. Je me compte chanceux d'avoir eu des conjointes qui avaient une bonne libido. Même à l'approche de la cinquantaine, ma conjointe et moi sommes toujours de bons baiseurs. J'ai parfois eu l'occasion de discuter de sexe avec des amis ou des collègues. La plupart ont des vies sexuelles pauvres et ennuyantes. J'en ai conclu que, avec les enfants et les années, l'intérêt de leur conjointe avait fléchi et que la sexualité avait perdu de l'importance dans leur vie. Trop souvent, dans leurs cas, l'acte sexuel se limite à la position du missionnaire, dans la noirceur la plus totale.

En ce qui concerne mon couple, le plus intéressant est que nos pratiques sexuelles restent diversifiées. Nous sommes constamment à la recherche de sensations diverses. Nous sommes créatifs dans les endroits que nous choisissons, les situations où nous baisons, la variété de nos positions, etc. Je peux même dire que nos relations sexuelles sont plutôt *hard*. Tenues sexy, films pornos, gadgets sexuels, baises effrénées et même sodomies font souvent partie du programme.

Ces dernières années, ma vie sexuelle était donc si satisfaisante que je croyais que je n'aurais plus jamais de fantasmes. J'étais convaincu que la diversité dont nous faisions preuve empêchait la naissance de toute nouvelle divagation. Mais j'ai compris un beau jour qu'une vie sexuelle sans fantasme est vouée à la monotonie et à l'insatisfaction, mais surtout qu'elle peut devenir nocive pour le couple.

Ainsi, malgré nos efforts d'imagination, nos relations, bien que toujours très satisfaisantes, devenaient prévisibles et presque ennuyantes. Je sentais le besoin de passer à une autre étape. J'ai bien pensé fréquenter d'autres femmes en secret, mais il était hors de question que je trompe Lucille. C'est alors qu'un nouveau fantasme s'est insinué dans mon esprit, et je voulais le vivre avec elle. J'étais convaincu que sa réalisation allait redynamiser notre sexualité et nous procurer une grande satisfaction.

Depuis peu, j'imaginais ma femme prise par deux hommes à la fois. Dans une variante de mon fantasme d'adolescent, je souhaitais voir Lucille faire l'amour simultanément avec un Noir et avec moi. De jour en jour, les scènes se précisaient dans ma tête. Ma Lucille suçait avidement une grosse queue foncée pendant que je l'observais. L'étranger et moi la caressions en même temps, doublant ainsi son plaisir et son extase. Je la prenais tandis qu'elle exécutait une douce fellation sur son autre partenaire. À l'acte final, ce devait être l'apothéose : nous lui servirions sa première pénétration double. Mais je voulais garder le privilège d'être celui qui la sodomiserait. J'ignore pourquoi, je tenais mordicus à conserver l'exclusivité de son petit trou. Ce scénario serait une première qui, je l'espérais, resterait inoubliable.

Le problème avec ce fantasme était qu'il incluait une autre personne. Cette fois, il me serait impossible de le réaliser seul ou en cachette. Lucille devait en être l'élément central, ce qui rendait la chose improbable. Bien que ma blonde adore le sexe et que, depuis quinze ans, elle ait démontré une très grande ouverture d'esprit à mes perversions, je sentais que ce fantasme-là allait au-delà de ce qu'elle pourrait accepter. Ainsi, j'ai longtemps refoulé mon envie. J'ai même parfois songé à recruter une escorte pour réaliser l'expérience, mais je comprenais que ce qui rendait ce fantasme particulièrement intense était justement qu'il impliquait ma complice de vie.

Mais quelque part, j'avais aussi le sentiment qu'elle pourrait en ressentir beaucoup de satisfaction. En effet, combien de fois l'avais-je vu s'exciter à la vue d'un étalon noir qui s'exhibait dans un film porno? Combien de fois avais-je remarqué qu'une scène entre deux hommes et une femme lui plaisait davantage qu'une autre avec deux femmes et un homme? Finalement, peut-être s'agissait-il pour elle aussi d'un fantasme refoulé.

Au fil des jours, mon fantasme devenait fixation. Résolu à passer à l'action, j'étais prêt à prendre le risque de tout dévoiler à Lucille. Un soir, après un souper bien arrosé, nous avons discuté de nos fantasmes. Comme d'habitude, elle ne répondait pas directement à mes questions, préférant me renvoyer la balle. J'ai eu la témérité de lui révéler mon projet. Elle a pouffé de rire.

« Tu es fou, Claude, d'où sors-tu ces idées farfelues? Faire l'amour avec toi et un Noir, vraiment? Et où trouverions-nous la perle rare? Je ne suis plus très jeune, tu sais. J'ai passé l'âge de draguer dans les bars.

— Je ne pense pas que ce serait si compliqué de trouver des candidats. Tu es trop sévère avec toi-même, tu es encore très désirable, dis-je en lui caressant doucement la cuisse.

— Flatteur, va. Mais tu ne crains pas d'être jaloux? Que penseras-tu, par exemple, si son pénis est plus long que le tien?

— Ne t'en fais pas pour moi, ma chérie. Après tout, il ne s'agit pas d'un amant à long terme que je te propose, ce serait simplement une expérience d'un soir avec un étranger qu'on ne reverrait plus par la suite.

— Et où diable le dénicheras-tu, cet étranger?

— Fais-moi confiance », répondis-je en l'entraînant par la main vers la chambre à coucher.

Ce soir-là, j'ai nettement eu l'impression que l'idée ne lui déplaisait pas tant que ça. Pour preuve, Lucille a montré une grande passion dans la séance de baise qui a suivi notre conversation. J'étais soulagé d'avoir enfin pu partager mon secret. Il me suffisait dorénavant d'entretenir la flamme dans son imagination afin de créer l'ouverture d'esprit nécessaire à sa réalisation. J'ai alors commencé à échafauder des plans plus concrets.

Ma première idée était de trouver moi-même le candidat et de provoquer une rencontre avec Lucille. J'ai donc placé une annonce dans un site d'échangisme sur Internet: «Homme noir recherché, éduqué, propre et bien membré pour s'offrir en cadeau une seule fois à ma copine.» Cette annonce donnait l'impression que c'était ma femme qui voulait tenter l'expérience et ne faisait aucune allusion à ma participation. Simple détail à régler plus tard, me disais-je. Dès le lendemain, j'ai été surpris de découvrir plus d'une vingtaine de réponses.

L'examen des candidatures fut assez cocasse. Il était stupéfiant de constater la diversité et le manque de sérieux de plusieurs réponses. Certains se présentaient comme des Blancs, mais ils désiraient néanmoins se proposer. D'autres insistaient sur le fait qu'ils n'étaient pas très bien membrés, mais que leur expérience pouvait compenser. Quelques-uns prétendaient mieux faire l'amour qu'un Noir. Avaient-ils essayé pour pouvoir ainsi se comparer? me demandais-je. Finalement, d'autres, des petits vieux, désiraient s'inscrire dans le seul but d'être voyeurs... La plupart s'engageaient même à nous payer! Heureusement, dans le lot se cachaient cinq ou six profils qui méritaient plus d'attention. J'ai entrepris de leur répondre afin de confirmer leur sérieux.

Ce processus de sélection m'excitait et amplifiait mon fantasme. Pendant cette période, lorsque Lucille et moi faisions l'amour, mon esprit était constamment envahi de pensées et d'images perverses. Par exemple, lorsqu'elle me suçait et que ma position me permettait de bien l'observer, je constatais qu'elle pressait le bout des lèvres contre mon gland tout en tenant ma queue à sa base entre le pouce et l'index. Dans mes pensées, je la voyais en train de manipuler une longue verge foncée, utilisant cette fois sa main entière pour la retenir tandis que sa bouche complète serait nécessaire pour n'en saisir que le gland. Lorsqu'elle l'engloutirait, toute sa gorge serait mise à contribution. Ces images me faisaient bander davantage.

De la même façon, lorsqu'elle était à califourchon sur mon sexe, j'imaginais que bientôt elle serait pénétrée par une queue bien plus volumineuse que la mienne. À chaque coup de rein, je lui écartais les fesses en fantasmant à l'idée qu'une deuxième bite, la mienne, viendrait la combler par l'arrière. Parfois, pendant l'escalade de notre jouissance, je lui lançais de petites phrases osées. « Bientôt je ne serai plus seul à te faire jouir, ma chérie. Tu seras une femme comblée. » Tout en augmentant la force de mes secousses, je la voyais sourire en coin. Je profitais de ces circonstances pour la faire cheminer positivement vers la réalisation de mon fantasme. Elle semblait y prendre goût.

À force d'évoquer régulièrement mon projet, elle a fini par comprendre que mon désir était véritable et que j'avais déjà entrepris une démarche sérieuse en ce sens. Un soir, sur son insistance, je lui ai dévoilé les étapes déjà parcourues. Elle tenait à participer au processus de sélection. Elle voulait tout savoir. De mon côté, je voulais progresser davantage avant de la mettre complètement au parfum. Je devais l'émoustiller un peu, mais surtout la faire patienter. C'est donc avec regret qu'elle a accepté d'attendre la fin de semaine.

Le samedi soir suivant, lors d'un souper intime à la lueur des chandelles, je lui ai relaté mes démarches des trois dernières semaines. J'avais conservé quatre candidats sérieux. Le premier, Jacob, étudiait en psychologie à l'université. Congolais d'origine, il était dans la vingtaine, grand et flegmatique. Le profil du coureur type. Photo à l'appui, il pouvait visiblement jouer du lasso avec son membre tellement il était long. Souriant de toutes ses dents blanches, il avait l'air sociable. Jacob était intéressé, mais en échange d'une somme d'argent.

Le deuxième, Jean-Baptiste, était haïtien. De taille moyenne et plutôt trapu, il était fonctionnaire provincial. Il s'avouait marié, mais en quête d'aventures et obsédé par l'idée de baiser une femme sous les yeux de son conjoint. Bien entendu, il exigeait une très grande confidentialité. À ce stade, nous n'avions aucune photo de lui autre qu'un cliché un peu flou de son visage.

Lucille était émoustillée. J'étais persuadé que son imagination travaillait fort et qu'elle mouillait sa petite culotte juste à en parler. Je me doutais qu'elle me réserverait toute une baise. Diego, le troisième, un Dominicain, avait déjà été marié à une Québécoise et avait rompu quelques années plus tôt. Très athlétique, il avait été parmi les premiers à répondre à mon annonce. Dans la mi-trentaine, il était technicien en aéronautique sur la Rive-Sud. Lucille trouvait qu'il avait de superbes fesses de mannequin. Une photo révélatrice de lui en sous-vêtement permettait aussi de constater l'impressionnante taille de son membre. Diego se disait en mesure de bien satisfaire une femme et être amateur de sensations fortes.

Finalement, mon dernier candidat était Luis, un barman cubain du centre-ville. Il se décrivait comme un gigolo et était fier de multiplier les aventures d'un soir. Sans gêne, il s'avouait être l'étalon noir par excellence. Il insistait sur le fait qu'il faisait beaucoup d'argent à fréquenter des femmes blanches d'un certain âge. Un mâle recherché, disait-il. Sans aucune modestie, il se jugeait beau, éduqué, charmeur et choyé par la nature.

Après cette première revue des quatre candidats, il m'était difficile de percevoir la préférence de Lucille, ni même de mesurer son intérêt.

« Ils sont tous très différents, me lança-t-elle d'un air taquin.

— Lequel te plaît le plus ?

— Difficile à dire. Je ne sais pas encore. Je ne suis même pas certaine de vouloir aller de l'avant avec cette aventure rocambolesque, quoiqu'il y en ait au moins deux avec qui je pourrais certainement m'amuser. Le temps porte conseil, mon chéri. Pour le moment, c'est toi seul que je veux, dit-elle en frottant doucement sa main sur ma cuisse. Prépare-moi un petit digestif pendant que je me change. »

À peine avais-je terminé de servir la crème de menthe sur des glaçons que Lucille est revenue dans la cuisine avec pour seul vêtement un slip rouge garni de dentelle et des souliers à talons aiguilles. Les seins nus, elle s'est dirigée vers moi et a repoussé mon verre de la main. Sans tarder, elle m'a palpé le sexe à travers mon pantalon. Je suis resté un peu interloqué. Bien qu'étant toujours très chaude, un tel comportement provocateur et direct n'était pas dans ses habitudes. Il m'est apparu évident que notre petit projet la stimulait. Elle a sorti ma verge et l'a caressée d'un lent mouvement de va-et-vient en m'embrassant goulûment.

Soudain, elle s'est emparée du verre de liqueur que je tenais encore à la main et elle y a trempé ma bite gonflée, s'agenouillant ensuite pour entamer une douce fellation entrecoupée de gorgées de crème de menthe. Pendant quelques minutes, les yeux fermés, j'ai savouré l'instant présent. N'en pouvant plus, je lui ai fait signe de se relever. Je l'ai retournée face au comptoir de cuisine. Accoudée, les fesses cambrées vers le haut, elle se laissait faire en gémissant. Après avoir fait glisser sa petite culotte le long de ses jambes, j'ai entrepris de la caresser, mes mains palpant lentement sa taille, son dos et ses hanches. Plus je la caressais, plus ses jambes s'écartaient. Je l'ai alors prise brutalement par l'arrière. Lucille gémissait de plus en plus avec chaque millimètre de ma verge qui s'enfonçait dans sa chatte. Une fois bien planté en elle, je l'ai baisée avec puissance en maintenant une cadence régulière. Soudain, mon rythme s'est accéléré et j'ai joui au plus profond d'elle. À chaque giclée, mes mains tenaient fermement ses hanches pour l'immobiliser contre moi. Généralement, Lucille n'atteint jamais l'orgasme pendant ce type de relation rapide et bestiale. Elle a besoin de plus de préliminaires. Mais ce soir-là, elle est venue en même temps que moi, en imaginant peut-être qu'elle s'était fait prendre par un étranger.

Quelques jours plus tard, Lucille m'a de nouveau demandé si j'étais vraiment sérieux et toujours intéressé à vivre mon fantasme. Je lui ai répondu que oui, plus que jamais.

« Tu es certain qu'une telle expérience ne nuira pas à notre couple ? m'a-t-elle redemandé.

— J'en suis certain, ma chérie. Ce ne sera qu'une expérience d'un soir. Nous nous aimons tellement, ai-je ajouté, que rien ne peut nous séparer.

— Que feras-tu si, après avoir couché avec un Noir, je ne peux plus me satisfaire d'un petit Blanc comme toi ? a-t-elle dit en riant.

— Ah ! Ah ! Tu es intéressée, alors ?

— Hmm… peut-être, mais ce ne sera qu'une seule fois. Il n'y aura pas de récidive, pas de lendemain. Tu es bien d'accord ?

— D'accord. Comment veux-tu procéder ? Mes candidats te plaisent-ils ? Duquel des quatre as-tu le plus envie ?

— Pour l'instant, disons que j'aimerais rencontrer Jacob et Diego afin de les évaluer davantage. Je crois que Jean-Baptiste est un profiteur qui ne cherche qu'à tromper sa femme, et je me méfie de Luis. Il est trop fanfaron et semble simplement intéressé à établir un record Guinness. J'ai peur que nous ayons des ennuis avec lui. Quant à Jacob, qu'il nous demande de le payer ne me pose pas vraiment de problème. C'est peut-être même un avantage, car s'il veut être rémunéré c'est qu'il n'a pas d'autres intérêts cachés. De plus, je serais curieuse de voir sa bite. J'espère seulement qu'avec cette taille il est capable de la faire bander !

— Je suis certain que tu n'auras aucune difficulté de ce côté. Je connais tes talents, dis-je.

— Diego me paraît aussi très bien. Il a un corps à faire rêver. Il a l'air doux et attentionné. De plus, il a davantage d'expérience.

— C'est entendu alors, je vais fixer un rendez-vous avec Jacob et Diego en fin de semaine prochaine. »

Le samedi suivant, dans un café de la Rive-Sud, nous avons donc d'abord rencontré Jacob. Arrivés à l'avance, nous avions choisi une table qui nous permettrait de le voir entrer, de l'examiner en premier. Il s'est présenté à l'heure prévue. Avec galanterie, il a d'abord salué Lucille avant de me serrer la main. Il s'est assis en face de nous. Il se présentait bien et semblait plutôt à l'aise. Il était très grand et extrêmement foncé, et ses dents et les paumes de ses mains étaient d'une grande blancheur. Il avait de longs doigts. Avant d'entrer, j'avais convenu avec Lucille que la sélection finale lui appartenait et qu'elle pouvait diriger les entrevues à sa guise. Puisqu'il ne s'agissait plus de savoir si elle serait baisée par un étranger, mais plutôt lequel aurait ce privilège, autant lui laisser le choix. À ce stade, ce qui comptait, c'est qu'elle se prenne au jeu!

À plusieurs reprises, Jacob a croisé le regard de Lucille et lui a souri. À les observer, il me paraissait clair que les deux se plaisaient et que leur différence d'âge ne posait pas de problème. Jacob nous a expliqué qu'il était un homme de principes, mais qu'il acceptait quelques folies pour financer ses études. Il a également déclaré à Lucille qu'elle était attirante et que ce serait un privilège de faire l'amour avec elle. Au fil de la discussion, elle lui a dévoilé la nature exacte de mon fantasme. Surpris, Jacob a semblé mal à l'aise à l'idée de ma présence. Un instant, il a pensé que j'étais bisexuel, mais je l'ai vite rassuré sur ce point. Ce que je désirais était une partie à trois uniquement hétéro.

« Ensemble, nous aurons la chance et la responsabilité de la faire jouir, lui ai-je dit. Il n'est pas question qu'il se passe quoi que ce soit entre nous deux.

— Hum… Ça promet », a-t-il répondu en mettant ses longs doigts sur ceux de Lucille et en les frottant doucement.

Jacob se disait généreux, prêt à offrir de douces caresses, des massages, des baisers sur le corps, et il a précisé adorer le cunnilingus. J'étais convaincu que, malgré son jeune âge, il devait avoir la patience de faire jouir une femme. Il était d'accord. Il était prêt à passer à l'acte et à discuter argent. Lucille a refroidi ses ardeurs en lui expliquant que mon annonce avait suscité beaucoup d'intérêt et que nous devions le faire patienter en attente de notre choix final. Pas du tout insulté, Jacob s'est levé et m'a serré la main avec un sourire, puis il a

délicatement embrassé Lucille en lui serrant la taille et a quitté le café en espérant être contacté sous peu.

J'ai ensuite laissé Lucille seule pour aller aux toilettes. À mon retour, elle serrait la main de Diego, qui se présentait à elle. Fidèle à sa description, il était fort et musclé. Lucille semblait subjuguée par sa beauté. Elle avait de la difficulté à diriger l'entrevue tellement Diego la troublait. Il avait certainement le physique et l'apparence dont toutes les femmes qui rêvent d'un homme de couleur puissent rêver. Sûr de lui, il était intéressé. Lorsque Lucille lui a indiqué que je souhaitais aussi participer, il s'est aussitôt avoué bisexuel et il a même paru davantage motivé. Cette fois, c'est moi qui étais mal à l'aise.

« Oh là, ai-je rapidement déclaré, le plus proches que nos deux sexes seront, ce sera lorsque nous offrirons une double pénétration à ma conjointe. Même là, une petite partie d'elle nous tiendra séparés l'un de l'autre », ai-je précisé en rigolant et en faisant rougir Lucille.

Je lui ai expliqué que nous envisagions une expérience entièrement hétérosexuelle. Diego s'est dit prêt et emballé. Nous lui avons demandé de patienter quelques jours afin que nous puissions prendre notre décision. Lucille et moi sommes rentrés à la maison main dans la main. Elle semblait rêveuse et restait silencieuse. Mais la rencontre de ces deux hommes nous avait excités tous les deux. Les deux candidats me convenaient. À condition qu'ils portent des préservatifs, je n'avais pas de préférence. Ce serait à ma blonde de trancher.

Pendant la semaine qui a suivi, j'ai été très occupé au bureau et je n'ai pas eu l'occasion de discuter de la chose avec Lucille. Tout en sachant qu'elle n'avait pas encore pris de décision, j'avais le pressentiment qu'elle choisirait Diego. Son genre lui avait beaucoup plu et j'étais convaincu que son corps la faisait rêver. Le vendredi soir, après quelques verres de vin, nous avons enfin abordé le sujet. J'ai été très surpris de constater qu'elle était encore dubitative.

« Tu es bien sûr que tu ne seras pas jaloux, Claude ? Que diras-tu si je tombe en amour avec lui ? Je veux bien réaliser ton fantasme, mais tu dois comprendre que, de nous deux, tu es celui qui a le plus à perdre.

— Je suis conscient de tout ça, ma chérie, ai-je répondu en lui prenant les mains. Mais je suis convaincu que notre couple est suffisamment solide et que la réalisation de mon fantasme avec toi ne fera que nous rapprocher davantage.

— Bon, d'accord alors, a-t-elle dit sans ambages. Tu peux inviter Diego à souper demain. »

Lucille avait enfin dit oui !

Je me suis empressé de laisser un message vocal à Diego et nous avons terminé la soirée comme sur un nuage. Mais, avec des airs mystérieux, Lucille a repoussé mes avances ce soir-là.

« Patiente jusqu'à demain, chéri, m'a-t-elle dit en m'embrassant chastement. L'attente ne fera qu'accroître ton désir. »

La journée m'a paru sans fin. Pendant que Lucille se pomponnait et refusait que j'assiste à ses préparatifs, j'ai dû me contenter en bon banlieusard de tondre le gazon et de rêver en solitaire à la soirée à venir.

À dix-neuf heures, le carillon de la porte a retenti. Vêtu simplement d'un jean noir et d'un polo blanc, Diego s'est présenté avec le sourire aux lèvres et une belle gerbe de fleurs, qu'il a offerte à Lucille. Cette dernière était radieuse dans une petite robe imprimée que je n'avais jamais vue. De toute évidence, elle me réservait quelques surprises.

Nous avons pris l'apéro autour de l'îlot de la cuisine en échangeant des œillades entendues. La discussion était agréable. Nous sommes restés ainsi pendant au moins quarante minutes sans même penser à nous asseoir au salon. Peu avant vingt heures, nous sommes passés à table où nous avons entamé une deuxième bouteille de vin. Le repas a été des plus agréables. Diego avait quelques talents d'humoriste et Lucille buvait la moindre de ses paroles. Elle ne se gênait pas pour se pencher souvent et exhiber sa poitrine par l'échancrure de son décolleté, question d'entretenir la tension. Je suivais son petit manège avec un sourire en coin, ravi qu'elle prenne plaisir à nous allumer tous les deux.

Le repas terminé, j'ai invité Diego à se détendre dans notre spa extérieur. Je lui ai fourni un maillot et nous avons pris place dans le jacuzzi.

Nous étions assis face à face, ce qui a obligé Lucille à s'asseoir entre nous lorsqu'elle nous a rejoints dans l'eau quelques minutes plus tard, en exhibant ses formes dans un nouveau bikini. J'avais ouvert une bouteille de cognac et nous sommes restés immobiles à déguster notre digestif en silence pendant quelques minutes tout en admirant le ciel étoilé.

Peu à peu, je me suis rapproché de Lucille en invitant du regard Diego à faire de même. Fébrilement, je caressais de la main gauche les épaules de ma femme, qui avait rejeté la tête en arrière. Lui prenant le menton, je l'ai embrassée tendrement tout en lui caressant le ventre de la main droite. J'ai ensuite tourné sa tête et invité Diego à l'embrasser à son tour. Lucille a eu une petite hésitation, mais le baiser qu'elle a échangé avec lui était beaucoup plus sensuel que le mien. Elle a d'abord délicatement posé ses lèvres sur les siennes. Avec de petits mouvements comme pour croquer un fruit, elle a savouré chaque millimètre carré de sa lèvre inférieure. Rapidement, le baiser s'est accompagné de caresses mutuelles. Elle a doucement porté ses doigts à la nuque de Diego tandis que je sentais sa main à lui rejoindre la mienne autour de sa taille. Lucille a lâché un long soupir avant d'ouvrir grand la bouche et de plonger la langue entre les dents de son futur amant.

Pour la première fois, je voyais ma femme embrasser un autre homme et je n'en ressentais aucune jalousie. Au contraire, la voir ainsi m'excitait au plus haut point. Finalement, ils ont mis fin à leur baiser et Lucille s'est tournée vers moi avec un grand sourire de satisfaction.

« Hmm, Claude, tu avais raison, a-t-elle dit langoureusement, c'est si bon d'être entre vous deux. Je ne me suis jamais sentie aussi féminine. »

Sur ces mots, elle s'est renversée vers l'arrière et a enfoui ses mains sous l'eau, cherchant à tâtons nos sexes gonflés dans nos maillots. Doucement, tout en gardant les yeux fermés, elle les a caressés. Au bout de quelques minutes, elle a dégagé nos verges impatientes et s'est mise à les branler. Diego avait les yeux fermés tandis que, de mon côté, j'admirais la scène. Lucille nous pompait délicatement avec une parfaite cadence. Une image macho m'a soudain traversé l'esprit. Maintenant qu'elle avait le pénis de Diego dans la main gauche et le mien dans la droite, elle pouvait mieux les comparer. Ma queue était-elle rachitique en comparaison de celle de son autre partenaire ? Mais je me suis vite rassuré en me rappelant que cela n'avait aucune importance. Lucille m'avait mis en garde, mais maintenant que mon fantasme se réalisait enfin, il était trop tard !

Je me suis abandonné aux sensations qui envahissaient mon corps. Nos esprits s'échauffaient rapidement. Mais le spa extérieur ne nous permettait pas vraiment d'intensifier notre plaisir ni même de changer de position. J'ai pris la main de Lucille pour stopper ses caresses. Ouvrant les yeux, elle m'a jeté un regard plein d'amour qui a fini de me rassurer.

« Nous ferions mieux de rentrer, lui ai-je soufflé, nous serons plus à l'aise à l'intérieur.

— D'accord, a-t-elle répondu d'une petite voix. Oh, Claude, j'ai tellement envie de vous deux !

— Hmm… Moi aussi, j'ai hâte de te baiser comme une bête. Que dirais-tu d'une douche pour nous débarrasser du chlore ?

— Oui, mais tous les trois ensemble. Je veux profiter au maximum de vos corps, qu'en dis-tu, Diego ?

— Moi, je vous suis, les amis, c'est vous qui donnez le ton », a répondu notre invité en se relevant et en rajustant son maillot sur son membre bien au garde-à-vous.

Bras dessus, bras dessous, nous sommes entrés dans la maison pour nous précipiter vers la grande douche au premier. Presque réticente à nous délaisser, Lucille a enlevé son maillot, cambrant les reins pour mettre sa poitrine en évidence et lissant ses hanches de ses mains. C'est alors que je me suis aperçu que ma femme s'était complètement rasé la chatte, la coquine ! Voilà qui promettait ! Elle s'est ensuite agenouillée devant nous pour faire glisser tour à tour nos maillots. Je la sentais impatiente de s'emparer de l'énorme queue de Diego, mais elle s'est relevée et nous a entraînés par nos pénis dans la douche en éclatant d'un rire joyeux. Elle s'est alors employée à nous savonner soigneusement, s'attardant à soupeser nos membres comme une marchande qui compare deux concombres. Diego et moi lui avons rendu la pareille, nous emparant chacun d'un sein pour le lécher goulûment pendant que Lucille gloussait de plaisir. Une fois la douche terminée, nous sommes retournés au salon, mais ma blonde nous réservait encore une surprise.

« Asseyez-vous, mes agneaux, et prenez une autre coupe de cognac pendant que je finis de me préparer.

— Mais, Lucille, ai-je protesté, tu es parfaite comme ça ! Que veux-tu faire de plus ?

— Chut, mon chéri, laisse-moi faire », a-t-elle mystérieusement répondu.

Lucille a disparu à l'étage, nous abandonnant Diego et moi nus comme des vers dans le salon. Jetant un regard un peu gêné à mon invité, j'ai haussé les épaules et j'ai versé trois autres verres de cet excellent alcool. Tout en sirotant le sien, Diego s'est montré élogieux envers Lucille, me disant combien elle était belle et à quel point j'étais choyé de vivre avec elle.

Lorsque Lucille est redescendue, elle portait un ensemble turquoise très sexy. C'était encore une nouvelle acquisition. Le bas était un simple *string* retenant des jarretelles auxquelles étaient fixés des bas de la même couleur. Elle portait aussi de fins escarpins très hauts qui découpaient admirablement sa silhouette et lui remontaient les fesses. La partie du haut était quasi transparente et ses seins étaient à peine voilés, ce qui les rendait encore plus désirables. Diego et moi étions assis sur le sofa et Lucille choisit de s'installer sur le fauteuil en face de nous. D'un signe de la main, elle a invité Diego à s'approcher. Posant son verre sur la table basse, il s'est relevé lentement. Même au repos, son sexe était impressionnant.

Aussitôt qu'il a été à sa portée, Lucille s'est emparée de l'engin pour le caresser des deux mains afin de lui redonner vie, tout en me jetant de petits coups d'œil pour s'assurer que je ne perdais rien de la scène. Bandé, le pénis de Diego devait faire au moins vingt centimètres de long, et son gland circoncis avait la taille d'une balle de golf. Lucille semblait fascinée et elle a tiré la langue pour le lécher lentement. Je ne me sentais pas du tout jaloux ni à l'écart. Je découvrais que j'adorais le voyeurisme et, comme c'était ma femme que j'épiais, mon plaisir était mille fois amplifié. Lucille s'en donnait à cœur joie. Je la voyais, gourmande, enfiler la queue de Diego profondément dans sa gorge. De mon côté, je me branlais lentement en savourant la scène. Soudain, Lucille s'est levée et a pris la main de notre invité pour venir me rejoindre sur le sofa. Diego avait la queue qui pointait horizontalement tel un étalon en rut.

S'installant à mes côtés, elle s'est penchée vers moi pour me faire à mon tour une fellation alors que Diego, à l'autre bout du sofa, devenait spectateur. Ma queue ne ressemblait en rien à celle de son autre partenaire, mais ma blonde la traitait avec autant de plaisir. Elle m'a ainsi caressé pendant quelques minutes avant d'inviter du geste Diego à se joindre à nous. Se laissant glisser sur le sol face à nous, Lucille a commencé à nous branler simultanément avant de nous sucer à tour de rôle. Au bout d'un moment, je me suis relevé pour permettre à Lucille de se concentrer sur Diego. Du fauteuil, la scène était magnifique. Bien adossé au sofa, Diego s'offrait à Lucille qui, agenouillée entre ses jambes, lui léchait langoureusement les couilles avant d'enfoncer la bouche sur son membre noir. Je ne l'avais jamais vue si avide et si gourmande !

Je me suis alors approché d'elle pour défaire ses jarretelles et lui retirer son slip. Je me suis agenouillé derrière elle, lui caressant les fesses du bout des doigts et lui fouillant la chatte. Elle avait rarement été aussi mouillée ! Je l'ai aussitôt prise en levrette. Quel plaisir intense que de pouvoir enfiler sa femme pendant qu'elle s'affairait à sucer une grosse queue noire. Je vivais à plein mon fantasme ! Elle l'appréciait également, car je l'entendais gémir à chacun de mes coups de buttoir. J'étais en extase.

Maintenant, c'était au tour de Diego. Je me suis retiré et elle l'a invité à s'installer au sol. Il s'est allongé sur le tapis du salon, le membre raidi pointant vers le plafond. Amoureusement, Lucille s'est tournée vers moi pour m'embrasser. Je pouvais goûter le salé du liquide séminal de Diego, ce qui ajoutait au piquant de la situation. Je lui ai tendu un préservatif, qu'elle a lentement enfilé sur la bite noire qui se dandinait devant elle. Puis, enjambant Diego, Lucille s'est préparée à le monter. Très doucement, millimètre par millimètre, sa chatte s'est enfoncée sur son partenaire. Lucille retenait son souffle. Une fois plus de la moitié de la grosse verge engloutie, elle a commencé un lent mouvement de va-et-vient en gémissant sourdement. Assis sur le sofa, j'avais un point de vue extraordinaire. Lucille se rapprochait de l'orgasme à chaque impulsion pendant que Diego, les mains sur les fesses de ma femme, l'assistait dans son mouvement. La tête rejetée en arrière, Lucille vivait un moment très intense. De ma position de voyeur, j'étais déjà prêt à exploser. Je ne pourrais pas conserver ce niveau d'excitation très longtemps.

J'ai donc entrepris de me positionner derrière Lucille. Depuis le début, je souhaitais ce moment, mais je le craignais également. J'avais peur qu'à la dernière seconde elle ne me refuse l'accès à la plus précieuse de ses ouvertures. Mais je me suis vite aperçu qu'elle ne semblait pas effrayée de mon intention, au contraire. Tournant la tête vers moi, les yeux exorbités, elle s'est immobilisée un instant, bien enfoncée sur le pieu de Diego, pour me souffler d'une voix rauque de l'enculer le plus profondément possible. J'ai doucement enfoncé ma bite dans son anus tandis qu'elle demeurait figée par la nouveauté. Lorsque j'ai arrêté ma progression, je l'ai sentie rassurée et j'ai pu entamer un mouvement de va-et-vient. Cloué au sol, Diego ne bougeait presque pas. Lucille était penchée et me laissait la baiser ardemment par l'arrière pendant que Diego occupait tout l'espace qui lui avait été réservé.

J'ai atteint l'orgasme très vite. Dans un profond râle, Lucille a joui à son tour, tendant le visage vers Diego pour l'embrasser à bouche que veux-tu pendant que je me retirais délicatement. Lucille s'est ensuite dégagée pour enlever d'un geste preste la capote de Diego et le branler frénétiquement afin le faire jouir à son tour. Il a suffi de quelques instants pour que Diego éjacule comme un volcan. Poussant de petits miaulements de joie, Lucille s'est penchée pour laper bruyamment les grandes coulées de sperme qui maculaient le torse de son amant d'un soir.

Vidés, nous sommes restés longtemps allongés sur le sol pendant que Lucille nous caressait doucement la poitrine. Ensuite, Diego s'est rhabillé et nous a quittés en nous remerciant beaucoup pour la soirée qu'il avait passée en notre compagnie. Il m'a serré la main et a embrassé ma femme une dernière fois. Il nous a souhaité bonne nuit en nous promettant de ne pas nous embêter par la suite. Il était plus d'une heure du matin. Nous étions épuisés. Plus tard, bien au chaud dans notre lit, Lucille s'est blottie contre moi et m'a demandé :

« Et puis, mon chéri, il était comme tu l'imaginais, ton fantasme ?

— Bien plus encore, mon amour. Je ne t'aurais pas crue capable d'aller jusqu'au bout. Tu étais splendide. Jamais je n'aurais pensé que tu puisses te laisser aller comme ça.

— Ça m'a plu aussi, m'a-t-elle avoué dans un souffle, il était pas mal, notre Diego, finalement.

— Jamais plus je ne te ferai l'amour de la même façon. Ces images resteront gravées dans ma mémoire et elles referont surface toutes les fois que nous baiserons.

— Hmm… Maintenant, que dirais-tu de remettre ça avec Jacob ? a-t-elle demandé, à moitié endormie.

— Hein ? ai-je rétorqué, stupéfait. Tu m'avais fait promettre que cette expérience ne se répéterait pas !

— Oui, mais maintenant que j'y ai goûté, ça me tenterait assez de baiser avec un mec beaucoup plus jeune que moi, noir de surcroît. Après tout, moi aussi j'ai mes fantasmes ! »

Je n'en croyais pas mes oreilles ! Ma douce Lucille qui révélait enfin ses désirs les plus secrets ! Après tout, pourquoi pas ? Les fantasmes sont faits pour être réalisés, me suis-je dit en m'endormant, la tête remplie de nouvelles idées coquines.

La rouquine du train

Sur la route qui le mène au village, Adam refait dans sa tête l'itinéraire de son voyage. Il part, seul pour la première fois, mais c'est lui qui a décidé de sa destination, Hollywood. À vingt ans, il quitte son bled pour la grande ville et ses pièges, mais aussi pour ses incroyables possibilités, lui qui rêve de devenir scénariste. Il a tout planifié. Le trajet en train était le moins coûteux et le plus attirant. Les douze transferts sur sept jours, dans des paysages parfois grandioses, l'emballent malgré le niveau limité de confort. Traverser l'Amérique d'est en ouest et du nord au sud est une aventure inoubliable qu'on ne fait qu'une fois dans sa vie. Il profitera de ce temps pour peaufiner son recueil de nouvelles fantastiques, qu'il compte utiliser comme carte de visite auprès des studios avec lesquels il a communiqué avant son grand départ pour la ville des anges. Élevé dans un village anglophone de la côte sud de la Gaspésie, il est convaincu, naïvement peut-être, de pouvoir percer à Hollywood, lui qui a toujours connu du succès dans ses rédactions à l'école. Son mentor au cégep, un vieil enseignant de littérature d'origine américaine, l'a persuadé de tenter sa chance. Il lui a montré plein de trucs pour séduire les nababs du cinéma.

Arrivé à la gare, il empoigne d'un geste décidé son sac à dos et sa valise, et il remercie son ami de l'avoir accompagné. Il se dirige ensuite vers le guichet pour confirmer ses réservations, et c'est là qu'il l'aperçoit. Elle est seule, grande et plus vieille que lui, la quarantaine à vue d'œil, mais quelque chose dans ses yeux, dans son sourire lorsqu'elle penche légèrement la tête sur le côté, lui va droit au cœur quand leurs regards se croisent. C'est une magnifique rousse au corps sculptural et à la démarche assurée d'une femme qui connaît sa place dans la vie. Elle est vêtue d'un ensemble pantalon et de grandes bottes de cuir à talons qui lui montent jusqu'aux cuisses. Une amazone des temps modernes ! Adam la suit des yeux sans savoir quoi faire, avant de réaliser qu'elle ne peut être là que pour prendre le train elle aussi. Enthousiasmé à l'idée de partager la première partie de son périple avec une telle déesse, il se met à rêver de se retrouver assis à ses côtés. Distrait, il se rend compte qu'il l'a déjà perdue de vue. Tant pis, le voyage ne fait que commencer !

Dans un grand crissement de freins, le train arrive. Bien sûr, ce n'est pas un des transcontinentaux qui sillonnaient le continent à la belle époque ferroviaire. Tout au plus s'agit-il d'une vieille locomotive rouillée et de deux misérables wagons un tantinet défraîchis frappés à l'enseigne jaune de ViaRail. Qu'à cela ne tienne, Adam sait qu'une fois arrivé à Montréal il prendra un autre train en direction de New York. Celui-là promet d'être plus grandiose. Dans un accès de folie, il y a même réservé une couchette. Une fois calé dans son siège, son sac bien rangé au-dessus de sa tête, il sort le cahier d'écolier qu'il utilise pour noter ses idées à la volée. Il y griffonne quelques mots sur sa rencontre imaginaire avec cette femme pour une idée de roman futur, une habitude qu'il a prise depuis l'école secondaire. Qui sait, un jour peut-être vivra-t-il de ces histoires inventées au passage d'un sourire ?

Le train s'ébranle bientôt et Adam regarde les maisons de son village défiler avec un pincement au cœur. Reviendra-t-il jamais dans ce patelin qui l'a vu naître ? Haussant les épaules, il se replonge dans ses notes, échafaudant mille scénarios plus fous les uns que les autres au sujet d'une hypothétique relation avec l'inconnue rousse. Qui est cette femme ? Il pensait pourtant connaître tous les habitants de son coin de pays. Est-ce une touriste de passage, une nouvelle venue ? Il est impatient de savoir. Refermant d'un coup sec son cahier, il se lève pour partir à sa recherche. D'un simple coup d'œil, il détermine qu'elle ne se trouve pas dans le même wagon que lui. Pour la plupart, les autres passagers sont des couples plus âgés. Il y a bien une femme seule, mais elle est accompagnée de deux enfants turbulents. Adam se dirige donc vers l'arrière de sa voiture et franchit le soufflet pour rejoindre l'autre wagon. Il aperçoit tout de suite l'objet de ses désirs, rayonnante, assise près d'une des fenêtres, où les rayons du soleil créent de magnifiques reflets dans sa longue chevelure. Mais elle n'est plus seule, elle discute avec un homme plus âgé qu'elle, qu'elle semble connaître. Lorsqu'il penche la tête pour lui adresser la parole, l'inconnue rit tendrement. Ce sourire craquant, même s'il ne lui est pas adressé, plante une flèche dans le cœur d'Adam. Il est consterné de voir cette beauté au bras d'un autre homme. Tant pis, se dit-il, après tout, qui est-il pour espérer attirer son attention ? Tournant les talons, il se résout à retourner à son cahier d'écolier et à ses projets.

Un peu plus tard, Adam délaisse ses travaux d'écriture pour commencer la lecture d'un bouquin sur l'industrie du cinéma. Mais son attention n'y est pas, il reste obsédé par cette femme au sourire si attirant. Il se surprend à rêvasser lorsque quelqu'un, passant tout près de lui dans l'allée, effleure son bras. C'est le compagnon de la belle inconnue qui se rend aux toilettes, situées juste devant son siège. Il se ressaisit et se redresse juste à temps pour voir la rousse se diriger également vers les toilettes. Il y a quatre cabines à l'avant du wagon, dont l'une est occupée par le bonhomme. Adam est estomaqué de voir la femme pénétrer dans la même. Encore un peu endormi par une demi-journée de voyage, il se secoue en réalisant que les deux inconnus se sont donné rendez-vous là pour avoir plus d'intimité. Le cœur battant la chamade, il se rend discrètement dans la cabine voisine de celle des deux complices.

L'endroit est plutôt spacieux, avec tout ce qu'il faut pour se rafraîchir. Les séjours prolongés y sont donc sans doute monnaie courante, et il n'y a aucun risque de se faire prendre, à condition bien sûr de rester discret. Adam colle son oreille contre la paroi mitoyenne pour entendre les ébats. Il ferme les yeux pour mieux espionner par le son les faits et gestes des amants. Il voit sans difficulté en esprit le scénario qui se déroule à quelques centimètres de lui, identifiant chaque bruit, chaque soupir.

Il peut entendre le rire contagieux de la femme, et il imagine l'homme qui déboutonne lentement son chemisier pour exposer ses seins couverts d'un soutien-gorge en dentelle, probablement noir, agencé à sa culotte. C'est avec cette image en tête qu'Adam détache son pantalon pour dégager de son slip son membre, trop à l'étroit pour son érection de jeune adulte. Il entreprend de se caresser au son des gémissements de plaisir qui lui proviennent indistinctement à travers la paroi. Puis un léger bang contre le mur le fait sursauter.

L'homme vient sans doute de soulever sa compagne pour l'adosser au mur, se dit-il, afin de mieux la soutenir pendant qu'il se repaît de sa poitrine. Adam imagine alors chaque partie du magnifique corps de la déesse rousse, son pantalon descendu jusqu'à ses genoux, ses pieds délicats encore engoncés dans ses cuissardes, ses jambes invitantes, ses fesses bien rondes, sa colonne vertébrale même, qui trace un sillon dans son dos telle une route longeant le bord de mer. Adam s'imagine en train de caresser la nuque de cette femme, dans un moment de tendresse que son trop-plein d'hormones lui fait halluciner.

L'homme qu'il n'a fait qu'entrevoir est plutôt grand et semble prendre soin de sa condition physique. Adam l'imagine donc raisonnablement musclé et capable de la maintenir sans effort, la soulevant même du sol. Puis il sent la femme qui glisse le long de la paroi, sans doute pour s'agenouiller afin d'offrir un peu de stimulation orale à son amant. Adam n'a aucune peine à se figurer la scène, et il accélère la cadence de sa main qui va et vient sur son membre. Sa respiration devient plus haletante. Quelques minutes de ces jeux interdits et la revoilà debout, cette fois sûrement appuyée au petit lavabo, face au miroir. Adam l'imagine se regarder dans la glace au moment où son complice agrippe ses hanches pour la pénétrer brusquement. Elle doit sûrement gémir de plaisir pendant qu'elle le voit lui caresser les seins, puis son amant augmente la cadence. Adam ressent chaque coup de butoir résonner contre la paroi de sa cabine. Son excitation est à son comble et, au son des gémissements de plaisir de sa voisine, il répand son désir dans un mouchoir en papier.

Lorsque son rythme cardiaque redevient normal, Adam se rafraîchit le visage avec un peu d'eau et se dépêche de regagner son siège avant que les deux amoureux sortent. Une fois assis, il reprend son calepin de notes. Il doit absolument transformer cette énergie sexuelle en chef-d'œuvre littéraire. Quelques instants plus tard, la femme et l'homme sortent tour à tour de leur cabine, comme si de rien n'était. Adam n'ose pas les regarder, mais il les devine dans l'allée et sent un frisson lui parcourir le corps lorsque la main de la belle rouquine le frôle au passage. Était-ce intentionnel ? S'est-elle aperçue de sa présence dans la cabine voisine pendant qu'elle se faisait baiser ? Son imagination débridée le rend fébrile, il a maintenant hâte d'arriver à leur première halte, dans la vallée de la Matapédia.

Dans cette bourgade industrielle d'une autre époque, la nature a repris ses droits sur la majorité des terrains avoisinant la gare, d'anciennes usines anonymes aujourd'hui abandonnées aux graffitis et aux mauvaises herbes. Il y a une attente d'environ trois heures dans cette petite gare qui, malgré son âge avancé, conserve un certain cachet, grandiose pour son emplacement, comme si elle était trop belle pour cette ville presque fantôme, telle une actrice du cinéma muet donnant son spectacle dans une salle sordide de province où son talent sera gaspillé devant des spectateurs indifférents. Adam décide de visiter les alentours pour se dégourdir les jambes et explorer un peu cette étrange ville autrefois majestueuse.

Il balaie le quai du regard pour voir si la femme rousse est descendue du train, mais il ne l'aperçoit nulle part. Dommage. Il se dirige vers un ensemble de bâtiments abandonnés. Ayant grandi dans un village en bord de mer, Adam a toujours été fasciné par les villes, où des milliers de gens doivent cohabiter. Une telle promiscuité l'intrigue. Son parcours désœuvré le mène vers l'un des bâtiments qui a mieux résisté à l'usure du temps, peut-être parce qu'il a été le dernier à être abandonné. De grandes lettres blanches défraîchies sur la façade indiquent qu'il s'agissait d'une fabrique de meubles, de fauteuils plus précisément. Il remarque une petite porte entrouverte sur le côté et décide d'aller y voir de plus près.

Il parcourt distraitement les longs corridors poussiéreux de l'usine, jetant un coup d'œil ici et là aux nombreuses salles vides, visitées régulièrement par les jeunes du coin, vu les nombreux graffitis et les amoncellements de déchets qui jonchent le sol. C'est alors qu'il perçoit des voix. Curieux, il se met à suivre le bruit, qui le guide vers une énorme salle au rez-de-chaussée. C'est sûrement là que l'on fabriquait les meubles ; il reste quelques pièces d'équipement trop vieilles pour être récupérées et trop imposantes pour être déplacées. Puis il découvre l'origine des voix : c'est la rouquine du train.

Cette fois, elle est accompagnée d'un autre individu. Perplexe, Adam décide de rester caché pour les observer. L'homme explique d'une voix de stentor les différents aspects de l'usine, racontant au passage des histoires et des anecdotes sur la ville et sur son riche héritage. C'est un bonhomme d'un certain âge, pour ne pas dire d'un âge certain, à la moustache grisonnante, au crâne dégarni et à la bedaine bien tendue dans sa vieille salopette bleue. Adam ne comprend pas le lien qui l'unit à sa mystérieuse inconnue, mais celle-ci semble fascinée par ce que son interlocuteur lui raconte. Elle pose mille questions sur les raisons qui ont poussé les propriétaires à abandonner le bâtiment. Elle semble s'intéresser de près à l'histoire des lieux. Adam est ravi d'entendre enfin sa voix mélodieuse, avec un petit accent étranger qu'il n'arrive pas à identifier. Si seulement il pouvait apprendre son nom ! Il tend l'oreille, mais en vain.

Il la voit se rapprocher lentement du bonhomme, qui n'a pas encore remarqué son manège, trop concentré sur son laïus de guide impromptu. Il pérore à qui mieux mieux, avec de grands gestes des bras pour désigner telle ou telle machine et expliquer en détail son usage. Arrivée à quelques centimètres de l'homme, la belle inconnue lui prend soudainement le bras pour le placer autour de sa taille. Éberlué, le bonhomme la regarde, stoppé net dans ses élans verbeux. D'une manière tout à fait incongrue, et à la grande stupéfaction tant de l'homme que d'Adam, voilà que la rouquine entame un pas de danse avec un partenaire gauche et pataud. Dans la grande salle vide, entre les machines datant du siècle dernier, la femme l'entraîne dans une sorte de valse silencieuse. C'est comme si un orchestre jouait dans sa tête. Pris par surprise, le bonhomme ne peut que suivre le mouvement.

Au bout de quelques minutes, la femme dépose un léger baiser sur la bouche de son partenaire avant de grimper d'un saut leste sur l'une des grandes tables où l'on découpait le cuir. Elle se met alors à se tortiller sur place, dans une danse lascive qui n'a plus rien de la valse. Elle se déhanche langoureusement tout en déboutonnant son chemisier, exposant sa magnifique poitrine. Elle semble totalement envoûtée par l'odeur animale du cuir qui persiste dans la pièce. Tous ses sens paraissent en éveil. Elle continue de se dévêtir lentement, retirant ses cuissardes et les jetant négligemment au sol. Adam est subjugué par ce spectacle inattendu. Le corps de la rouquine du train est encore plus sublime qu'il l'avait imaginé. Comme il l'avait deviné, elle porte effectivement un soutien-gorge de dentelle noire, qui se détache nettement sur sa peau très blanche. Tournant le dos à son spectateur pétrifié, elle baisse lentement son pantalon pour découvrir ses fesses, coupées par la mince bande de tissu de son *string*. Se dandinant comme un cobra sortant de son panier d'osier, la femme finit d'enlever son froc, qui tombe à ses pieds. Elle n'est plus vêtue que de son chemisier ouvert, de ses sous-vêtements et de ses bas de nylon.

Tout en continuant de se déhancher, la femme fatale se retourne et invite du geste son spectateur à venir la rejoindre sur cette scène improvisée. S'ébrouant comme un chien qui sort de l'eau, le bonhomme s'exécute, mais dans un geste beaucoup moins élégant. Sa bedaine corpulente l'empêche en effet de sauter aussi prestement sur la table, et c'est avec beaucoup de difficulté qu'il parvient finalement à y monter. Adam manque d'éclater de rire devant le côté burlesque de la scène, mais il se retient, curieux de voir la suite des choses. La femme s'est reculée sans sembler le moins du monde perturbée par la gaucherie de son partenaire. Elle poursuit le mouvement de ses hanches en baissant le torse pour mettre en évidence la profonde échancrure de sa poitrine, qui apparaît et disparaît au gré du mouvement des pans de son chemisier. Adam ne s'y connaît guère en strip-tease, ayant toujours été trop gêné pour entrer dans le seul bar de son village qui offre ce genre de spectacle, mais ce qu'il a devant les yeux bat à plates coutures toutes les scènes érotiques qu'il a pu voir dans des films.

L'homme s'approche prudemment de la femme, interdit lui aussi devant cette situation inhabituelle. Il se déplace tel un gros chat sauvage mirant sa proie. Il s'avance vers la belle rousse en la contournant pour mieux voir tous ses atouts. Celle-ci continue de se déplacer d'un bord à l'autre de la table, comme pour l'attiser encore plus. D'un geste sensuel, elle se débarrasse de son chemisier et de son soutien-gorge, empoignant ses seins des deux mains pour les présenter au bonhomme. De l'endroit où il est dissimulé, Adam peut voir que ses mamelons sont percés, deux anneaux dorés luisant dans la lumière blafarde qui entre par les fenêtres sales. L'homme réussit enfin à s'approcher suffisamment d'elle pour lui mettre un bras sur les hanches et une main derrière la nuque. Il l'embrasse brutalement, baiser qu'elle retourne avec autant de fougue. Fébrile, elle entreprend alors de déshabiller son partenaire, baissant brusquement sa salopette pour découvrir un torse aussi poilu que celui d'un orang-outang. D'un habile croc-en-jambe, elle le projette sur la table, tout en restant au-dessus de lui. Ne prenant même pas la peine de lui retirer ses grosses bottes de travail, la rouquine se contente de descendre le pantalon et le slip jusqu'en bas de ses genoux. Totalement à sa merci, l'homme se plie sans protester à ses directives autoritaires et tend les bras vers elle comme pour l'attraper. Elle accepte ses mains tout en s'accroupissant lentement sur son corps dénudé. Elle laisse la verge bien tendue frotter doucement contre son jardin secret, humide de tant de désir, pour ensuite s'y empaler en gémissant. Puis elle guide les mains de son partenaire vers ses seins pour qu'il caresse ses mamelons bien durs, tout en s'appuyant sur son torse velu et grisonnant. Excité au maximum, l'homme redresse son buste vers celui de sa partenaire, qu'il entreprend de lécher. Il s'attarde longuement sur ses seins, mordillant délicatement les mamelons et jouant du bout de la langue avec les *piercings*. Pendant ce temps, son sexe, comme animé d'une vie propre, va et vient rapidement dans l'antre aux plaisirs de la rousse.

Adam est complètement stupéfait, et un peu jaloux, de voir cette femme si entreprenante. Il n'a jamais connu de femelle aussi confiante en son pouvoir de séduction, et en éprouvant autant de plaisir, comme si c'était elle la prédatrice et ses amants d'un instant, ses proies. Il est affolé par cette femme et totalement excité par son rôle de voyeur, pour la deuxième fois en quelques heures. Cette fois, par contre, il se contente de regarder, les yeux écarquillés et la respiration saccadée. Sans l'anonymat de la cabine du train pour le dissimuler, il n'ose pas se masturber. C'est donc le corps entièrement chargé de cette énergie sexuelle qu'il rebrousse chemin, à pas feutrés afin de ne pas alerter les amants. Il se faufile discrètement entre les machines endormies et retrouve bientôt à l'air libre.

De retour à la gare, il n'en revient toujours pas. En quelques heures, il a vu cette femme se donner à deux hommes totalement différents. Si l'un paraissait distingué et aurait pu être son mari, l'autre était plutôt rustre et lui était certainement inconnu. Adam a certes eu quelques aventures avec des voisines de son âge durant des soirées arrosées au secondaire, des attouchements plus ou moins osés, mais rien ne l'a préparé à ce genre de débauche. Bien sûr, il sait intuitivement à quoi s'attendre en décidant de se rendre à Los Angeles, mais jamais il n'aurait cru rencontrer une femme pareille alors qu'il vient à peine de quitter sa Gaspésie si paisible. Certains de ses amis lui ont bien parlé de soirées sensuelles à Percé ou à Gaspé, l'été, lorsque les touristes se pressent dans les quelques boîtes de nuit de la péninsule, mais une telle luxure n'a jamais atteint son patelin. Il a de la difficulté à s'imaginer ce qui a bien pu attirer cette déesse rousse vers des partenaires aussi différents. En attendant que son train reparte, il déguste un café assis au soleil en réfléchissant au mystère des femelles de son espèce.

Du coin de l'œil, il voit tout à coup sa déesse rousse se diriger vers la gare. Elle marche tranquillement sur le trottoir, ses longs cheveux flottant au vent. Elle a repris son apparence de femme d'affaires rangée et rien ne laisse transparaître qu'elle vient de faire sauvagement l'amour dans une usine désaffectée. De son partenaire, nulle trace. Passant devant lui, son regard balaie nonchalamment le visage d'Adam. Elle lui fait un beau sourire avant de s'engouffrer dans le Tim Hortons. Adam est électrifié par ce geste en apparence anodin, mais qui a envoyé une décharge tectonique à son corps tout entier.

Adam ignore si la femme sait qu'il l'a vue dans l'usine, ce qui expliquerait ce petit sourire complice, ou s'il ne s'agissait que d'une marque de politesse envers un compagnon de voyage. Il choisit de retenir cette dernière hypothèse. Après tout, qu'est-ce qu'une femme mûre pourrait bien vouloir d'un adolescent, elle qui peut avoir tous les hommes qu'elle désire d'un simple claquement de doigts ? Sur cette cruelle observation, Adam reprend place dans le train qui s'apprête à repartir et il mord dans le sandwich qu'il a acheté, sans réel appétit.

C'est alors que la rouquine passe le long du quai, sa petite valise à la main. Adam se met à espérer la voir prendre place dans le même wagon que lui. Il n'aurait probablement pas le courage de l'aborder, mais au moins pourrait-il admirer son profil tout son soûl. Sauf qu'elle poursuit son chemin vers l'autre quai d'embarquement. Le cœur d'Adam se serre atrocement. Serait-ce déjà la fin du parcours pour cette histoire d'amour imaginaire ?

Adam en décide autrement. Il ramasse rapidement ses effets et sort du train avant de se diriger vers la billetterie. Il s'informe de la destination de l'autre convoi et demande à faire changer son billet. Son cœur tressaute follement dans sa poitrine. Lui qui a toujours fait ce qu'on attendait de lui suit brusquement son coup de cœur pour une mystérieuse femme rousse. Fini la correspondance pour New York à partir de Montréal, le voilà engagé sur une voie inconnue, vers une quelconque destination dans le Maine. Bah, se dit-il, il sera toujours temps de reprendre son trajet vers la Californie plus tard, une fois le mystère de cette femme élucidé. Après tout, le nouveau train va lui

permettre d'entrer en sol américain plus rapidement et tous les chemins ne mènent-ils pas à Rome, ou à Los Angeles ?

C'est ainsi qu'Adam se retrouve sur le quai avec ses bagages pour embarquer un peu en retrait de la rouquine, juste assez loin pour qu'elle ne le voie pas. Lui ne la perd plus des yeux. Elle est de nouveau seule et fraîche comme une rose. Sans doute est-elle allée se poudrer le nez aux toilettes de la gare. Ce train est encore plus petit que le précédent, ne comptant qu'un seul wagon accroché derrière la locomotive. Aucun risque cette fois de voir l'objet de ses désirs disparaître. L'âme en paix, Adam entreprend d'écrire dans son calepin les aventures de cette femme plutôt délurée, en vue peut-être d'en faire l'héroïne improbable de l'une de ses histoires. Le trajet doit durer toute la nuit. Le convoi s'ébranle alors que le soleil se couche sur le paysage montagneux qui s'offre aux yeux des rares passagers. Un arrêt est prévu peu après minuit dans une petite ville minière nichée dans les montagnes. La belle inconnue est assise trois rangées devant lui et Adam peut la voir s'installer pour dormir. Il choisit de piquer lui aussi un roupillon en attendant de pouvoir profiter de l'arrêt pour prendre l'air et se délier les jambes. Il s'assoupit donc, confortablement enfoncé dans son siège.

Au bout de quelques heures, Adam est réveillé par le bruit du train qui entre en gare. Il se redresse et se frotte les yeux pour en effacer les traces de sommeil. Il se lève pour étirer ses muscles endoloris par sa position. Jetant un coup d'œil vers l'avant du wagon, il note que l'inconnue n'est pas à sa place et que les portes des toilettes sont grandes ouvertes. Adam sort du train pour se rendre au kiosque d'information, vide, où il prend quelques dépliants de la région. Il remarque qu'une petite rivière coule tout près de la gare et se dit qu'une trempette serait des plus rafraîchissantes après cette longue journée riche en aventures. Il se met en route vers le lieu indiqué sur la carte. C'est un grand parc sans doute prisé des familles pour leur pique-nique du dimanche. Il y a des tables et des poubelles munies de lourds couvercles de métal destinés à décourager les ours. Hum, se dit Adam, est-ce bien prudent de s'aventurer en forêt la nuit s'il y a des ours dans la région? Les plantigrades ne manquent pas de petits fruits dans les bois en cette saison, le risque devrait donc être minime, se persuade-t-il. Il lui suffira de faire preuve de prudence. Il s'engage donc sur le sentier qui longe la rivière. Plusieurs bancs y sont installés.

Adam s'aventure près de l'eau afin de trouver un endroit discret où il pourra se baigner au clair de lune. Il trouve enfin un buisson qui lui convient tout à fait. Les condoms qui traînent sur le sol lui font penser que ce lieu a déjà été visité par des amoureux en quête d'intimité et inspirés par la beauté de l'endroit. Adam dépose son sac à dos au pied du buisson qui fait écran entre la rivière et le sentier. Plus loin, il se dévêt pour entrer doucement dans l'eau tempérée. Le coin est inondé de la lumière bleutée d'une pleine lune plus grosse que nature.

Il se met à nager en longeant la rive, son corps nu glissant sans bruit dans l'eau limpide. Alors qu'il se laisse flotter sur le dos pour s'enivrer de la pleine lune, il entend un plouf non loin. Surpris, il se retourne et s'immerge pour ne laisser paraître que le haut de sa tête. S'agit-il d'une bête venue s'abreuver? Un ours peut-être? Adam s'avance avec précaution vers l'endroit d'où semble provenir le bruit. Se dissimulant derrière un gros rocher, il voit la rousse du train profiter comme lui du temps d'arrêt pour se baigner. Elle est seule et ne semble pas l'avoir vu. Il reste là quelques instants, sans savoir quelle attitude adopter. Comme lui, elle s'est entièrement dévêtue, et il peut clairement voir ses épaules et ses fesses se démarquer sur l'eau sombre pendant qu'elle fait quelques mètres à la brasse. Doit-il rester sur place et lui adresser la parole? Après tout, elle lui a souri plus tôt à la gare. De plus, il a modifié son trajet pour la suivre, alors la voilà, sa chance. Pendant qu'il se torture les méninges, la femme se retourne et remarque sa présence.

Elle ne semble pas le moins du monde surprise de le trouver là et paraît même pendant un instant heureuse de le voir. Leurs regards se croisent et un sourire se dessine sur la bouche de la belle rouquine. Elle nage lentement sur place, sa poitrine effleurant l'eau, ses mamelons lui faisant de l'œil, mais Adam se fige, dépassé par les événements. Tous deux restent immobiles à se dévisager pendant un long moment sous la pleine lune d'été. Puis, Adam décide subitement de rebrousser chemin, en marmonnant quelques mots d'excuse pour avoir troublé le bain de minuit de l'inconnue. La femme lui sourit de toutes ses dents, ne semblant aucunement offusquée de sa présence et montrant même quelque surprise lorsqu'elle le voit s'éloigner, mais elle reste là et continue, sans un mot, de baigner son corps nu.

Adam retrouve l'endroit où il a laissé ses vêtements et se rhabille rapidement en pestant contre lui-même. Il rage contre son manque de courage à aborder l'objet de tant de désirs, mais la réaction de la femme lui donne espoir qu'elle n'est pas indifférente à sa personne. Se pourrait-il que… ? Adam est furieux de laisser passer toutes ces occasions d'aller à sa rencontre, mais il y a quelque chose de mystérieux chez elle qu'il n'arrive pas à s'expliquer, quelque chose d'envoûtant. Il est presque arrivé à la gare lorsqu'il se résout à rebrousser chemin vers le lieu de baignade de la belle inconnue, avec la ferme intention de lui parler. Sur le sentier menant à la rivière, il aperçoit une clairière en retrait et croit y percevoir un mouvement. Oubliant sa crainte des ours, il se détourne de son trajet pour aller voir de plus près. Tout en restant dissimulé derrière des buissons, il s'approche de l'orée de la clairière, et c'est avec un sourire cette fois qu'il découvre la rouquine en train de danser seule sous les rayons de lune. Elle est encore nue et il la regarde avec envie sautiller élégamment d'un bout à l'autre de la clairière. On dirait une nymphe dans un rituel sabbatique.

Ça y est, se dit Adam, voilà la chance demandée à l'univers. C'est donc d'un pas décidé qu'il s'avance, mais juste comme il s'apprête à quitter l'anonymat de la forêt, une autre personne s'approche d'elle. Il s'agit cette fois d'une femme, également en costume d'Ève. Adam retourne précipitamment se réfugier derrière le feuillage pour observer cette nouvelle scène insolite. Pendant quelques instants, les deux femmes s'ignorent et se contentent de danser chacune de son côté. La nouvelle venue est une brunette un peu plus ronde que la femme du train, avec une petite poitrine de garçon. Il y a toutefois quelque chose de sensuel et de gracieux dans la façon dont elle se déplace. Adam peut apercevoir un grand tatouage de phénix qui lui couvre tout le dos, les ailes de l'animal entourant son torse pour se terminer sous ses seins.

Adam se demande si les dames se connaissent. Il a immédiatement sa réponse lorsque la brunette embrasse tendrement la femme du train. Il en perd pied et glisse au sol de surprise, avant de se relever rapidement et de reprendre sa position de voyeur en espérant ne pas avoir attiré leur attention. Il y a beaucoup de tendresse dans les gestes des deux femmes, qui explorent leurs corps à coups de petits baisers et d'effleurements ici et là. Elles s'allongent ensuite sur l'herbe tout en continuant de s'embrasser, mais avec plus de fougue maintenant. Leurs mains fébriles caressent les moindres parties de leur anatomie, s'attardant longuement sur leurs fesses et leurs cuisses. Adam n'a jamais vu deux femmes faire l'amour, et il est fasciné par la tendresse qui émane d'elles.

Envoûté par tant de sensualité, il perd de nouveau pied sur le sol glissant, non sans attirer cette fois l'attention des femmes, qui relèvent brusquement la tête en se tournant vers lui. Il rougit en tentant de rebrousser chemin et en bredouillant quelques mots, mais Adam remarque qu'elles ne ralentissent nullement leurs ébats. Tout au plus s'interrompent-elles un instant pour identifier la source de l'intrusion. C'est à ce moment que, avec un grand sourire invitant, la rousse du train lui fait signe de venir les rejoindre sous la pleine lune d'été torride.

Adam, étonné par cette invitation coquine, s'avance d'un pas hésitant vers les deux femmes, exultant de désir, enivré par cette aventure. Alors qu'il rejoint le couple, la brunette s'agenouille pour le dévêtir avec entrain. Il n'offre aucune résistance, et son érection ne laisse aucun doute quant à sa volonté de participer à ce petit jeu. Il se laisse attirer vers le sol, et la brunette lance un sourire complice à la femme du train avant de saisir son pénis pour le porter à sa bouche gourmande. La rouquine observe la scène avec envie et, ne voulant pas être en reste, elle prend la main d'Adam pour la guider vers sa chatte humide. Elle frotte son clitoris contre les doigts malhabiles de son amant, qui ne sait plus très bien où donner de la tête.

La rousse, elle, sait très bien y faire, et elle penche la tête pour mordiller les mamelons d'Adam, qui gémit sous ce double assaut. Pendant qu'elle maintient la main du jeune homme sur son sexe, la femme du train utilise son autre main pour le masturber lentement dans la bouche de sa comparse. Adam a toutes les peines du monde à se retenir de jouir, mais il veut prolonger cet instant le plus possible. De sa main libre, il caresse brutalement les seins de la rouquine, lui triturant les mamelons et saisissant enfin ses *piercings*. Il les tire doucement vers le haut, et il est rempli de joie lorsqu'il l'entend geindre sourdement. Relâchant sa queue, la brune se met à son tour à jouer avec les seins de la femme du train. Adam veut en profiter pour l'embrasser, mais elle le repousse et opte pour la bouche de l'autre femme, dans laquelle elle plonge sa langue avec volupté. Un peu dépité, Adam se faufile alors entre les cuisses de la brunette pour lui lécher la chatte. Lui écartant les fesses, il tend la langue vers son deuxième orifice et se repaît du petit goût de musc.

La rouquine en profite pour s'accroupir sur son pénis et l'insérer en elle. Adam est au paradis avec deux filles qui se battent pour son corps. Il tend son sexe vers le haut, ses fesses frappant le sol en cadence, tout en poursuivant son assaut de l'entrejambe de la brunette. Les deux femmes s'embrassent et se caressent mutuellement les seins au-dessus de lui. C'est à qui jouira le premier et Adam est bien déterminé à ne pas gagner cette course. C'est la brunette qui finit par céder au plaisir, avec un long hurlement qui se perd dans les branches de la forêt autour d'eux. Son orgasme se prolonge longtemps, tout son corps frémit et elle éjacule abondamment sur les joues du pauvre Adam, qui n'en demandait pas tant. Elle se penche ensuite vers lui pour l'embrasser passionnément et lécher son propre nectar à grands coups de langue. Devant ce spectacle, la femme du train accélère son propre va-et-vient sur le sexe d'Adam, et elle vient à son tour avant de s'affaler sur son torse. Au bout de quelques instants, elle se redresse et se dégage lentement du pénis d'Adam, qui se retrouve à l'air libre et toujours aussi raide, mais pas pour longtemps.

Sans échanger un mot, les deux femmes se concentrent maintenant sur le plaisir de leur jeune partenaire. Adam sent quatre mains le masturber fiévreusement. Il ne peut que fermer les yeux et se laisser faire. L'une des démones de la lune glisse sa main entre ses cuisses pour aller lui chatouiller l'anus, et Adam pousse un long grognement. Un peu affolé, il sent un long doigt s'insérer en lui, mais il se rend vite compte que cette sensation inhabituelle est des plus agréables. Il sent bientôt son propre orgasme monter du plus profond de ses couilles. Il éructe soudainement, projetant haut dans les airs plusieurs jets de sperme qui lui retombent sur l'estomac. Il sent vaguement une des deux filles se pencher pour laper sa semence, mais, exténué par tant d'émotions, il s'assoupit.

La fraîcheur de la nuit réveille Adam, qui se relève brusquement. Hébété, il regarde autour de lui, mais il est seul dans la clairière toujours baignée par les rayons de la lune. Il cherche frénétiquement des yeux autour de lui : plus de trace des deux nymphes. Il n'a pourtant pas rêvé tout cet épisode, se dit-il. Se passant la main sur le visage, il sent encore quelques traces de la brunette sur son menton et sous son nez. Voilà qui le rassure. Mais où sont donc passées ces deux diablesses ? Il se relève et rajuste rapidement ses vêtements épars. Jetant un coup d'œil à sa montre, il se rend compte qu'à peine une heure s'est écoulée depuis qu'il est venu dans la forêt à la recherche de la femme rousse du train. En courant, il retourne à la gare et pousse un soupir de soulagement en voyant que le train n'est pas reparti sans lui. Il monte à bord discrètement afin de ne pas réveiller les passagers qui dorment. Le siège de la rouquine est vide, et la valise qu'elle avait placée au-dessus d'elle a disparu aussi. Adam pousse un grognement de dépit.

S'affalant à sa place, Adam essaie de comprendre ce qui vient de lui arriver. Le moment a certes été merveilleux, mais qui étaient ces femmes dans la forêt ? Il n'a assurément pas rêvé toutes les aventures des dernières heures, l'incartade dans les toilettes, l'épisode fou de l'usine désaffectée et, finalement, le paroxysme de la clairière. Peu à peu, il réalise que cette belle inconnue ne vit sans doute que pour le plaisir de la chair, qu'elle en éprouve des sensations si intenses qu'elle ne peut s'en priver, peu importe ce que les gens autour d'elle en pensent. C'est certainement la raison qui l'a poussée à quitter son patelin, épuisée par le jugement des autres sur ses mœurs. Mais où diantre a-t-elle bien pu aller dans cette forêt ? Peut-être avait-elle convenu depuis longtemps de ce rendez-vous avec l'autre femme, et l'arrivée inopinée d'Adam n'aura fait qu'ajouter un peu de piquant à l'aventure.

Quoi qu'il en soit, il se retrouve seul, mais grandi par l'expérience qu'il vient de vivre. Il sent qu'il a franchi un cap dans son périple vers Hollywood et que cette belle rousse l'a aidé à enfin sortir de l'innocence de l'adolescence. Il se sait maintenant mieux armé pour poursuivre son trajet vers sa destinée.

Cette fois, par contre, ce sera sans la rouquine du train…

À propos des auteurs

Michel Beaupré Michel est né à Montréal en 1957, au sein d'une famille nombreuse. Après avoir étudié différentes disciplines et occupé divers postes, il a décidé de tenter sa chance en écriture : théâtre, nouvelles, sketchs, humour. Ses thèmes préférés sont le sexe, l'amour et la mort – comme Woody Allen.

Béréni* Né en 1957 dans le quartier Hochelaga-Maisonneuve, à Montréal, Béréni a étudié à l'Université du Québec à Montréal. Il a pratiqué divers métiers et écrit différents textes, avant d'entreprendre une carrière d'artiste photographe, qu'il mène depuis trente ans.

Geoffroy Bérubé* D'esprit ludique et rieur, Geoffroy, trente-huit ans, évolue depuis longtemps dans le domaine des ressources humaines. Il s'intéresse aux chiffres, aux lettres, aux sons et aux couleurs.

Jean Bonneau Coordonnateur du présent livre, Jean évolue au sein d'une entreprise publique du Québec et est père de deux enfants devenus adultes. Titulaire d'un MBA de l'Université du Québec à Montréal et d'un EMBA (Executive MBA) pour cadres de l'Université de Paris-Dauphine, Jean est coach corporatif auprès de cadres supérieurs, chante dans un groupe jazz de style *crooner* et, à ses heures, écrit.

Stéfan Camirand Travaillant en vente depuis trente ans, Stéfan, quarante-six ans, a évolué dans l'industrie de la vidéo et de la restauration, et il se spécialise dans la vente de produits de cuisine haut de gamme depuis quinze ans. Originaire de Montréal, père de famille monoparentale et résident de la Rive-Nord, il présente son premier projet d'écriture, exception faite de quelques nouvelles écrites à différentes périodes, de l'adolescence à aujourd'hui. Stéfan aime le cinéma, le sport et la bonne bouffe.

Pierre Collin Détenteur d'un baccalauréat en communication de l'Université du Québec à Montréal, Pierre fait carrière comme relationniste au service des communications d'une grande ville du Québec depuis plus de vingt-cinq ans. En plus d'agir occasionnellement comme maître de cérémonie, il se spécialise en rédaction de discours, en organisation d'événements et en traduction technique. Ici, il se présente comme un néophyte du genre ; il souhaite offrir à l'esprit leste des femmes les voies pénétrantes d'expériences inénarrables et explicites.

Charles Eston* Depuis trente-deux ans, Charles répare et écoute des êtres et des corps. Faute de pouvoir tous les croquer (car il est aussi peintre à ses heures), il les imagine maintenant pour vous, dans des situations insolites qui aiguiseront vos sens et vous transporteront vers des bonheurs inavouables.

Pierre-Sylvain Fournier Âgé de cinquante-huit ans, Pierre-Sylvain est traducteur.

Yvan Houle Étant dans la jeune cinquantaine mais possédant l'équivalent d'un siècle d'expérience, Yvan est un entrepreneur accompli pour qui le fantasme érotique a toujours occupé une place privilégiée. Ingénieur typiquement cartésien et convaincu qu'une pensée rationnelle peut produire une intrigue sexuelle de grande qualité, il s'estime lui-même enchanté du résultat de son premier véritable essai d'écriture.

Jean Martin Chef de projet, Jean est âgé de quarante-trois ans. Après avoir vécu sur la côte Ouest, il habite Montréal. Il est marié et père d'un enfant.

Pierre Parent Diplômé en journalisme de l'Université de Strasbourg (France), Pierre a été impresario ainsi que producteur de spectacles et d'événements à caractère culturel. Il a notamment assumé la création et la production du Salon national de l'habitation, au Stade olympique, a agi comme président fondateur et chef de la direction de Groupe Promexpo (une entreprise organisatrice d'importants salons à Montréal, à Québec et à Toronto), et a assuré la promotion, la copromotion et la gestion de résidences hôtelières en France, en Floride, en République dominicaine et au Québec. Pierre est actuellement président de l'hôtel Le Crystal Montréal et du complexe touristique Venise-sur-le-Lac, en bordure du lac Champlain.

Pitch* Employé municipal et voyageur invétéré de quarante-et-un ans, Pitch est toujours prêt pour des expériences nouvelles. Il aime se laisser guider par son instinct afin de se sentir réellement vivant.

Paul Robert Âgé de cinquante ans, Paul est à la fois directeur artistique, illustrateur, graphiste et pigiste dans le domaine de la pub.

Pierre Roy Père de trois enfants, cet économiste de cinquante-trois ans est sportif, bricoleur et artiste en herbe. Il aime beaucoup écrire.

Georges Solières* Georges est né il y a quarante-sept ans de l'autre côté de l'Atlantique, au pays de Brel. De formation littéraire, il se passionne pour la communication et est invariablement attiré par les grands débats de société. Aussi spécialisé en investissement immobilier, il est toujours à l'affût de nouvelles occasions pour ses clients.

* Ces noms sont des pseudonymes.

Remerciements

Ce livre a été rendu possible grâce à la magnifique collaboration de nombreuses personnes.

Je veux d'abord remercier Jean Bonneau, qui a cru au projet dès le départ et qui a agi comme coordonnateur pendant les deux années qu'a nécessité sa réalisation.

Merci aussi à Guy Fournier, pour ses bons mots à mon égard et pour son amitié.

Merci aux auteurs, qui ont sauté dans ce projet avec enthousiasme et confiance.

Merci aux femmes qui ont fait partie de notre comité de lecture, pour leurs commentaires et suggestions: Diane-Michèle Potvin, Danielle Bisson, Vicky Carrier, Elsa Tremblay, Émilie Perisset, Valérie Tremblay, Catherine Bertrand et Jocelyne Fluet.

Merci à Monique Messier, à Marie-Claire Saint-Jean, à Jean Paré pour leurs précieux conseils, et à Carmel Tessier, mon adjointe, pour son appui fidèle.

Merci également à toute l'équipe des Éditions Transcontinental pour son grand soutien professionnel et pour son amitié.

Pierre Parent
Auteur et éditeur

Table des matières

CONCOURS

Remplissez ce coupon et envoyez-le
par la poste avant le 6 octobre 2015 à :
Concours Escapade amoureuse
Éditions Groupe Parim
1100, rue de la Montagne, bureau 1200
Montréal (Québec) H3G 0A1

NOM

PRÉNOM

ADRESSE

VILLE

PROVINCE CODE POSTAL

TÉLÉPHONE

COURRIEL

Répondez à la question suivante (obligatoire) :
Qui signe la préface du livre *Qu'eux* ?

☐ Oui, j'aimerais recevoir de l'information de la part du Groupe Parim, incluant des infolettres, des mises à jour, des promotions et des offres spéciales.

Escapade amoureuse à l'Auberge du lac Champlain

Forfait pour deux personnes, incluant deux nuitées, deux déjeuners et un souper (alcool non inclus) en plus de l'accès au spa, à la piscine d'eau salée et à la plage.

Une valeur totale de **750 $**

Escapade amoureuse à l'Hôtel Le Crystal Montréal

C
HÔTEL
LE CRYSTAL

Forfait pour deux personnes, incluant deux nuitées dans une suite Deluxe King, deux déjeuners et un souper (alcool non inclus).

Une valeur totale de **750 $**

Tous les coupons de participation doivent nous parvenir au plus tard le mardi 6 octobre à minuit, le cachet de la poste en faisant foi.

Le tirage au sort aura lieu le 12 octobre 2015 dans les bureaux des Éditions Groupe Parim.

Les gagnants seront avisés par téléphone ou par courriel. Valeur totale des prix offerts : 1500 $. Le concours est ouvert aux résidents légaux du Québec âgés de 18 ans et plus. Les employés des Éditions Groupe Parim et leur famille ne sont pas admissibles au concours. Un fac-similé par personne accepté. Aucun achat requis*.

Règlements complets disponibles sur demande à l'adresse du concours (mentionner « Demande de règlements » sur l'enveloppe).

Voir les règlements du concours pour plus de détails.